Ealing Course in
German

Part 1

(Accompanying Cassettes
Available)

Ealing Course in German
Books 1 and 2
Cassettes

In the same series

Ealing Course in Spanish
Books 1 and 2
Cassettes

Ealing Course in
German

Revised Edition
Part 1 (Units 1-18)

originally produced under the direction of
Una McNab at
Ealing Technical College

with a grant from the
Nuffield Foundation

revised by Paul Coggle and Una McNab

Longman

438.3421
EAL

1042999 9

LONGMAN GROUP UK LIMITED
Longman House,
Burnt Mill, Harlow, Essex CM20 2JE, England
and Associated Companies throughout the world.

First published 1969
Revised edition 1978
Tenth impression 1991
ISBN 0 582 35249 5   0582352487

Produced by Longman Singapore Publishers Pte Ltd
Printed in Singapore

17/6/91

Research team

M. A. L. Sculthorp	supervisor
Una McNab	research fellow
Ingeborg Christopher	research tutor
Hedwig Thimig	assistant
Paul Coggle	assistant
Hans-Otto Schmidt	assistant
Antony Cooper	assistant
Don Wharram	technical adviser

Visuals

Bailey Pettengell Design

Tape recordings

Alfred Behrens
Heinz Beran
Adeliese Bischoff
Paul Horstrup
Henry Imberg
Claus Martens
Sabine Michael
Corinna Schnabel
Jorg Sörensen
Merle Werbke
Heinrich Wiedemann

Elements of the course

Book   (Parts 1 and 2 available in one volume, or separately in a two-volume paperback edition.)
Set of 8 twin-track tapes or cassettes (Units 1–18)
Set of 8 twin-track tapes or cassettes (Units 19–38)

Acknowledgements

The experiment that led to the production of this course would never have been possible had it not been for the initiative of Miss Mabel Sculthorp, then the Head of the School of Liberal Arts at Ealing Technical College, for a generous financial grant awarded by the Nuffield Foundation on the recommendation of Dr L. Farrer-Brown, and for the flexibility of organization allowed by the local education authority, then Middlesex Education Committee, and the Principal of Ealing Technical College, Dr O. G. Pickard. For that opportunity, all connected with the production of this course are much indebted.

Pilot versions of this course were pre-tested by the colleges and members of the business firms mentioned below. Every teacher and student who took part completed questionnaires stating their reactions, opinions and suggestions. Those who studied at Ealing discussed it personally and at length with the research team. We are extremely grateful for the valuable and practical observations made in this way and we wish to record our sincere thanks to those members of the following colleges and organizations who have helped us:

Atlantic College
Barnet College of Further Education
Brunel University
Cambridge College of Arts and Technology
City of London College
Constantine College of Technology
Dundee Commercial College
Ealing Technical College
Exeter Technical College
Harlow Technical College
High Wycombe College of Technology and Art
Huddersfield College of Technology
Kingston College of Technology
Leeds College of Commerce
Monkwearmouth College of Further Education
South Devon Technical College
Thurrock Technical College
University of Kent
Widnes College of Further Education
Woolwich Polytechnic

Bosch Ltd
British European Airways
Gordon Johnson-Stephens Ltd
Hoffmann Manufacturing Co. Ltd
Imperial Chemical Industries Ltd
Lloyds Bank
Joseph Lucas Ltd
Ministry of Defence
Standard Telephones & Cables Ltd
United Biscuits Ltd

For her invaluable assistance during the production of the Revised Edition we are extremely grateful to Mrs Ingrid Williams of Ealing College of Higher Education. Her patient and thorough checking of the text, her constructive suggestions for additions and alterations, especially to the *Lesestücke* and *Schriftliche Aufgaben*, have been greatly appreciated.

Contents

Introduction   xi
Plan and method   xiii
To the student   xxiii

Abschnitt 1
IM BÜRO

Teil A

Dialog   3
Grammar Summary   3
Fragen   5

Teil B

Erweiterung (*Angestellte
in der Firma*)   6
Übungen   7
Konversation   8
Schriftliche Aufgaben   9

Abschnitt 2
UNTERHALTUNG
BEIM MITTAGESSEN

Teil A

Dialog   11
Grammar Summary   12
Fragen   13

Teil B

Erweiterung (*Was spricht
man hier?; Drei Kollegen*)   14
Übungen   16
Konversation   17
Schriftliche Aufgaben   19

Abschnitt 3
UNTERHALTUNG
BEIM KAFFEE

Teil A

Dialog   21
Grammar Summary   22
Fragen   23

Teil B

Erweiterung (*Ein Tageslauf*)   25
Übungen   26
Konversation   27
Schriftliche Aufgaben   30

Abschnitt 4 (EXTENSIVE)
MR BLAKES ERSTE
TAGE IN DEUTSCHLAND

Hören und Verstehen (*Im
Restaurant*)   32
Questions   33
Konversation (*Eine Cocktail
Party in der Handelskammer*)   34
Lesestück (*Die Deutsch
sprechenden Länder Europas*)   37
Questions   37
Grammatik (1–25)   38

Abschnitt 5
IM HOTEL

Teil A

Dialog   45
Grammar Summary   46
Fragen   46

Teil B

Erweiterung (*Hotelgäste*)   50
Übungen   51
Konversation   53
Schriftliche Aufgaben   55

Abschnitt 6
EINE ANGENEHME
FAHRT

Teil A

Dialog   57
Grammar Summary   58
Fragen   59

Teil B

Erweiterung (*Ein Abend
bei Schneiders*)   61
Übungen   61
Konversation   63
Schriftliche Aufgaben   66

Abschnitt 7
MESSEBESUCH

Teil A

Dialog   67
Grammar Summary   68
Fragen   69

Teil B

Erweiterung (*Die Fahrt zur
Messe*)   72
Übungen   73
Konversation   74
Schriftliche Aufgaben   76

Abschnitt 8 (EXTENSIVE)
GESCHÄFTE UND
UNTERHALTUNG AUF
DER MESSE

Hören und Verstehen (*Auf
dem Messestand*)   78
Questions   79
Hören und Verstehen (*Ein
internationaler Abend*)   79
Questions   81
Konversation (*Eine Ver-
abredung*)   81
Lesestück (*Die Stadt
Frankfurt am Main*)   82
Questions   83
Grammatik (26–63)   84

Abschnitt 9
EIN TELEFON-
GESPRÄCH

Teil A

Dialog   96
Grammar Summary   97
Fragen   97

Teil B

Erweiterung (*Das Programm
für nächste Woche*)   98
Übungen   103
Konversation   105
Schriftliche Aufgaben   107

Abschnitt 10
PLATZRESERVIERUNG

Teil A

Dialog   108
Grammar Summary   109
Fragen   110

Teil B

Erweiterung (*Herr Müller
reserviert einen Flugplatz
nach München*)   110
Übungen   112
Konversation   114
Schriftliche Aufgaben   116

Abschnitt 11
IM FLUGZEUG

Teil A

Dialog   117
Grammar Summary   118
Fragen   119

Teil B

Erweiterung (*Ein Flug von
Hamburg nach Wien*)   122
Übungen   123
Konversation   125
Schriftliche Aufgaben   127

Abschnitt 12
BEI DER ZOLL-
KONTROLLE

Teil A

Dialog   128
Grammar Summary   129
Fragen   131

Teil B

Erweiterung (*Schweizerische
Zollverschriften; Drei
Passagiere*)   132
Übungen   134
Konversation (*So einfach
ist das Schmuggeln nicht*)   137
Schriftliche Aufgaben   140

Contents

Abschnitt 13 (EXTENSIVE)

AM FLUGHAFEN

Hören und Verstehen
(*Ankunft in Kloten*) 142
Questions 143
Konversation (*Flugpanne
in Köln*) 144
Lesestück (*Die Bundes-
republik Deutschland: ein
geographischer Überblick*) 146
Questions 148
Grammatik (64–92) 149

Abschnitt 14
IN DER STADT

Teil A

Dialog 159
Grammar Summary 160
Fragen 161

Teil B

Erweiterung (*An der
Hauptwache*) 162
Übungen 163
Konversation 165
Schriftliche Aufgaben 166

Abschnitt 15
AUF DER POST

Teil A

Dialog 167
Grammar Summary 168
Fragen 169

Teil B

Erweiterung (*Auf der Post*) 170
Übungen 172
Konversation 174
Schriftliche Aufgaben 178

Abschnitt 16 (EXTENSIVE)

EINE EINLADUNG

Hören und Verstehen (*Die
Planung einer Einladung*) 180
Questions 181
Hören und Verstehen
(*Besuch bei Familie Dietz*) 182
Questions 184
Lesestück (*Mrs Blakes
Ankunft in Frankfurt*) 185
Questions 186
Grammatik (93–114) 187

Abschnitt 17
GUTEN APPETIT!

Teil A

Dialog 191
Grammar Summary 192
Fragen 193

Teil B

Erweiterung (*Ein gutes
Essen*) 195
Übungen 196
Konversation (*Gespräch
zwischen Kellner und Gast*) 198
Schriftliche Aufgaben 201

Abschnitt 18
EIN FURCHTBARER
TAG IM BÜRO

Teil A

Dialog 202
Grammar Summary 204
Fragen 205

Teil B

Erweiterung (*Herrn
Schneiders schrecklicher
Tag*) 208
Übungen 209
Konversation 211
Schriftliche Aufgaben 213

Guide to grammatical
content

Vocabulary

Introduction to revised edition, 1978

Towards the end of 1974, as the published course was then five years old, it was felt that the time was ripe for review. Apart from the urgent need to up-date informational content to reflect present conditions, certain modifications and additions seemed desirable in the light of continuing developments in foreign language teaching. Experience of using the course in a wide variety of learning situations also suggested that the course could thus be effectively adapted to suit much less intensive learning conditions than were originally foreseen for it without disrupting its integral plan. The impossibility of changing recorded material (except in the rare instances where a whole section could be changed) was an inevitable constraint, however, and students must be alerted to inaccuracies such as prices quoted in dialogues.

Discussion of these points and consideration of feedback from many sources have resulted in two major additions to intensive units and considerable alterations in extensive units. Some grammatical comment immediately follows the dialogues and written exercises appear at the end of each intensive unit, to assist consolidation and provide for assessable creative activity between contact sessions. In the extensive units, political and economic change together with strict standards of thoroughness, precision, relevance, style and motivation necessitated two completely new reading passages (Units 23 and 30), considerable modification of several others, and new versions of two listening passages in Unit 36. Expansion 37, 'Die Europäische Gemeinschaft' and the Conversation relating to it also demanded completely new treatment.

Some further changes were made, chiefly in layout, for either pedagogical or practical reasons. Dialogues have been divided into sections (in book only and not on tape) according to meaningful exchanges between speakers, weight of learning load and change of theme. Each section is introduced by an English sentence or two (in the book only) to aid comprehension. The English preamble at the beginning of intensive units therefore seemed dispensable. Printed answers to questions on dialogues and expansions have been omitted from the text, thereby removing any temptation to read them off mechanically or learn them before answering on the tape. Also, alternative answers are possible from an early stage and a printed answer suggests that variations are unacceptable (though only one answer is recorded). Printed answers to drills (except for the first two examples) have also been omitted, as they could defeat the whole purpose of the exercise. Some drills are introduced on the tape with a cautionary comment or reminder. Unrecorded drills have been recorded, transferred to the end of the section for treatment in class, or, in a few instances, deleted. A few Konversationen have been improved and some have been omitted, as they were judged to be redundant or unhelpful. Where space permitted, a visual has been included. Finally, it was felt that division of the intensive units into Teil A and Teil B would have a positive effect on morale, as a sense of achievement could be experienced much sooner and more often than formerly. It must be emphasised that there are 8–10 hours of work in most intensive units, if students are genuine beginners (and sometimes even if they are not!) and work is being done thoroughly. On intensive courses, one unit per day is the objective, but many students using the course may only have enough time for one unit per week.

Plan and Method

The course consists of 38 units, presented in eleven groups of three or four. In each group, the first two or three units are for intensive and the last for extensive practice. Each **intensive** unit consists of a presentation dialogue with brief grammatical comment followed by questions in German, an expansion in the form of an oral exercise based, in most cases, on an illustration, a set of oral exercises, some conversation practice and some written exercises. The structures and vocabulary introduced are those considered desirable if not essential for effective communication in a particular environment and are expected to constitute the learner's active repertoire. The **extensive** units contain, in general, two listening passages, a reading passage and a grammar summary of the preceding intensive units. The language items of the extensive units include a foretaste of some to be learned intensively later and a certain number required by the context, which are for recognition only. Social, cultural, geographical, political and industrial background information about the BRD, together with some mention of other German-speaking areas is the subject matter of the extensive units.

The design of the course and the underlying methodology is not based on any single theory of language acquisition. In the absence of much needed basic research, the authors had to proceed empirically, test results in unscientifically controlled conditions and rely on observation and experience. In the early sixties when the project was begun, many exciting assumptions were being made, but little had actually been proved (and in fact, there is *still* a lack of conclusive evidence). Great success was being claimed for materials and methods powerfully influenced by behaviourist psychology. Chomsky's thought was setting up a strong theoretical opposition, but little was known about the unconscious acquisition of 'rules' in *second* language learning which could be confidently applied in a practical way on an intensive course. Much was said about interference from the native language, although this was a criticism of direct contrastive techniques rather than the result of controlled scientific investigation, and this *did* affect our methodology. In the preparation of the experimental courses preceding publication, the authors were eclectic and cautious. Numerous authorities on linguistics, applied linguistics, the formal structure of German, contrastive analysis, use of the language laboratory and visual aids were consulted, and our own sample of about 70 hours of spoken German was examined for relevant data. The final form and content of course and unit are, however, chiefly attributable to our development of objectives defined in behavioural terms, i.e. the focus of attention on the *use* of German as a means to particular ends rather than on the *study* of German as an end in itself, and the attempt to achieve those objectives by experiment, observation and modification in the light of feedback from participants in the pilot project. Some of the revelations considered important enough to call for large-scale reshaping of the course (prior to publication of the first edition) as a whole, e.g. the value of differentiation between intensive and extensive learning, are now tenets of materials design. Some techniques now seem to be so specific to the intensive course that their appropriateness is questionable in other conditions, which is no surprise to the authors, who warned from the outset of the need to adapt. Over-mechanisation soon reveals its limitations and we hope to have counteracted this tendency to some extent in the revised course. The neglect of writing skills we now feel, in retrospect, to have been unfortunate in any circumstances requiring productive mastery, and this has now been rectified. Doubts, questions and dissatisfactions remain and the authors have no illusions. The experiment goes on, albeit in random fashion, and we hope that our inevitably restricted efforts to improve the course will be seen as a further stage.

There are book drawings accompanying the dialogues in Units 1, 2, 3, 5 and 6 only. The practical arrangement of one unit per tape restricted recording time to about 42 minutes per intensive unit. There are no paused recordings of the dialogues after Unit 10. Drills are three-phase except for the first units which *do* allow a pause for the correct answer. Except for Expansion 34 (which is more suitable as a reading passage), certain conversations, all reading passages, grammar summaries and written exercises, nearly all other material is recorded and can be practised in the language laboratory. (Any further omitted recordings are the result of timing restrictions and are as follows: the second stage of the dialogue in Unit 6; sections of the expansions in Units 9, 10 and 21; the translation practice in Unit 38.) Presentation by the teacher must precede laboratory practice (except in the case of listening passages), unless the course is being used for revision purposes with non-beginners. Careful monitoring is indispensable in the language laboratory. Students using the course for self instruction should bear in mind that it was not designed for this purpose.

The authors are aware that the course has been used with a wide range of learners from adult beginners to undergraduates in post A-Level German courses, and in widely varying conditions. Teachers who use it (or parts of it) for students and purposes other than those for which it was designed will discover the best procedures to suit their conditions and objectives. The suggestions made here are for guidance in dealing with beginners or near-beginners, for whom number of hours per week, length of contact sessions, time gaps between presentation and practice sessions and intervals between contact sessions are crucial factors. The course was designed for small groups of highly motivated adults prepared to devote 20 to 30 hours per week for 10 to 15 weeks to learning to communicate effectively in German in a predominantly business environment. We suspect that it is, in fact, rarely used in those precise conditions and are pleased with its proven flexibility.

The following suggestions are made for using the various parts of each unit in class and in the language laboratory. They are not, however, prescriptive, and teachers will find many other ways of dealing with them.

Intensive Units

Dialog

1. New material is contextualised and first presented to students in a recorded dialogue. In the text, this is divided into several sections, each introduced by a brief reference in English to the scene, the speakers and the topic. This can be introduced by the teacher so that students need not see the text at this stage. Discussion of forms and patterns takes place *after* the section or the whole dialogue has been heard and understood. Meaning is conveyed by the introductory sentences, the high degree of contextualisation, the actors vocal performance and the teacher's ingenuity. The first recording of the dialogue is to ensure comprehension and familiarity with the sound of what is said. It needs to be played several times, assisted, if necessary, by the teacher's repetition of utterances.

2. The second recording is for student repetition of each phrase, chorally, individually, or both, depending on the size of the group. At this stage pronunciation is corrected, if necessary. Up to Unit 10, a paused recording is provided. Beyond Unit 10 it is advisable to prepare an exploded recording of the dialogue, for classroom presentation as well as laboratory practice.

3. On the third recording of the dialogue, pauses are left for students to play the role of the English person in response to what is said by the German. In the early units, students will

have little scope for acceptable variation from the original, but later this is bound to happen and should be accepted, so long as the development of the situation is not affected, and responses are correct and appropriate. From repetition stage to prompted response is a considerable leap for a beginner, and purely memorised responses are an achievement very limited in application when it comes to real situations. Students must appreciate the logic of the verbal exchange in which they are participating and respond with the confidence this understanding implies. This entails much work between stages two and three (which increases as the course progresses), and teachers must decide what use to make of the various possibilities. Certainly, a listen-and-repeat practice session in the language laboratory is desirable. Students always underestimate how much they need to listen before attempting oral production. After the laboratory practice session, teachers may find some reference to forms and patterns helpful. Discussion *about* linguistic forms at such an early stage was originally rejected, as it distracted from practice in use of them and smacked of the old 'grammar grind'. However, longer experience revealed the extent to which adult learners depend on rational processes and need to perceive some signs of system which permit them to classify. Some explanation was found to be helpful at this stage, so long as it remained brief in proportion to use and practice, and comment was strictly confined to forms used in the dialogue. The new unit grammar summaries show the teacher what is necessary at a glance, and it is probably best done without class reference to the book at this stage. There should then be a return to the recording (unexploded version) and possibly some very simple questions. A trial run of the third recording will then show whether students are ready for it or not. If not, play the first two recordings again, allowing students to follow the text. If they are still not responding well on the next trial run (without text), proceed to the questions on the dialogue and return to it afterwards. Failure to respond by then suggests it is an unrealistic aim for that particular group and should be quietly dropped. Constraints of time may compel teachers to ignore this activity from the outset, or perhaps after several units, or to return to it at the end of the unit with or without the tape. It is impossible to be prescriptive in view of the many variables.

Grammar Summaries

Reference has already been made to the unit grammar summaries above. When and how they are used is left to the teacher. They are not intended to be comprehensive, as the summary tables in extensive units have been retained. It was felt that they would be helpful, particularly to groups which have a limited number of contact hours at their disposal. The guidance offered is strictly confined to the main structures introduced in the relevant dialogue, and in no sense does it claim to present a descriptive analysis of German. 'Rules' given operate at the level reached and are adequate until students encounter instances that demand an extension or rephrasing of them. Otherwise there is little one could say that is always and universally true. The basis is the spoken language of 'educated' Germans, in the sense that their use of language is not careless and includes communication of sophisticated notions. Our basic views on the role of grammatical explanations in a course of this kind have not changed (i.e. they should be kept to a minimum), but experience has shown that a judicious amount is time-saving and more appropriate for adult learners than the chancy procedure of induction.

Fragen

The questions on the dialogue depend on the students remembering the informational content of the dialogue, which is uncomplicated and will be familiar enough to them in view of

all the work required on the dialogue. This technique reinforces the phrases and vocabulary used in the dialogue and often completes a paradigm with third person verbs and pronouns which could not be included in the dialogue. It accustoms students to the various types of question and to the most *natural* form of answer. It also ensures that they can manipulate the language learned. The questions should be worked through in class and then practised in the laboratory. Model answers are given on the tape (though students should be told that variation is possible) but *not* printed in the book. Pauses are timed for trained speed of reaction, and since students must understand the question, recall the facts and formulate the answer in German before being ready to speak, they will not succeed in recording the answer in the time allowed on a first attempt. Either the pause button or the stop button should be used to allow adequate time for thinking and responding. Otherwise they will become discouraged and confused. Also, they should perfect their responses to one set of questions (corresponding to a dialogue section) before proceeding to the next. Unless this procedure is adopted they are wasting time and learning nothing.

Erweiterung (Expansion)

In almost every unit, this consists of a set of numbered sentences describing a set of correspondingly numbered drawings. It is intended to expand the structural content of the dialogue and provide a framework for introducing vocabulary relevant to the theme of the unit, which is built round a centre of interest. A few Expansion tapes in later units are not suitable for illustration, but when that point is reached the teacher will have no difficulty in conveying meaning by explanation in German. The Expansions usually have two sections, a presentation section and a section requiring response from the student other than mere repetition. Answers are given on the tape but not printed in the book. As with the dialogue the Expansion should be presented in class and then practised intensively in the laboratory. Students should first work from drawings and recordings only. In certain units (e.g. those introducing time, numerals, calendar and dates, money, metric measurements, colour, timetables, materials) there is need and scope for more practice than we have been able to include and teachers are advised to supplement this material with classroom practice using suitable realia.

Übungen (Structure Drills)

The drills are intended to systematize and generalize forms that have so far been learned only as meaningful items in the context. They should be introduced in class solely to ensure that the student understands the mechanism of each drill, that is, the structural relationship between the stimulus and the response. The drills are essentially laboratory work. In principle, no new vocabulary is introduced here, as the student's mind should not be distracted by lexical novelties. Students should work in the laboratory entirely by ear and printed answers have been omitted from the book to ensure this. Once the novelty has worn off, this session can become a new kind of 'grammar grind', but it is difficult to see how language can be internalized and the right habits formed to make it immediately available for automatic use when required without some amount of artificial manipulative drilling, especially when the target language presents many morphological and syntactic contrasts to the native tongue. There are many perils attendant on laboratory structure-drilling and we are aware of the serious objections to it. It is difficult to *prove* the value of structure drills. Even when perfectly performed, one cannot be certain of the transfer of the learning to random stimuli and responses in a completely different context. Much research has still to be done in this debatable field of teaching method.

It is vital that students be trained in correct procedure and know what is required of them in terms of performance. We recommend two consecutive runs through without error or hesitation before proceding to the next drill. This will require on average three or four practice runs with stops for immediate correction of error and several repetitions of the correct form. Use of play-back is indispensable and the capacity for unsparing self-criticism must be developed. If there is not instant recognition of a mistake, it will be learned. The dangers of mechanical response or of trick learning by listening to correct answers before attempting to respond are only too obvious. We have tried as far as possible to construct drills which force the student to keep thinking and make him feel he is learning useful phrases, so that he is not lulled into semiconsciousness while his voice drones on mechanically. Drills appearing in this section are all recorded. Those which could not be recorded have either been deleted or appear later under 'Übungen in der Klasse' to be worked through in class.

Konversation (Conversation)
In this section, several kinds of exercise are offered: discussion, situation and prepared talk, though every unit does not necessarily contain all three. Some of the conversations of the earlier publication have been cut. Unit 37 contains a new one relating to the new Expansion on the European Community and 31A has been changed. The Dolmetschübungen in Units 35 and 37 have been recorded. Teachers are reminded of the possibility of using the Dialog recording with pauses for responses here; the Dialog can also be used in class with some adaptation to suit personal situations of class members. Teachers using the course with undergraduates can transform it into a campus situation, having first provided the necessary vocabulary. In the interests of morale and motivation, the 'business' environment should always be adapted at this stage to suit the specific needs and tastes of the group.

'Conversation' has always been the major problem and the acid test in basic courses, and much time was devoted to the search for satisfactory ways of ensuring that students were given the opportunity to make maximum use of their accumulating repertoire. We accepted from the outset that our conversation exercises must be fairly strictly controlled by providing a clear social and linguistic framework within which the student could express what was required. Thus they are an exploration of the 'undiscovered country' which lies between preorganized drills and completely 'free' expression – an area which could bear much further investigation. We do not claim great success as we suffered from lack of time to develop our techniques adequately in relation to the context, but we do feel we are on the right lines. The problems are psychological and social as well as linguistic. One must consider the differentiation of linguistic behaviour according to the student's attitude to what he says and his relationship with his listener(s) or fellow-communicator(s). He requires help to select a speech code appropriate to this relationship for: factual, unemotional statement or description; conveying information which affects speaker or listener; acquiring information; attending to his needs; courteous small talk; giving instructions; expressing opinions or desires; persuading; negotiating business; expressing emotion; participating in argument or discussion; making a speech. In all of these except one, he must be prepared to take the initiative as well as respond to and cope satisfactorily with whatever may be said by others. Only in the last activity can he prepare and organize in advance. These activities fall into the three broad categories of discussion, situation and prepared talk, and all should be practised from Unit 1 onwards, not only in exercises contrived by the authors, but also in a personal context, when the student can be himself and express his adult personality. This is the best form of motivation with a group of sophisticated adults, and success depends entirely on the

student's linguistic stock and the teacher's resourcefulness in making him use it to the full. The creation of a fertile social atmosphere is the result of many factors, but what happens in a conversation session depends ultimately on the teacher. It has been found helpful to think along the lines of linguistic tasks belonging to certain roles within a relevant environment, provided all are within the student's experience and any differences between the native and the foreign environments have been fully understood. Careful structural analysis, programmed material and intensive drilling are of little value unless they lead to real communication in the target language.

Some of the situational exercises are presented as half-scripted dialogues in which the student must supply the unscripted half. In the other type of situation, pairs of students are assigned roles and presented with a series of minimal clues (each series, where possible, invisible to the other role-player) from which a full dialogue is to be played out in class. The teacher prepares the students as much as he considers necessary, perhaps commencing by taking one role himself. He can invent other situations, gradually increasing the initiative required from the students. The discussion exercises vary from simple questions for the teacher to ask the students or the students to ask each other, to quite complex topics involving description, expression of opinion or emotion, disagreement, argument and summing-up. These are carefully based on subject matter familiar to the student to prevent his ranging beyond the scope of his expression in German. Vocabulary assistance is often provided, and the teacher can develop the discussion according to the ability of the group. Success depends largely on the student's sense of personal involvement, which acts as a catalyst in the learning process. The prepared talk could be a home task, to be delivered later in class. Suggested topics can be altered or added to suit the interests, experiences or hobbies of particular students, so long as they lie within their linguistic scope. A possible follow-up in later units would be a question session from the teacher and other students, directed towards warming the class to the subject and stirring up enthusiasm or opposition. Time will always be a problem, but even a modest degree of success in free expression cannot be achieved without much patience and perseverance. Time 'saved' on conversation is a false economy.

Schriftliche Aufgaben (Written Exercises)
Written exercises were not provided in the original edition of the course, since the skills of listening, speaking and reading were, and still are of prime importance in this kind of course, and the acquisition of formal writing skill was considered to be more time-consuming than the rare need for it could justify. This view has not altered essentially, but experience has shown that when such needs do occur (e.g. form-filling, letter writing, informal notes), neglect of writing practice can give the impression of illiteracy. Also, there is no doubt that writing assists consolidation of what is to be learned and helps to bridge gaps between contact sessions by providing a valuable opportunity for production of German outside the classroom. In general, the exercises fall into two groups:
1. Exercises in which the student is required to arrange phrases or sentences in the correct sequence and write them out in full, in order to compose a coherent narrative. In this type of exercise, since the possibility of error is reduced to a minimum, it is hoped that the sense of achievement will boost motivation and consolidate what has been learned.
2. Exercises in which the student is required to use language creatively, helped only by cues or guidelines in English. These exercises are designed in such a way that the student may, with the limited structures and vocabulary at his disposal, meet the requirements of the

situations outlined. He should, however, be trained to realize that, while an imaginative approach is always refreshing, it is advisable to concentrate on expressing himself within the limits of what has been taught. Failure to do so inevitably leads to a breakdown in communication and hence to disillusionment. Exercises should, of course, be corrected and returned with a minimum of delay.

Filler

Where space permitted, an additional illustration has sometimes been provided. When a drawing is included, it may be to drive a point home, or it may simply be for light relief. If some useful piece of realia is reproduced (e.g. official forms, travel tickets, advertisements), it should be explained and can then form the basis of an oral exercise.

Use of printed text

In principle (in intensive units), everything in German (except the written exercises) should be heard, understood and repeated before it is read. Aural/oral experience is paramount in the use of this course, and if students depend too heavily on support from the text, their aural comprehension and oral performance will suffer. A time-lag between hearing and seeing is particularly important in the early stages to prevent students from attributing English sound values to German written symbols. Interference from English will, in any event, have to be combatted, no matter when the printed text is introduced. The less intensive the time scheme of the course, the greater will be the need for textual support.

Extensive units

Hören und Verstehen (Aural Comprehension)

The listening passages in the extensive units are intended to accustom the students to sustained speech uttered at native speed. They are being trained to understand as much and as fast as they can, and also to listen selectively, either for gist or for detail (or both), so that the salient facts are retained. The context of the listening passages, whether conversational or formal in style, is much more free than that of dialogues or expansions, since the objective is comprehension of about 75 % of the material and not active use. Unknown words and new structures are introduced here, and the student is expected to make intelligent guesses at the meaning by deduction and analogy, or with the help of the English questions provided. This is a most realistic test, as the student will be on the receiving end abroad most of the time, and since it will be a long time before he understands everything, he must learn to grasp whatever is important to him and disregard the rest. Recommended procedure is: listen twice without text (answer as many questions as possible) ,listen again – answer remaining questions if possible; if not, study text (without listening), listen again (without text), answer remaining questions. Teachers can adapt this procedure to their own students' requirements and even go on to a closer study of the text if desired. Sometimes, in later units, the student is required to give evidence of comprehension other than by answering questions, e.g. by taking notes or summarizing in English. In the later units, teachers can exploit the material in German as an additional exercise, if appropriate. Two of the early listening passages make provision for the student to interject appropriately in German when a remark is addressed to the Englishman in the company. This kind of exercise was later abandoned, as the questionable advantage to the student was not considered worth the amount of work involved in

constructing them. Except in the later extensive units, where the subject matter was considered appropriate for discussion and the student's language store could be relied upon, it was decided not to include conversations in the extensive units. It was felt that student activity should be restricted to the receptive level in principle, owing to the risks involved in attempting to imitate complex constructions used in the listening passages. Listening passages 1 and 2A of Unit 36 have been rewritten and re-recorded.

Lesestücke (Reading Passages)

These are intended for reading comprehension only. Students should be given a limited time to read the passage silently and then answer the printed questions on it; then to read it again and summarize it in English; thirdly, to read it more carefully and answer the teacher's questions on it. Only the teacher can decide how intensively the text should be studied, but the passages are intended for practice in rapid reading comprehension, not for detailed exploitation.

The subject matter treated usually requires the much more formal, dense and compact style of written German. The difference between the spoken and the written language is very striking and some of the later reading passages are really testing. It must be admitted that, in the first edition, the treatment of the informational content of the reading passages received less attention than we would have wished. When it was decided to use the reading passages to provide information on the Federal Republic, only a minute proportion of time could be allotted to them. However, the content of the passages acquired unexpected importance, especially those concerned with political and social organization, possibly owing to use of the course by advanced students, but also because native German teachers were, quite rightly, sensitive about thoroughness of presentation. Naturally, as the political and social scenes changed, some statements were soon out of date and certain passages demanded revision for that reason alone. Considerable time and effort have been devoted to the updating, modification and, in two units, complete rewriting of Lesestücke, which should be particularly appreciated by advanced students using Part 2 of the course. In certain cases help has been provided by a vocabulary list with definitions in German immediately following the relevant passage, but teachers are warned that some vocabulary assistance will nevertheless be required.

Grammatik (Grammar)

The grammar section in the extensive units has been retained despite the introduction of the unit summaries, since these do not cover *all* the structural content of intensive units, and the frames in extensive units can present a much more complete statement. It does *not* cover morphology and syntax introduced in extensive units only, nor indeed *all* that is introduced in intensive units. Right or wrong, this is quite deliberate, as we feel grammatical analysis should be played down in this course.

Subject matter

Subject matter is of vital importance in learning a foreign language, which, especially for an adult, is an arduous and largely artificial process. Students must have a constant sense of purpose and be kept interested and highly motivated. The context should be relevant to his daily experience of life; the form of speech should be the medium of discourse of the society

in which he moves and the exercises must have the recognizable purpose of teaching him exactly what he needs to be able to do. He should never feel he is playing with forms just for the sake of manipulating language. There is no such thing as 'language on holiday' (Wittgenstein). It is the course writer's task to satisfy these requirements. We do not claim to have entirely succeeded, but we hope we have catered for the needs of adult learners who require communication competence in German, some understanding of the citizens of the Federal and Democratic Republics and their environments, but do not require a highly specialized variety of the language. Authentic contemporary 'standard' German is used throughout, and we know from the experience of former students that learners who visit a German-speaking country soon after working on the course find immediate satisfaction in using what they have learned.

Vocabulary

Vocabulary played a secondary role in the design of the course in the sense that we did not permit frequency lists to dictate functional requirements, nor was the learning of a certain number of words an explicit objective. While we were aware of the advantage of keeping vocabulary to a minimum until basic structures have been mastered and despite the fashion (current in the sixties) for restricting active vocabulary to a small number of high frequency words, it was decided that to do this would not adequately serve the needs of the learners we had in mind, i.e. those who needed to communicate with German speakers on a wide variety of topics and in a fairly large number of routine situations. For their purposes, an acceptable use of German was not considered possible with less than all basic grammar, an active vocabulary of about 3000 words and an additional recognition vocabulary of about 700. Control of vocabulary distribution, especially in the extensive units, is far from perfect, as situation and structure were given priority. It has been found that good and average students usually have enough vocabulary to handle routine situations with comparative ease and sustain conversation on a wide range of topics quite satisfactorily. Once in the foreign country, improvements in speed of communication and extension of range of discourse have agreeably surprised most students and sometimes far exceeded our expectations. The glossary provided at the end of the book gives plural forms and vowel changes of strong verbs. It does not include unusual morphological peculiarities dealt with in drills and grammar, and does not list all cognates or compound nouns when both components have been included elsewhere. The first meaning given is always the one which the word has in the context and any wider meaning is given thereafter. The glossary does not include all vocabulary used in the Lesestücke. By the time students are able to work on extensive units on their own, it is expected that they will be making intelligent use of dictionaries, having first been taught how to do so. The use of dictionaries has a rightful place on any foreign language course; if this had always been acknowledged as necessary and desirable instruction, their use would not have fallen into disrepute. Since students will use them openly or secretly anyway, teachers are advised to introduce the subject early enough to prevent confusion.

Pronunciation

We have not found that the pronunciation of German presents serious difficulties to English speakers. Students have excellent models to imitate on the tapes and if teachers insist on sustained good pronunciation and tenacious correction of errors, special pronunciation exercises will not be missed. Listening is a learned activity, however, and most adults will have lost the habit. Constant effort is required in the early stages. Good pronunciation cannot be

acquired without it. Students who have previously been exposed to bad models and allowed to acquired careless pronunciation are a special problem and may not succeed in entirely eradicating the effects of the previous experience. Teachers must be prepared for a deterioration in pronunciation when students first see the text and at the point of transition, there is much to be said for controlled reading aloud. It is recommended that teachers spend some time on the sounds of German which do not exist in English when they occur in the units – [y], [y:], [o:], [œ], [x], [ç], [ts], [ʔ] – Nearly all of these occur in the first two units. One should describe *how* these sounds are formed and not rely solely on imitation. One very frequent error which must be firmly suppressed is the diphthongization of vowels which should be pure. Some explanation and demonstration of the glottal stop is also required. Stress, intonation and rhythm can usually be adequately dealt with by imitation and correction. Teachers can choose the moment to comment on regional variations in pronunciation, especially in connection with Switzerland, Austria and Bavaria, so that the students are prepared for deviations from what they hear on the tapes.

Spelling

Since writing is not one of the main aims of the course, it was not considered necessary to include an outline of the spelling system of German. However, it is recommended that students' attention be drawn to certain features of the writing system as they occur, but always *after* they are familiar with both sound and meaning of the examples chosen.

   (i) all German nouns are written with initial capital letter
  (ii) *Sie* (you) is written with capital *S*
 (iii) [z] is spelt with an *s* (*sie, sind*)
 (iv) initial *s* before *t* or *p* is pronounced [ʃ] (*Stenotypistin, sprechen*)
  (v) *sch* is pronounced [ʃ] (*Schneider, Tisch*)
 (vi) the Umlaut changes the sounds of *o, u, a*, and *au* (*König, Büro, Sekretärin, Fräulein*)
(vii) [v] is spelt with *w* (*wer? was? wie?*)
(viii) initial *v* is pronounced [f] (*Vertreter, von*)
 (ix) final *d* and *b* are voiceless (*England, sind, halb*)
  (x) [ai] is usually spelt *ei* (*herein, nein*)
 (xi) *ie* is pronounced [i:] (*hier, Dietz*)
 (xii) *eu* and *äu* are pronounced [ɔi] or [ɔj] (*Deutsch, Fräulein*)
(xiii) *au* is pronounced [au] (*auch, rauchen*)
(xiv) the symbol *ß* is pronounced [s] (*heißt*)

These points are sufficient for most students to assimilate at the beginning of the course. Since they conflict with English, students may well benefit from some extra writing practice from dictation after Units 1, 2, and 3.

To the student

This course is designed to use the facilities provided by the language laboratory and the tape-recorder. The most satisfying of these is the possibility of hearing the language in context, spoken by native speakers and the opportunity of individual practice allied to presentation and follow-up sessions in class with the teacher. Time schemes will vary, especially in the proportion of time devoted to classwork and the language laboratory. Whatever the learning conditions may be, some guidance on the most effective use of the material will be helpful.

The course is directed to the purposeful use of German rather than to intellectual examination of its systems as a formal study. It is important to realize, however, that using language correctly is a highly organized activity. You must adhere to its systems of sound, form structure and meaning. It is quite possible to do this without being able to describe the grammatical rules you are applying, as you do with your mother tongue. Through constant practice, you have acquired automatic control. If you were acquiring German in a totally German environment, the process would be very similar to your acquisition of your native tongue. But you are learning in an English environment, in an artificially contrived situation, constantly threatened by potent interference from the systems of English. It is therefore essential to minimize the effect of these disadvantages by referring to English as little as possible, particularly in the early stages. It is also sensible to use any combination of techniques which proves particularly successful for you as an individual learner. Awareness of 'rules' and systems *can* be helpful, provided that explanations and descriptions do not detain you too long. Concentrate on use of living language, spoken and written, and give yourself time to digest language experience. There is no substitute for practice.

The course aims primarily at teaching you to understand and speak German rather than to read and write it, although the four skills are, of course, complementary. You must be quite clear about what kind of activity is best for improving a particular skill and you must be cautious about procedures which are known to impede progress in a particular direction. The appropriate combination of tape and text is paramount. You must learn to listen attentively without looking at the text. The printed text will be used at certain stages for study purposes, but if you do not practise without it, especially at the beginning and end of intensive units, your progress in spoken communication will suffer. Learning to trust your ears without the 'prop' of the text requires much effort and self-discipline initially, but if you make a habit of leaning on the text, you will be helpless in a real face-to-face situation. Your teacher will advise on how to use the text as an aid rather than a hindrance.

Correct use of the language laboratory can avoid much frustration and disappointment. Familiarize yourself with the usual sequence of events on the tapes, so that you know what to expect and what is expected of you at a given stage. Be clear about the purpose of each exercise so that you know when you have achieved it. Since you cannot be supervised individually all of the time, you must learn to judge your own performance and decide whether you are ready to proceed to the next exercise. *Take one small section at a time* and perfect it before proceeding to the next. Students tend to try to cover too much in one laboratory session and are subsequently disappointed that they have not mastered the material. This applies particularly to drills and to answering questions or dialogues and expansions. More coverage means nothing in terms of achievement. Ask yourself what you can *do* on leaving the labora-

tory that you were unable to do when you entered it. Remember, too, that there is a constant danger of over-mechanization in laboratory work. Sessions in the laboratory should be short, so that you remain alert to meaning and are always in a mental condition to recognize mistakes instantly.

If you are in control, you will know when you are too fatigued to absorb any more and respond accurately. If you drive yourself too hard, mistakes will increase and a pattern of failure will dominate, which could be very harmful in its effects.

Students habitually mistake comprehension for active mastery and therefore rarely listen enough to material intended for intensive learning. Listen three or four times as much as you think you need to, and then listen again. If your responses are slow, inaccurate or stumbling, you have probably not listened enough. The heavy work begins *after* you have understood! If you have not listened enough, you may not even *recognize* mistakes when you make them, and the session will, in that case, be a waste of time. The tape is your personal slave – use it to the full!

Students rarely make adequate use of the play-back facility of the language laboratory and therefore fail to develop the critical judgement necessary for accurate self-assessment. It is important that you become aware of the *kind* of error you repeatedly make and that you focus attention on your particular difficulties. Fluency without accuracy gives the impression of illiteracy; you must be sure of correct forms and be very self-critical. Bear in mind that unnoticed errors will be *learned* in the language laboratory. If you are uncertain about anything, use the call button for help rather than blundering on independently.

In order to train you to understand German at normal speed, no concession has been made in this respect. However, you are not expected to produce accurate German at a similar speed. Although pauses on the tape are timed for perfected responses, you will probably not manage to respond in the time allowed until you have practised many times. Make use of the stop button to provide yourself with additional time. You should however reach the stage of being able to respond in the gap provided without use of the stop button before moving on to the next section.

IM BÜRO

Dialog

Fräulein Becker, secretary to Herr König, announces Mr Blake's arrival. The two men greet each other and ask about each other's health. Mr Blake is invited to sit down.

1.	FRÄULEIN BECKER	Mr Blake ist hier, Herr König.
2.	HERR KÖNIG	Guten Tag, Mr Blake! Bitte, kommen Sie herein!
	MR BLAKE	Guten Tag, Herr König.
3.	HERR KÖNIG	Wie geht es Ihnen?
	MR BLAKE	Danke, gut. Und Ihnen?
4.	HERR KÖNIG	Auch gut, danke. Bitte, nehmen Sie Platz!
	MR BLAKE	Danke schön.

Herr König is expecting Herr Dietz, the chief engineer, to join them.

5.	HERR KÖNIG	Fräulein Becker, ist Herr Dietz da?
	FRÄULEIN BECKER	Nein, er ist nicht da, Herr König.
6.	MR BLAKE	Wer ist Herr Dietz?
	HERR KÖNIG	Er ist der Chefingenieur. (*Es klopft.*)

Herr Dietz arrives and is introduced to Mr Blake. He has heard about him, but mistakes him for the Birmingham agent.

7.	HERR KÖNIG	Herein! Ah, kommen Sie herein, Herr Dietz. Das ist Mr Blake.
8.	HERR DIETZ	Guten Tag, Mr Blake!
	MR BLAKE	Guten Tag, Herr Dietz!
9.	HERR DIETZ	Sie sind der Vertreter in Birmingham, nicht wahr?
	MR BLAKE	Nein, ich bin der Vertreter in London.
10.	HERR KÖNIG	Nehmen Sie Platz, bitte!
	HERR DIETZ	Danke schön.

Grammar Summary

1. Classification of nouns and pronouns

a. German nouns (names of people, things) are divided into three groups, sometimes called genders. The group to which any noun belongs is shown by the German word for 'the' before the noun. A noun can belong to any group, whether it is a person or a thing.

> **Der** Direktor ⎱
> **Das** Büro ⎬ ist in Frankfurt
> **Die** Sekretärin ⎰

Notice that all nouns are written with a capital letter in German.

b. The pronouns – he, she, it, follow the same gender system as nouns, so must match **der**, **die** and **das**.

Remember things can belong to any group. *Büro* (office) just happens to belong to the **das** group – also described as **neuter**. The **der** group is described as **masculine**, and and the **die** group as **feminine**. The word 'the' (**der, das, die**) is referred to in grammar as the 'definite article'. It will help to keep explanations brief and clear if you know this.

$$\text{Ist} \begin{array}{l} \text{der Direktor} \\ \text{er} \end{array}$$

$$\text{Ist} \begin{array}{l} \text{das Büro} \\ \text{es} \end{array} \Bigg\} \text{hier in Frankfurt?}$$

$$\text{Ist} \begin{array}{l} \text{die Sekretärin} \\ \text{sie} \end{array}$$

2. Wie geht es?

Wie geht es Ihnen?	*How are you?*
Wie geht es ihm?	*How is he?*
Wie geht es ihr?	*How is she?*
Wie geht's?	*How's things?*
	(when used on its own, informally)

3. Question words

Wer ist Herr Dietz?	*(who?)*
Wo ist das Büro?	*(where?)*
Was ist das?	*(what?)*
Wie geht es?	*(how?)*

Fragen

Herr König

1. Was ist Herr König?   Er ist Geschäftsmann.
2. Wer ist er?   Er ist der Direktor.
3. Wie geht es ihm?   Es geht ihm gut.
4. Wo ist er?   Er ist im Büro.
5. Wo ist das Büro?   Es ist in Frankfurt.
6. Wo ist Frankfurt?   Frankfurt ist in Deutschland.

Mr Blake

7. Was ist Mr Blake?   Er ist auch Geschäftsmann.
8. Wer ist Mr Blake?   Er ist der Vertreter in London.
9. Wie geht es ihm?   Es geht ihm gut.
10. Ist er in London oder in Frankfurt?   Er ist in Frankfurt.
11. Wo ist London?   London ist in England.

Fräulein Becker

12. Was ist Fräulein Becker?   Sie ist Stenotypistin.
13. Wer ist sie?   Sie ist die Chefsekretärin.
14. Wie geht es ihr?   Es geht ihr gut.
15. Wo ist sie?   Sie ist im Büro.

Herr Dietz

16. Was ist Herr Dietz?   Er ist Ingenieur.
17. Wer ist Herr Dietz?   Er ist der Chefingenieur.
18. Wie geht es ihm?   Es geht ihm gut.
19. Wo ist er?   Er ist im Büro.

Erweiterung

Angestellte in der Firma
1. Herr König ist der Direktor.
2. Herr Dietz ist der Chefingenieur.
3. Herr Schröder ist der Exportleiter.
4. Fräulein Becker ist die Chefsekretärin.

Fragen
1. Wer ist Herr König?
2. Wer ist Herr Dietz?
3. Wer ist Herr Schröder?
4. Wer ist Fräulein Becker?

1. Wer sind Sie, Herr König?
2. Wer sind Sie, Herr Dietz?
3. Wer sind Sie, Herr Schröder?
4. Wer sind Sie, Fräulein Becker?

1. Sind Sie der Chefingenieur, Herr König?

2. Sind Sie der Direktor, Herr Dietz?

3. Sind Sie der Exportleiter, Herr Schröder?
4. Sind Sie die Chefsekretärin, Fräulein Becker?

Berufe
5. Herr Werner ist Ingenieur.
6. Herr Moser ist Chemiker.
7. Herr Braun ist Vertreter.
8. Fräulein Schwarz ist Sekretärin.

Fragen
5. Wer ist das?
   Was ist er von Beruf?
6. Wer ist das?
   Was ist er von Beruf?
7. Wer ist das?
   Was ist er von Beruf?
8. Wer ist das?
   Was ist sie von Beruf?

5. Was sind Sie von Beruf, Herr Werner?
6. Was sind Sie von Beruf, Herr Moser?
7. Was sind Sie von Beruf, Herr Braun?
8. Was sind Sie von Beruf, Fräulein Schwarz?

5. Sind Sie Ingenieur, Herr Werner?
6. Sind Sie Ingenieur, Herr Moser?

7. Sind Sie Chemiker, Herr Braun?

8. Sind Sie Sekretärin, Fräulein Schwarz?

Übungen

1 Herr König
Wie geht es Ihnen, Herr König?
Herr Dietz
Wie geht es Ihnen, Herr Dietz?
Fräulein Becker
Herr Werner
Herr Moser
Fräulein Schwarz
Herr Braun
Frau König

2 Herr König
*Kommen Sie herein, Herr König! Bitte, nehmen
Sie Platz!*
Herr Dietz
*Kommen Sie herein, Herr Dietz! Bitte, nehmen
Sie Platz!*
Frau Dietz
Herr Werner
Fräulein Becker
Herr Moser
Frau Braun
Fräulein Schwarz

3 Direktor
Wer ist der Direktor?
Chefingenieur
Wer ist der Chefingenieur?
Chemiker
Sekretärin
Vertreter
Exportleiter
Ingenieur
Chefsekretärin

4 Ist der Direktor da?
Nein, er ist nicht da.
Ist Frau König da?
Nein, sie ist nicht da.
Ist der Chemiker da?
Ist der Chefingenieur da?
Ist Fräulein Becker da?
Ist Herr Moser da?
Ist die Sekretärin da?
Ist der Vertreter da?

5 Sind Sie Ingenieur?
Ja, ich bin Ingenieur.
Ist Fräulein Becker die Chefsekretärin?
Ja, sie ist die Chefsekretärin.
Sind Sie der Chefingenieur?
Ist Herr Moser Chemiker?
Sind Sie Fräulein Becker?
Ist Herr König der Direktor?
Sind Sie Vertreter?
Ist Fräulein Schwarz in Frankfurt?

6 Sind Sie der Direktor?
Nein, ich bin nicht der Direktor.
Ist Herr Braun Ingenieur?
Nein, er ist nicht Ingenieur.
Ist sie die Chefsekretärin?
Sind Sie der Vertreter in London?
Ist Herr Moser da?
Ist Fräulein Becker in London?
Sind Sie Chemiker?
Ist Herr König der Chefingenieur?

7 Sie sind der Direktor.
Sie sind der Direktor, nicht wahr?
Herr Dietz ist da.
Herr Dietz ist da, nicht wahr?
Er ist Ingenieur.
Sie ist die Chefsekretärin.
Mr Blake ist in Frankfurt.
Sie sind der Vertreter in London.
Fräulein Schwarz ist Sekretärin.
Das ist der Exportleiter.

8 Guten Tag!
Guten Tag!
Wie geht es Ihnen?
Danke, gut. Und Ihnen?
Das ist Herr Dietz.
Nehmen Sie Platz, bitte!
Sie sind Mr Blake, nicht wahr?
Sind Sie Ingenieur?
Ist Herr König der Direktor?
Wer ist Herr König?

Konversation

A *Antworten Sie!*

Sind Sie Herr König?
Sind Sie Herr Dietz?
Sind Sie Mr Blake?
Wer sind Sie?

Sind Sie in Frankfurt?
Sind Sie in Paris?
Sind Sie in London?
Wo sind Sie?

Sind Sie der Direktor?
Sind Sie der Chefingenieur?
Sind Sie die Chefsekretärin?
Wer sind Sie?

Sind Sie Ingenieur?
Sind Sie Chemiker?
Sind Sie Vertreter?
Was sind Sie von Beruf?

B *Spielen Sie die Rolle von Mr White.*

HERR WERNER Guten Tag, Mr White!
MR WHITE
HERR WERNER Wie geht es Ihnen?
MR WHITE
HERR WERNER Danke, es geht. Das ist Herr Moser, unser Chemiker.
MR WHITE
HERR MOSER Guten Tag, Mr White! Sind Sie auch Chemiker?
MR WHITE
HERR WERNER Bitte nehmen Sie Platz!
MR WHITE
HERR WERNER Nein, er ist nicht da. Er ist in London.
MR WHITE
HERR WERNER Sie ist auch in London.

Schriftliche Aufgaben

1. Imagine you are being introduced to various people in the firm. Note down their professions next to their names. Look at the pictures on page 4 to aid your memory, but cover up the text opposite them.

Name	Beruf
Alfred König	*Geschäftsmann*
Karl Dietz	
Wolfgang Schröder	
Ursula Becker	
Heinz Werner	
Kurt Moser	
Rainer Braun	
Beate Schwarz	

2. Give the position in the firm of the following people:

Herr König   *Herr König ist der Direktor.*

Fräulein Becker
Mr Blake
Herr Dietz
Herr Schröder

3. Complete the following sentences:

Die Firma Breuer AG . . . . . in Frankfurt, in . . . . Direktor von der Firma . . . . . Herr König. Mr Blake ist der . . . . . in . . . . ist im . . . . . in Frankfurt. Herr Dietz ist . . . . . da. Herr Dietz ist . . . . . von Beruf. . . . . . ist der . . . . . in der Firma. Herr König ist nicht . . . . . von Beruf, er ist . . . . . . Fräulein . . . . . ist die . . . . . .

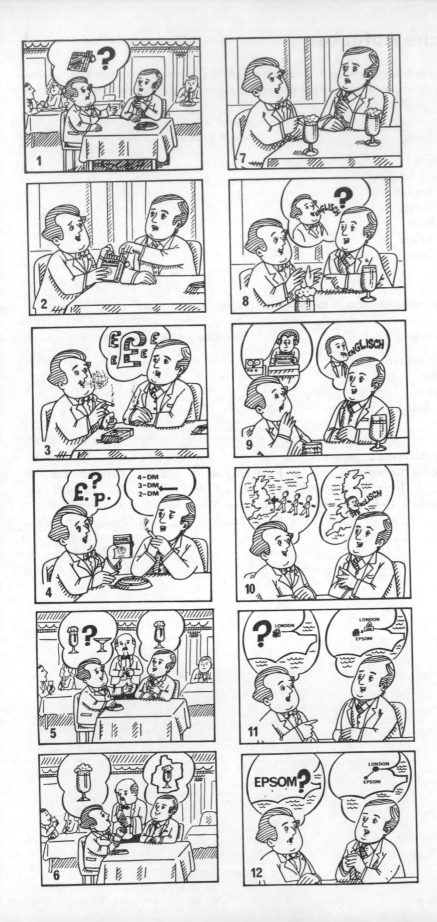

UNTERHALTUNG BEIM MITTAGESSEN
Dialog

Herr König and Mr Blake are lunching in a restaurant. Mr Blake accepts an English cigarette and this leads to comment on quality and price.

1. HERR KÖNIG   Rauchen Sie, Mr Blake?
   MR BLAKE   Ja, ich rauche, aber nicht viel.
2. HERR KÖNIG   Ich habe englische Zigaretten. Nehmen Sie eine?
   MR BLAKE   Danke. Rauchen Sie gern englische Zigaretten?
3. HERR KÖNIG   Ja. Sie sind sehr gut, nicht wahr?
   MR BLAKE   Gut, aber teuer.
4. HERR KÖNIG   Was kostet eine Schachtel Zigaretten in England?
   MR BLAKE   Fast drei Mark. Tabak ist in England sehr teuer.

Herr König suggests a drink and they decide on beer. Mr Blake likes beer.

5. HERR KÖNIG   Was trinken Sie, Mr Blake? Bier, Martini?
   MR BLAKE   Ein Glas Bier, bitte. Ich trinke gern Bier.
6. HERR KÖNIG   Ich nehme auch ein Bier.
   MR BLAKE   In Deutschland ist das Bier sehr gut.

Mr Blake is complimented on his German, which he is modest about, but admits he understands nearly everything. Herr König is just learning English, but Herr Schneider, the sales manager, speaks excellent English.

7. HERR KÖNIG   Sie sprechen sehr gut Deutsch.
   MR BLAKE   Nein, ich spreche nur wenig. Es ist sehr schwer.
8. HERR KÖNIG   Aber Sie verstehen fast alles.
   MR BLAKE   Ja, fast alles. Sprechen Sie Englisch?
9. HERR KÖNIG   Sehr wenig. Ich lerne es.
   MR BLAKE   Herr Schneider spricht sehr gut Englisch.
10. HERR KÖNIG   Ja, er ist sehr oft in England.
    MR BLAKE   Und in England spricht er immer Englisch.

They continue to chat, Mr Blake explaining that he works in London but lives in Epsom.

11. HERR KÖNIG   Wohnen Sie in London?
    MR BLAKE   Nein, ich wohne in Epsom, aber ich arbeite in London.
12. HERR KÖNIG   Wo ist Epsom?
    MR BLAKE   In der Nähe von London.

Grammar Summary

1. Verbs:

rauchen: to smoke;   **wohnen:** to live

ich rauche sehr wenig	Herr König ⎱ raucht viel
	er ⎰
ich wohne in Hamburg	Frau König ⎱ wohnt in Frankfurt
	sie ⎰
Sie rauchen, nicht wahr?	(when it means you, *Sie* is always written with a capital *S*)
wir rauchen nicht	
Blakes ⎱ wohnen in Epsom	
sie ⎰	

You see that verb forms change according to the subject or person(s) concerned. These endings are used with most verbs, but not all. Those which are different have to be learned separately.

sprechen, nehmen: these two verbs have peculiarities in that they show sound and spelling changes before the ending **-t**. Otherwise they follow the pattern shown above.

> ich spreche Deutsch *but* Mr Blake spricht gut Deutsch
> ich nehme ein Bier   *but* er nimmt ein Bier

Such peculiarities must be learned by heart and your attention will be drawn to them as they occur.

2. German and English verb forms

a. *Asking questions*

rauchen Sie?	*do you smoke?*
kostet es viel?	*does it cost a lot?*
arbeiten Sie hier?	*do you work here?*
	are you working here?
wohnt er in Epsom?	*does he live in Epsom?*
	is he living in Epsom?

As you see, asking questions is very simple in German. There are no special forms like English do/does and are/is (-ing).

b. *Statements*

ich trinke Bier ⎰ I drink beer
⎱ I'm drinking beer
  I do drink beer

Similarly, German has only one verb form for dealing with the three shades of meaning indicated by the different English forms. If necessary, German can use other devices for making meaning more precise.

3. Position of the German verb

1	2	3	4	
Das Bier	ist	in Deutschland	sehr gut	*Both sentences are equally*
In Deutschland	ist	das Bier	sehr gut	*correct*

The subject (*das Bier*) is often, but not always in first place. If another item (such as *in Deutschland*) displaces the subject, it moves to third place. Second place is reserved for the verb.

4. Ein, eine

Ein Geschäftsmann trinkt immer sehr viel. (der Geschäftsmann)
Ein Glas Bier ist nicht sehr teuer. (das Glas)
Eine Tasse Kaffee kostet fast 2 DM. (die Tasse)

Fragen

1. Raucht Mr Blake?
2. Raucht er viel?
3. Raucht er Zigaretten oder Zigarren?
4. Raucht Herr König?
5. Was raucht er?
6. Raucht er immer nur deutsche Zigaretten?
7. Raucht er gern englische Zigaretten?
8. Rauchen Sie oder rauchen Sie nicht?
9. Rauchen Sie viel oder wenig?
10. Rauchen Sie Zigaretten oder Zigarren?
11. Sind englische Zigaretten gut oder schlecht?
12. Sind englische Zigaretten teuer oder billig?
13. Sind deutsche Zigaretten teuer oder billig?
14. Tabak ist in England sehr billig, nicht wahr?
15. Was kostet eine Schachtel Zigaretten in England?
16. Ist Bier in Deutschland gut oder schlecht?
17. Ist Bier in England gut oder schlecht?
18. Das Bier ist in England sehr teuer, nicht wahr?
19. Trinkt Mr Blake Bier oder Martini?
20. Er trinkt gern Martini, nicht wahr?
21. Was nimmt Mr Blake?
22. Was nimmt Herr König?
23. Was trinken Sie gern?
24. Spricht Mr Blake Deutsch?
25. Spricht er sehr gut Deutsch?
26. Spricht Herr König Englisch?
27. Spricht Herr Schneider gut Englisch?
28. Warum spricht er so gut Englisch?
29. Spricht er in England Deutsch oder Englisch?
30. Sprechen Sie Deutsch?
31. Sprechen Sie gut Deutsch?
32. Lernt Mr Blake Spanisch?
33. Was lernt er?
34. Lernt Herr König Deutsch?
35. Was lernt er?
36. Was lernen Sie?
37. Ist Deutsch schwer?
38. Versteht Mr Blake Deutsch?
39. Versteht er viel oder wenig Deutsch?
40. Versteht Herr König Englisch?
41. Versteht er viel oder wenig Englisch?
42. Verstehen Sie viel oder wenig Deutsch?
43. Wohnt Mr Blake in Manchester?
44. Er wohnt in London, nicht wahr?
45. Wo ist Epsom?
46. Wohnt Herr König in Hamburg?
47. Er wohnt in Stuttgart, nicht wahr?
48. Wohnen Sie in Frankfurt?
49. Wo wohnen Sie?
50. Arbeitet Mr Blake in Epsom?
51. Er arbeitet in Birmingham, nicht wahr?
52. Ist Birmingham in der Nähe von London?
53. Arbeitet Herr König in Berlin?
54. Er arbeitet in Düsseldorf, nicht wahr?
55. Ist Düsseldorf in der Nähe von Berlin?
56. Arbeiten Sie in Düsseldorf?
57. Wo arbeiten Sie?

A Was spricht man hier?

1. In England spricht man Englisch.
2. In Deutschland spricht man Deutsch.
3. In Frankreich spricht man Französisch.
4. In Italien spricht man Italienisch.
5. In Spanien spricht man Spanisch.
6. In Österreich spricht man Deutsch.

1. Was spricht man in London?
2. Was spricht man in Frankfurt?
3. Was spricht man in Paris?
4. Was spricht man in Rom?
5. Was spricht man in Madrid?
6. Was spricht man in Wien (*Vienna*)?

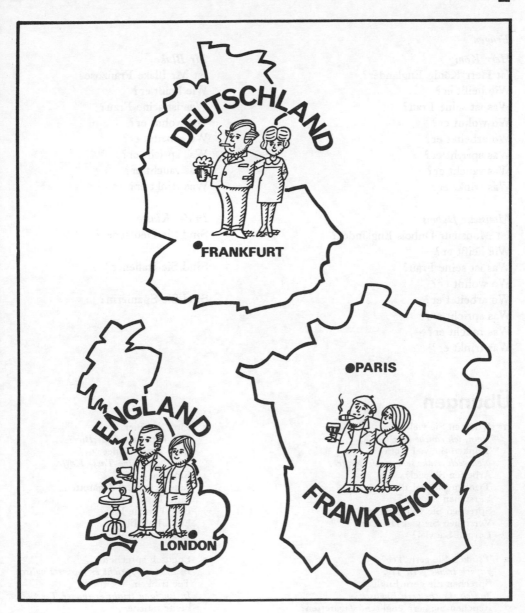

B Drei Kollegen

1. Herr König ist Deutscher. 2. Er heißt Alfred. 3. Seine Frau ist Deutsche. 4. Er wohnt in der Nähe von Frankfurt. 5. Er arbeitet in Frankfurt. 6. Er spricht Deutsch. 7. Er raucht eine Zigarette. 8. Er trinkt ein Glas Bier.

1. Monsieur Dubois ist Franzose. 2. Er heißt Paul. 3. Seine Frau ist Französin. 4. Er wohnt in der Nähe von Paris. 5. Er arbeitet in Paris. 6. Er spricht Französisch. 7. Er raucht eine Zigarre. 8. Er trinkt ein Glas Wein.

1. Mr Blake ist Engländer. 2. Er heißt Robert. 3. Seine Frau ist Engländerin. 4. Er wohnt in der Nähe von London. 5. Er arbeitet in London. 6. Er spricht Englisch. 7. Er raucht Pfeife. 8. Er trinkt eine Tasse Tee mit Milch.

Fragen

Herr König

Ist Herr König Engländer?
Wie heißt er?
Was ist seine Frau?
Wo wohnt er?
Wo arbeitet er?
Was spricht er?
Was raucht er?
Was trinkt er?

Mr Blake

Ist Mr Blake Franzose?
Wie heißt er?
Was ist seine Frau?
Wo wohnt er?
Wo arbeitet er?
Was spricht er?
Was raucht er?
Was trinkt er?

Monsieur Dubois

Ist Monsieur Dubois Engländer?
Wie heißt er?
Was ist seine Frau?
Wo wohnt er?
Wo arbeitet er?
Was spricht er?
Was raucht er?
Was trinkt er?

In der Klasse

Sind Sie Deutscher?

Sind Sie Italiener?

Sind Sie Spanierin?

Übungen

1 Rauchen Sie viel?
Nein, ich rauche sehr wenig.
Trinken Sie viel Kaffee?
Nein, ich trinke sehr wenig Kaffee.
Arbeiten Sie viel?
Trinken Sie viel Bier?
Verstehen Sie viel?
Sprechen Sie viel Deutsch?
Verstehen Sie viel Deutsch?
Lernen Sie viel?

2 Trinken Sie gern Tee?
Ja, ich trinke gern Tee.
Sprechen Sie gern Englisch?
Ja, ich spreche gern Englisch.
Rauchen Sie gern englische Zigaretten?
Trinken Sie gern Wein?
Lernen Sie gern Deutsch?
Sind Sie gern in Deutschland?
Arbeiten Sie gern in London?
Wohnen Sie gern in Frankfurt?

3 Kaffee trinken.
Trinken Sie gern Kaffee?
Zigaretten rauchen.
Rauchen Sie gern Zigaretten?
Englisch sprechen.
Deutsch lernen.
In Frankfurt wohnen.
In Deutschland wohnen.
In England arbeiten.
In London arbeiten.

4 Ein Glas Bier.
Was kostet ein Glas Bier?
Eine Tasse Kaffee.
Was kostet eine Tasse Kaffee?
Ein Glas Wein.
Eine Schachtel Zigaretten.
Eine Tasse Tee.
Eine Flasche Bier.
Ein Glas Milch.
Eine Flasche Wein.

5 Englisch sprechen.
In England spricht er immer Englisch.
Tee trinken.
In England trinkt er immer Tee.
Pfeife rauchen.
Viel rauchen.
Kaffee trinken.
Gern arbeiten.
Bier nehmen.
Englisch sprechen.

6 Ich
Ich nehme auch ein Bier.
Herr König.
Herr König nimmt auch ein Bier.
Fräulein Schmidt.
Er.
Die Sekretärin.
Der Direktor.
Frau König.
Ich.

7 Bier.
In Deutschland ist das Bier nicht teuer.
Tabak.
In Deutschland ist der Tabak nicht teuer.
Wein.
Tee
Kaffee.
Martini.
Milch.
Bier.

Konversation

A In der Klasse

Die Studenten stellen einander diese Fragen.

Was rauchen Sie?
Rauchen Sie?
Rauchen Sie viel oder wenig?
Rauchen Sie Zigaretten, Zigarren oder Pfeife?
Rauchen Sie englische Zigaretten?
Rauchen Sie gern englische Zigaretten?
Was rauchen Sie gern?

Was kostet ... ?
Ist Tabak in England teuer oder billig?
Ist Tabak in Deutschland teuer oder billig?
Sind englische Zigaretten teuer oder billig?
Was kostet eine Schachtel Zigaretten in England?
Was kostet ein Glas Bier in England?

Was trinken Sie?
Trinken Sie viel oder wenig?
Trinken Sie Bier oder Wein?
Trinken Sie gern Bier?
Trinken Sie gern Tee? Kaffee?

Was sprechen Sie?
Sprechen Sie Deutsch?
Verstehen Sie ein wenig Deutsch?
Sprechen Sie Deutsch oder Französisch?
Sprechen Sie viel Deutsch?
Sprechen Sie sehr gut Deutsch?
Lernen Sie Deutsch?

Lernen Sie gern Deutsch?
Ist es schwer?
Was spricht man in England?
In Deutschland? In Frankreich?
Sind Sie Engländer?
Sind Sie Franzose oder Engländer?

Wo?

Ist Paris in Frankreich oder in Deutschland?   Wo arbeiten Sie?
Ist Frankfurt in der Nähe von Berlin?   Wohnen Sie in Hamburg oder in London?
Wo ist Frankfurt?   Wo wohnen Sie?
Arbeiten Sie in Frankfurt oder in London?

B Im Café

Ein deutscher Vertreter spricht mit einem englischen Verkaufsingenieur in einem Café in Frankfurt. Sprechen Sie als der Engländer.

DEUTSCHER   Sind Sie Deutscher?
ENGLÄNDER

DEUTSCHER   Sie sprechen gut Deutsch.
ENGLÄNDER

DEUTSCHER   Sind Sie oft in Deutschland?
ENGLÄNDER

DEUTSCHER   Arbeiten Sie in Frankfurt?
ENGLÄNDER

DEUTSCHER   Sind Sie Vertreter?
ENGLÄNDER

DEUTSCHER   Ich bin Vertreter. Ich reise ziemlich viel in Europa. Ich bin sehr oft in London. Wohnen Sie in London?
ENGLÄNDER

DEUTSCHER   Sehr wenig. Es ist sehr schwer. Aber ich lerne es. Rauchen Sie?
ENGLÄNDER

DEUTSCHER   Danke schön. Ich rauche gern englische Zigaretten. Sind sie aber nicht furchtbar teuer?
ENGLÄNDER

DEUTSCHER   In Deutschland sind sie nicht so teuer. Nehmen Sie noch ein Bier?
ENGLÄNDER

DEUTSCHER   Herr Ober, – noch zwei Bier, bitte. Ist Ihre Familie auch in Frankfurt?
ENGLÄNDER

DEUTSCHER   Ach, das ist schade! Hier kommt unser Bier. Also – Prost!
ENGLÄNDER

C

Ich heiße . . .
Ich bin (*nationality*) . . .
Ich bin . . . von Beruf.
Ich arbeite . . .
Ich wohne . . .
Ich spreche . . .
Ich lerne . . . und ich verstehe . . .
Ich rauche . . .
Ich trinke gern . . .
Ich bin sehr oft in . . .

Schriftliche Aufgaben

1. Select from the right-hand column the most appropriate endings for the following
   unfinished sentences:

1	Herr Dietz ist	Deutsch
2	Er wohnt	im Büro
3	Er spricht	auch Englisch
4	Aber er versteht	Deutscher
5	Er trinkt gern	deutsche Zigarren
6	Er raucht gern	in Frankfurt
7	Er arbeitet	Tee

2. Write as much as you can from memory about:

   1 Alfred König
   2 Paul Dubois
   3 Robert Blake

3. Write a few sentences about yourself, using the following questions as a starting point:

   Wie heißen Sie?   Sprechen Sie Französisch?
   Wohnen Sie in London?   Sind Sie Italiener(in)?
   Was lernen Sie?   Rauchen Sie?
   Verstehen Sie viel Deutsch?   Trinken Sie gern Wein?

UNTERHALTUNG BEIM KAFFEE

Dialog

Herr König asks Mr Blake whether he would like tea or coffee. Mr Blake prefers tea. Herr König orders a tea and a coffee.

1. HERR KÖNIG   Möchten Sie Kaffee oder Tee?
   MR BLAKE   Ich möchte Tee, bitte.
2. HERR KÖNIG   Trinken Sie nicht gern Kaffee?
   MR BLAKE   Doch, aber ich trinke lieber Tee.
   HERR KÖNIG   Herr Ober! Einen Tee und einen Kaffee mit Milch, bitte.

Herr König asks if Mr Blake has a house or flat in Epsom. He has a house with a fairly small garden. Herr König has a flat in Eschersheim with no garden.

3. HERR KÖNIG   Haben Sie ein Haus oder eine Wohnung in Epsom?
   MR BLAKE   Ich habe ein Haus.
4. HERR KÖNIG   Ist Ihr Haus groß?
   MR BLAKE   Nein, es ist nicht sehr groß.
5. HERR KÖNIG   Haben Sie einen Garten?
   MR BLAKE   Ja, aber er ist ziemlich klein.
6. MR BLAKE   Und Sie?
   HERR KÖNIG   Wir haben leider keinen Garten. Wir haben nur eine Wohnung in Eschersheim.

Mr Blake asks if Herr König is married and they chat about the König family. His son is studying chemistry and his daughter economics.

7. MR BLAKE   Sind Sie verheiratet?
   HERR KÖNIG   Ja. Meine Frau Hilde und ich haben zwei Kinder.
8. MR BLAKE   Wir haben auch zwei. Haben Sie Jungen oder Mädchen?
   HERR KÖNIG   Wir haben einen Sohn und eine Tochter. Sie heißen Hans-Peter und Renate.
9. MR BLAKE   Geht Ihr Sohn in die Schule oder was macht er?
   HERR KÖNIG   Mein Junge ist Student. Er studiert Chemie in Heidelberg.
10. MR BLAKE   Und Ihre Tochter – studiert sie auch?
    HERR KÖNIG   Ja, meine Tochter ist auch Studentin. Sie studiert Volkswirtschaft hier in Frankfurt.

It is 2.30 and Mr Blake reminds Herr König about a 3 o'clock appointment. Herr König offers to take Mr Blake to his hotel.

11. MR BLAKE   Oh, es ist schon halb drei. Sie haben eine Verabredung, nicht wahr?
    HERR KÖNIG   Ja, aber erst um drei Uhr. Ich bringe Sie jetzt ins Hotel.
12. MR BLAKE   Das ist sehr nett, vielen Dank!
    HERR KÖNIG   Nichts zu danken. Ich habe den Wagen da.

Grammar Summary

1. Subject, verb and object

These are the three main elements in sentences, though many sentences contain only two or even one of them. It is now necessary for you to recognize the object of a sentence, since masculine nouns require an ending on the preceding word (*der*, *ein*, *mein*, *Ihr*, *kein*, etc.) which shows that they are objects and not subjects. This object form is called the **accusative case:**

subject	verb	object	
Ich	habe	**den** Wagen	da
Herr König	trinkt	**einen** Kaffee	
Herr König	hat	**einen** Sohn	
Meine Frau	trinkt	**keinen** Wein	

But there is no change in these words before feminine and neuter nouns:

subject	verb	object
Wir	haben	**ein** Haus
Er	raucht	**seine** Zigarette
Der Kellner	bringt	**das** Bier
Das Kind	trinkt	**die** Milch

Nouns, whether people or things, coming after *bin*, *ist*, *sind* cannot be objects, since they must refer to the same person or thing as the subject:

> Herr König *ist* **der** Direktor
> Ich *bin* **der** Chefingenieur

2. In + Acc.

If you want to say *to* or *into*, you often use **in** plus the accusative case:

> Gehen wir **in den** Garten?
> Die Sekretärin geht **in ihr** Büro.
> Mein Sohn geht **in die** Schule.

in das can be shortened to **ins**

> Kommen Sie **ins** Büro, bitte!
> Ich bringe Mr Blake **ins** Hotel.
> Gehen Sie **ins** Cafe?

Fragen

1. Möchte Herr König Tee oder Kaffee?
2. Trinkt er Kaffee mit oder ohne Milch?
3. Trinkt er nicht gern Tee?
4. Was trinkt er lieber – Tee oder Kaffee?
5. Wohnt Herr König in Frankfurt oder in Eschersheim?
6. Ist Eschersheim weit von Frankfurt?
7. Ist Eschersheim weit von Frankfurt oder in der Nähe von Frankfurt?
8. Wo wohnt Herr König?
9. Hat Herr König ein Haus oder eine Wohnung?
10. Ist seine Wohnung groß oder klein?
11. Hat er einen Garten?
12. Hat er keinen Wagen?
13. Ist sein Wagen groß oder klein?
14. Was für einen Wagen hat er?
15. Ist Herr König verheiratet?
16. Seine Frau heißt Renate, nicht wahr?
17. Wie heißt seine Frau?
18. Hat Herr König keine Kinder?
19. Hat er nur ein Kind?
20. Hat er Jungen oder Mädchen?
21. Wie heißt sein Sohn?
22. Wie heißt seine Tochter?
23. Wie heißen seine Kinder?
24. Wer ist der Vater von Hans-Peter?
25. Wer ist die Mutter von Renate?
26. Wer sind die Eltern von Hans-Peter und Renate?
27. Ist Hans-Peter der Vetter von Renate?
28. Ist Renate die Kusine von Hans-Peter?
29. Wie heißt der Mann von Hilde König?
30. Geht Hans-Peter in die Schule?
31. Was macht er?
32. Studiert er Chemie oder Medizin?
33. Was macht seine Schwester?
34. Wo studiert sie?
35. Was studiert sie?
36. Hat Herr König eine Verabredung?
37. Ist seine Verabredung um halb zwei?
38. Was macht er jetzt?
39. Möchte Mr Blake Tee oder Kaffee?
40. Trinkt er Tee mit oder ohne Milch?
41. Trinkt er nicht gern Kaffee?
42. Was trinkt er lieber – Tee oder Kaffee?
43. Wohnt Mr Blake in Epsom oder in London?
44. Ist Epsom weit von London?
45. Ist Epsom weit von London oder in der Nähe von London?
46. Wo wohnt Mr Blake?
47. Hat Mr Blake ein Haus oder eine Wohnung?
48. Ist sein Haus groß oder klein?
49. Hat er einen Garten?
50. Ist sein Garten groß oder klein?
51. Ist Mr Blake nicht verheiratet?
52. Wieviele Kinder hat er?
53. Hat Mr Blake eine Verabredung?
54. Hat Herr König keine Verabredung?
55. Um wieviel Uhr hat er eine Verabredung?
56. Geht Mr Blake jetzt ins Büro?
57. Geht er jetzt ins Büro oder ins Hotel?
58. Wohin geht er jetzt?
59. Herr König bringt ihn ins Hotel, nicht wahr?
60. Wer bringt Mr Blake ins Hotel?
61. Gehen Herr König und Mr Blake zu Fuß ins Hotel?

Erweiterung   Ein Tageslauf

1. Es ist halb sieben.
   Herr König liest die Zeitung.
   Frau König macht das Frühstück.
   Renate deckt den Tisch.
2. Um sieben Uhr kommt die Post.
   Herr König bekommt einen Brief.
   Frau König bekommt eine Postkarte.
   Renate bekommt ein Päckchen.
3. Um halb acht ist Herr König fertig.
4. Er holt den Wagen.
5. Er fährt in die Stadt.
6. Die Fahrt dauert eine Stunde.
7. Um halb neun kommt er ins Büro.
8. Von halb neun bis halb zehn liest er die Post.
9. Von zehn bis halb elf diktiert er Briefe.
10. Um elf Uhr kommt der Chefingenieur.
11. Von halb eins bis zwei ist Mittagspause.
12. Um eins geht er ins Restaurant.
13. Dort ißt er zu Mittag.
14. Um zwei kommt er zurück in sein Büro.
15. Von halb drei bis vier ist Konferenz.
16. Er geht ins Konferenzzimmer.
17. Bis fünf Uhr unterschreibt er die Briefe.
18. Um halb sechs ist seine Tagesarbeit beendet.
19. Er fährt nach Hause.
20. Die Fahrt dauert eine Stunde.
21. Um halb sieben ist er zu Hause.
22. Um halb acht ist Abendessen.
23. Um halb neun kommen Freunde zu Besuch.
24. Um elf ist Herr König müde und geht ins Bett.

Fragen

1. Wie spät ist es?
   Was macht Herr König?
   Macht Renate das Frühstück?
   Wer deckt den Tisch?
2. Um wieviel Uhr kommt die Post?
   Bekommt Herr König eine Postkarte?
   Was bekommt seine Frau?
   Was bekommt seine Tochter?
3. Um wieviel Uhr ist Herr König fertig?
4. Was holt er?
5. Wohin fährt er?
6. Wie lange dauert die Fahrt?
7. Um wieviel Uhr kommt Herr König ins Büro?
8. Was macht er von halb neun bis halb zehn?
9. Wann diktiert er Briefe?
10. Um wieviel Uhr kommt der Chefingenieur?
11. Wann haben Sie Mittagspause?
12. Was machen Sie um eins?
13. Was machen Sie dort?
14. Wann kommen Sie zurück ins Büro?
15. Wann haben Sie Konferenz?
16. Wohin gehen Sie um halb drei?
17. Was machen Sie bis fünf Uhr?
18. Wann ist Ihre Tagesarbeit fertig?
19. Wohin fahren Sie um halb sechs?
20. Wie lange dauert die Fahrt?
21. Wo sind Sie um sieben Uhr?
22. Um wieviel Uhr ist Abendessen?
23. Sind Sie dann ganz frei?
24. Was machen Sie um elf Uhr?

1 Wo ist der Tee?
Ich hole den Tee.
Wo ist der Junge?
Ich hole den Jungen.
Wo ist der Kaffee?
Wo ist der Tisch?
Wo ist der Brief?
Wo ist der Wein?
Wo ist der Wagen?
Wo ist der Ingenieur?

2 Wo ist das Bier?
Er bringt das Bier.
Wo ist die Milch?
Er bringt die Milch.
Wo ist der Wein?
Wo ist das Glas?
Wo ist die Zeitung?
Wo ist der Kaffee?
Wo ist die Postkarte?
Wo ist der Brief?

3 Garten.
Wir haben einen Garten.
Wagen.
Wir haben einen Wagen.
Sohn.
Chiefingenieur.
Brief.
Junge.
Chemiker.
Vertreter.

4 Haus.
Haben Sie ein Haus?
Wagen.
Haben Sie einen Wagen?
Wohnung.
Büro.
Exportleiter.
Verabredung.
Sohn.
Schwester.

5 Ist Ihr Sohn sehr klein?
Ich habe keinen Sohn.
Ist Ihre Tochter Studentin?
Ich habe keine Tochter.
Ist Ihr Haus in Frankfurt?
Ist Ihre Sekretärin auch in Frankfurt?
Ist Ihr Hotel in der Nähe?
Haben Sie Ihren Wagen da?
Ist Ihr Büro sehr klein?
Gehen Ihre Kinder in die Schule?

6 Was macht Ihre Tochter?
Ich habe keine Tochter.
Ist seine Verabredung um drei Uhr?
Er hat keine Verabredung.
Wie heißt Ihr Sohn?
Was für einen Wagen hat er?
Sind seine Kinder auch in Frankfurt?
Ist sein Büro in der Nähe?
Ist seine Sekretärin in London?
Ist Ihr Haus sehr groß?

7 Wo ist Ihr Haus?
Mein Haus ist in London.
Wo ist Ihr Wagen?
Mein Wagen ist in London.
Wo ist Ihre Sekretärin?
Wo ist Ihr Büro?
Wo ist Ihr Chefingenieur?
Wo ist Ihre Frau?
Wo sind Ihre Kinder?
Wo ist Ihre Wohnung?

8 Um wieviel Uhr gehen Sie in die Stadt?
Ich gehe um halb zwei in die Stadt.
Um wieviel Uhr gehen Sie ins Búro?
Ich gehe um halb zwei ins Büro.
Um wieviel Uhr gehen Sie in die Schule?
Um wieviel Uhr gehen Sie ins Konferenzzimmer?
Um wieviel Uhr gehen Sie in die Wohnung?
Um wieviel Uhr gehen Sie ins Hotel?
Um wieviel Uhr gehen Sie ins Restaurant?
Um wieviel Uhr gehen Sie in die Stadt?

9 Ich habe um drei Uhr eine Verabredung.
Um drei Uhr habe ich eine Verabredung.
Er geht jetzt ins Hotel.
Jetzt geht er ins Hotel.
Ich bin um halb acht fertig.
Seine Tagesarbeit ist um sechs beendet.
Er unterschreibt die Briefe bis fünf Uhr.
Er diktiert die Briefe von zehn bis elf.
Ich habe um drei Uhr Konferenz.
Die Post kommt um sieben Uhr.

10 Er nimmt ein Bier.
Ich nehme auch ein Bier.
Er fährt in die Stadt.
Ich fahre auch in die Stadt.
Er ißt dort zu Mittag.
Er liest eine Zeitung.
Er bekommt ein Päckchen.
Er spricht Deutsch.
Er studiert Chemie.
Er hat eine Verabredung.

11 Was trinken Sie lieber – Tee oder Kaffee?
Wir trinken lieber Kaffee.
Was rauchen Sie lieber – Zigarren oder Zigaretten?
Wir rauchen lieber Zigaretten.
Was sprechen Sie lieber – Englisch oder Deutsch?
Wo arbeiten Sie lieber – in London oder in Frankfurt?
Wo studieren Sie lieber – in Frankfurt oder in Heidelberg?
Wohin fahren Sie lieber – in die Stadt oder nach Hause?
Was lernen Sie lieber – Französisch oder Deutsch?
Wo essen Sie lieber – hier oder zu Hause?

12 Trinken Sie nicht gern Tee?
Doch, aber ich trinke lieber Kaffee.
Rauchen Sie nicht gern Zigarren?
Doch, aber ich rauche lieber Zigaretten.
Sprechen Sie nicht gern Englisch?
Arbeiten Sie nicht gern in London?
Studieren Sie nicht gern in Frankfurt?
Fahren Sie nicht gern in die Stadt?
Lernen Sie nicht gern Französisch?
Essen Sie hier nicht gern?

Konversation

A *Die Studenten stellen einander diese Fragen*

1 Im Restaurant

Möchten Sie ein Bier?
Möchten Sie ein Glas Bier oder eine Flasche Bier?
Trinken Sie oft Bier?
Trinken Sie viel oder wenig Bier?
Trinken Sie gern Wein?
Möchten Sie ein Glas oder möchten Sie lieber eine Flasche?
Was trinken Sie lieber, Bier oder Wein?
Trinken Sie nicht gern Wein?
Sie trinken lieber Bier, nicht wahr?

Nehmen Sie einen Tee oder einen Kaffee?
Möchten Sie lieber einen Kaffee?
Trinken Sie lieber Tee oder Kaffee?
Sie möchten lieber Kaffee, nicht wahr?
Trinken Sie viel Tee?
Trinken Sie Tee mit oder ohne Milch?
Trinken Sie nicht lieber Kaffee mit Milch?
Was trinken Sie gern?
Trinken Sie nicht gern Martini?
Möchten Sie nicht lieber ein Bier?
Was trinken Sie lieber, Martini oder Wein?
Rauchen Sie?
Rauchen Sie viel?
Rauchen Sie gern deutsche Zigaretten?

2 Wohnung

Wohnen Sie in London?
Wohnen Sie weit von London?
Sie wohnen in der Nähe von London, nicht wahr?
Wo wohnen Sie in England?
Haben Sie ein Haus oder eine Wohnung?
Sie haben eine Wohnung, nicht wahr?
Ist Ihr Haus groß?

Ist Ihre Wohnung groß oder klein?
Haben Sie keinen Garten?
Haben viele Engländer einen Garten?
Ist Ihr Garten klein oder groß?
Haben Sie einen Wagen?
Haben Sie Ihren Wagen da?
Was für einen Wagen haben Sie?
Ist Ihr Wagen sehr groß?

3 Familie

Sind Sie verheiratet?
Haben Sie Kinder?
Haben Sie einen Sohn?
Haben Sie eine Tochter?
Wieviele Kinder haben Sie?
Sie haben vier Kinder, nicht wahr?
Haben Sie keine Kinder?

Sind Ihre Kinder noch klein?
Sind Ihre Kinder klein oder groß?
Was machen Ihre Kinder?
Sind sie noch zu Hause?
Gehen sie in die Schule?
Ist Ihr Sohn Student?
Ihre Tochter studiert Medizin, nicht wahr?

4 Tageslauf

Was sind Sie von Beruf?
Sind Sie Student?
Lernen Sie Deutsch?
Gehen Sie ins College?
Wann kommen Sie ins College?
Wann gehen Sie nach Hause?
Gehen Sie ins Büro?
Wann gehen Sie ins Büro?
Um wieviel Uhr frühstücken Sie?
Wann kommt die Post?
Wann lesen Sie die Post?
Bekommen Sie viel Post?
Haben Sie ein Büro?
Sie haben eine Sekretärin, nicht wahr?

Wann diktieren Sie die Briefe?
Was machen Sie von neun bis zehn?
Was macht Ihre Sekretärin von zehn bis elf?
Wann haben Sie Mittagspause?
Wann essen Sie zu Mittag?
Wo essen Sie zu Mittag?
Um wieviel Uhr gehen Sie ins Restaurant?
Haben Sie eine Konferenz?
Wann ist die Konferenz?
Haben Sie eine Verabredung?
Um wieviel Uhr?
Wann ist Ihre Tagesarbeit beendet?
Wann gehen Sie nach Hause?
Gehen Sie zu Fuß oder fahren Sie?

B Mr Smith und ein Deutscher sprechen miteinander. Sprechen Sie für Mr Smith.

DEUTSCHER Es ist halb vier. Meine Verabredung ist erst um vier. Gehen wir ins Café?
ENGLÄNDER
DEUTSCHER Möchten Sie ein Bier, Mr Smith?
ENGLÄNDER
DEUTSCHER Trinken Sie nicht gern Bier?
ENGLÄNDER
DEUTSCHER Herr Ober, ein Bier und einen Kaffee, bitte! Wo wohnen Sie in England, Mr Smith?
ENGLÄNDER
DEUTSCHER Haben Sie ein Haus oder eine Wohnung?
ENGLÄNDER
DEUTSCHER Sie sind verheiratet, nicht wahr?
ENGLÄNDER
DEUTSCHER Haben Sie auch Kinder?
ENGLÄNDER
DEUTSCHER Jungen oder Mädchen?
ENGLÄNDER
DEUTSCHER Was machen Ihre Kinder?
ENGLÄNDER
DEUTSCHER Wie heißen Ihre Kinder?
ENGLÄNDER
DEUTSCHER Wir haben einen Jungen und ein Mädchen.
ENGLÄNDER
DEUTSCHER Der Junge heißt Dieter und das Mädchen heißt Ingrid.
ENGLÄNDER
DEUTSCHER Dieter geht in die Schule, er ist acht Jahre alt. Ingrid ist noch zu Hause. Arbeiten Sie in London, Mr Smith?
ENGLÄNDER
DEUTSCHER Ist es weit von Wimbledon nach London?

ENGLÄNDER	
DEUTSCHER	Fahren Sie mit dem Bus?
ENGLÄNDER	
DEUTSCHER	Wie lange dauert die Fahrt?
ENGLÄNDER	
DEUTSCHER	Ach, meine Verabredung. Ich muß jetzt gehen. Auf Wiedersehen!
ENGLÄNDER	

C Rede

Ich heiße ...	... Post
... verheiratet	Briefe lesen
Meine Frau heißt ...	Diktieren
... Kinder	Um ... Verabredung
Sie (die Kinder) ...	Von ... bis ... Mittagspause
Ich wohne ...	Um ... Restaurant
Ich habe ...	... Konferenz
Die Wohnung (das Haus) ...	... beendet
... Garten	... nach Hause
... Wagen	Abendessen
Ich arbeite ...	Besuch
Um ... Uhr ... Büro	Bett

Schriftliche Aufgaben

1. Select from the right-hand column the most appropriate endings for the following unfinished sentences:

1	Um sieben Uhr kommt	seine Frau
2	Herr Werner bekommt	den Tisch
3	Er liest	nur zehn Minuten
4	Dann deckt er	einen Brief
5	Das Frühstück macht	Kaffee
6	Zum Frühstück trinkt er	in die Stadt
7	Um halb acht holt er	die Post
8	Er fährt	seinen Brief
9	Die Fahrt dauert	auch in die Stadt
10	Seine Frau fährt	seinen Wagen

2. Compare yourself with Herr König, using the following cues as a starting point:

wohnen
Herr König wohnt in Eschersheim in der Nähe von Frankfurt. Ich wohne in London.

verheiratet
Kinder
Haus/Wohnung/Zimmer
Garten
Wagen
Zeitung lesen
abends zu Hause
ins Bett gehen

Mr Blakes erste Tage in Deutschland 4

Mr Blake's first few days in Germany

In this extensive unit, you will be asked to listen and read German, rather than speak it, which means that the learning will be passive rather than active. One can always understand much more than one can say and one's 'recognition' knowledge of a language is always much greater than one's conscious, active control over it. Everything cannot be learned at the same level and you will not be expected to remember all the new words and sentence patterns introduced in the extensive units as well as those in the intensive units. It is important that you understand this distinction, so that you do not demand too much of yourself in the exercises in the extensive units. In the listening passages, the aim is to accustom you to understanding the gist of German spoken at native speed. You will find this a difficult task at first, but you must be realistic and persevere. Remember you are not expected to understand everything, even after two or three 'listenings'. The English questions are a useful check on how much you have understood and a system of marking the questions you can answer after each 'listening' will give you some idea of how well you are doing. The reading passages, as well as giving you practice in reading, provide information on Germany and the German-speaking peoples. Lastly, the grammar sections at the end of the extensive units present the language you have been learning in a systematic way, so that you will recognize its characteristic patterns. Fluency, however, will not be acquired by studying the grammar, and only about 10% of your learning time should be spent on it.

In the first listening passage, Mr Blake and Herr König are having a meal in a restaurant when Herr König spots a business friend from Hamburg, who joins them for a drink before he has to rush off to an appointment. In the second exercise Mr Blake and Herr König are at a cocktail party at the Chamber of Commerce, and you are asked to play the role of Mr Blake, joining in the conversation when you are addressed. The reading passage gives you some information on West and East Germany, German-speaking Switzerland and Austria. It is a fairly simple passage, and you should not be frightened off by the new words and expressions. They are usually easily understood in context, and visual aids will be of additional assistance.

HERR KÖNIG	Sind Ihre Frau und Ihre Kinder auch hier in Frankfurt?
MR BLAKE	Nein, leider nicht. Sie sind zu Hause in Epsom.
HERR KÖNIG	Kann Ihre Frau Deutsch?
MR BLAKE	Ein wenig. Sie lernt Deutsch im Radio, aber sie hat nicht viel Zeit.
HERR KÖNIG	Und die Kinder? Lernen sie in der Schule Deutsch?
MR BLAKE	Ja, Geoffrey, mein Sohn, lernt Deutsch und Französisch.
HERR KÖNIG	Wie alt ist Geoffrey?
MR BLAKE	Er ist vierzehn.
HERR KÖNIG	Sie haben auch eine Tochter, nicht wahr?
MR BLAKE	Ja. Sie heißt Susan. Sie ist erst acht.
HERR KÖNIG	Sie lernt wahrscheinlich noch keine Fremdsprachen?
MR BLAKE	Nein, die meisten Kinder beginnen mit elf.
HERR KÖNIG	Hier kommt der Kellner. Herr Ober!
KELLNER	Essen die Herren etwas?
HERR KÖNIG	Hier ist die Speisekarte, Mr Blake. Was möchten Sie?
MR BLAKE	Ich nehme russische Eier. Das schmeckt gut, nicht wahr?
HERR KÖNIG	Ja, ich esse sie auch gern. Aber heute nehme ich eine Wurstplatte mit Kartoffelsalat.
KELLNER	Wünschen die Herren etwas zu trinken?
HERR KÖNIG	Möchten Sie ein Bier oder vielleicht ein Glas Wein?
MR BLAKE	Ein Bier bitte.
HERR KÖNIG	Zwei Bier, bitte, Herr Ober!
HERR KÖNIG	O, Mr Blake, entschuldigen Sie mich einen Moment, hier kommt ein Freund von mir. Guten Tag, Herr Brückmann, Sie hier in Frankfurt?
HERR BRÜCKMANN	Na so etwas, Herr König! Guten Tag! Das ist ja wunderbar, Sie hier zu sehen. Wie geht es Ihnen?
HERR KÖNIG	Gut, danke. Darf ich bekannt machen? Mr Blake, das ist Herr Brückmann aus Hamburg. Herr Brückmann ist ein Geschäftsfreund von mir.
MR BLAKE	Sehr angenehm.
HERR KÖNIG	Und das ist Mr Blake aus London.
HERR BRÜCKMANN	Guten Tag, Mr Blake! Wie gefällt es Ihnen hier in Frankfurt?
MR BLAKE	Sehr gut, danke.
HERR KÖNIG	Was möchten Sie trinken, Herr Brückmann?
HERR BRÜCKMANN	Ein Bier, bitte.
HERR KÖNIG	Herr Ober, noch ein Bier, bitte!
KELLNER	Kommt sofort. Darf ich dem Herrn auch etwas zu essen bringen?
HERR BRÜCKMANN	Nein danke, ich will nichts essen.
MR BLAKE	Sie wohnen also in Hamburg, Herr Brückmann?
HERR BRÜCKMANN	Ja, meine Firma ist in Hamburg. Ich bin geschäftlich hier. Wir stehen mit mehreren Firmen in Frankfurt und Umgebung in Geschäftsverbindung.
MR BLAKE	Kommen Sie oft nach Frankfurt?
HERR BRÜCKMANN	Ein- oder zweimal im Jahr.
HERR KÖNIG	Sie müssen einmal zu uns kommen.

HERR BRÜCKMANN	Ja, gern.
HERR KÖNIG	Wie lange bleiben Sie in Frankfurt?
HERR BRÜCKMANN	Nur bis morgen.
HERR KÖNIG	Haben Sie heute und morgen viel zu tun?
HERR BRÜCKMANN	Es geht.
HERR KÖNIG	Was ist Ihr Programm für morgen?
HERR BRÜCKMANN	Um 10 muß ich zu einer Konferenz. Die dauert wahrscheinlich bis 12 oder halb eins.
HERR KÖNIG	Und am Nachmittag?
HERR BRÜCKMANN	Um Viertel vor drei habe ich eine Besprechung. Dann muß ich leider gleich nach Hamburg zurück. Ich fahre entweder mit dem Zug um 16.20 Uhr oder um 17.35 Uhr.
HERR KÖNIG	Und heute abend?
HERR BRÜCKMANN	Heute abend bin ich noch frei.
HERR KÖNIG	Vielleicht können Sie uns heute abend besuchen. Soll ich Sie im Hotel anrufen?
HERR BRÜCKMANN	Ja, bitte, das ist eine gute Idee. Die Nummer finden Sie im Telefonbuch. Hotel Fürstenhof.
HERR KÖNIG	Ab wann sind Sie zu erreichen?
HERR BRÜCKMANN	Ab circa 7 oder halb acht. Jetzt muß ich aber leider gehen.
HERR KÖNIG	Also, ich rufe Sie heute abend an.
HERR BRÜCKMANN	Ja, das ist sehr nett von Ihnen. Auf Wiedersehen, Mr Blake! Ich wünsche Ihnen einen schönen Aufenthalt in Frankfurt!
MR BLAKE	Danke, auf Wiedersehen!
HERR KÖNIG	Auf Wiedersehen, Herr Brückmann!

Questions

1. Where are Mrs Blake and the children?
2. Does Mrs Blake speak German?
3. What languages does Geoffrey learn at school?
4. What is the name and age of Mr Blake's daughter?
5. Does Mr Blake order a *Wurstplatte* or Russian eggs?
6. What do they order to drink?
7. Who is Herr Brückmann?
8. Does Herr Brückmann order anything to eat or drink?
9. Is Herr Brückmann on a business trip or on holiday?
10. Why does Herr Brückmann often have to come to Frankfurt?
11. What is Herr Brückmann's programme for the following day?
12. Does Herr Brückmann intend to return to Hamburg in the morning or in the afternoon?
13. What suggestion does Herr König make about meeting Herr Brückmann?
14. At what time does Herr Brückmann expect to be back at the hotel?

Konversation 4

Eine Cocktail Party in der Handelskammer

Mr Blake und Herr König sind Gäste bei einer Cocktail Party in der Handelskammer. Mr Blake kennt nicht die anderen Gäste und Herr König stellt ihn vor. Sprechen Sie für Mr Blake. Er ist noch nicht lange in Frankfurt und bleibt bis Ende August.

HERR KÖNIG	Guten Abend, Mr Blake! Kommen Sie, ich will Sie mit dem britischen Konsul bekannt machen. Oder kennen Sie ihn schon? Cunningham heißt er.
MR BLAKE	
HERR KÖNIG	Mr Cunningham, darf ich Ihnen Mr Blake vorstellen?
MR CUNNINGHAM	Guten Abend, Mr Blake.
HERR KÖNIG	Wir sprechen natürlich Deutsch. Ihr Deutsch ist viel besser als mein Englisch.
MR CUNNINGHAM	Oh, das glaube ich nicht, Herr König. Sie machen uns Komplimente!
HERR KÖNIG	Aber gar nicht! Mr Blake versteht alles, nicht wahr, Mr Blake?
MR BLAKE	
MR CUNNINGHAM	Wenn man in Deutschland ist, lernt man sehr schnell. Sind Sie schon lange hier, Mr Blake?
MR BLAKE	
HERR KÖNIG	Mr Blake ist erst seit gestern hier.
MR CUNNINGHAM	Und wie lange bleiben Sie in Deutschland?
MR BLAKE	
MR CUNNINGHAM	Dann sehen wir uns sicher noch oft. Viel Vergnügen in Frankfurt!
MR BLAKE	
HERR KÖNIG	Müssen Sie schon gehen, Mr Cunningham?
MR CUNNINGHAM	Ja, leider. Es ist schon halb acht und meine Frau wartet zu Hause auf mich.
HERR KÖNIG	Ist sie denn nicht hier?
MR CUNNINGHAM	Nein. Sie hat Cocktail Partys nicht sehr gern. Entschuldigen Sie mich, bitte. Jetzt muß ich wirklich gehen. Auf Wiedersehen, Mr Blake!
MR BLAKE	
FRL. MÜLLER	Möchten die Herren noch etwas trinken? Martini, Portwein oder Whisky?
HERR KÖNIG	Guten Abend, Fräulein Müller! Ich nehme einen Whisky, bitte. Darf ich Ihnen meinen englischen Kollegen, Mr Blake, vorstellen?
MR BLAKE	
FRL. MÜLLER	Guten Abend, Mr Blake!
HERR KÖNIG	Fräulein Müller ist Herrn Hartmanns Sekretärin. Herr Hartmann ist der Präsident der Handelskammer. Bei diesen Cocktail-Partys hat sie immer sehr viel zu tun.
FRL. MÜLLER	Ich tue es sehr gern, Herr König. Die Gäste sind immer sehr nett. Sind Sie geschäftlich hier, Mr Blake, oder sind Sie auf Urlaub?
MR BLAKE	
FRL. MÜLLER	Wie gefällt es Ihnen hier?
MR BLAKE	
FRL. MÜLLER	Ist Ihre Frau auch hier in Frankfurt?
MR BLAKE	
FRL. MÜLLER	Bleiben Sie denn längere Zeit bei uns?

34

MR BLAKE	
FRL. MÜLLER	Sind Sie aus London?
MR BLAKE	
FRL. MÜLLER	Ja, aber nicht sehr gut. Ich war nur einmal in London – vor vier Jahren. Ich wohnte bei einer englischen Familie. Ich mußte Englisch lernen.
MR BLAKE	
FRL. MÜLLER	Oh, nicht sehr gut, aber es geht. Möchten Sie vielleicht lieber Englisch sprechen?
MR BLAKE	
FRL. MÜLLER	Sie haben recht, Mr Blake! Aber die meisten Engländer sprechen gar kein Deutsch.
EINE STIMME	Fräulein Müller!
FRL. MÜLLER	Entschuldigen Sie mich, Mr Blake. Ich muß jetzt gehen. Schönen Aufenthalt in Deutschland!
MR BLAKE	
HERR KÖNIG	Wie spät ist es? Schon acht Uhr! Gehen wir auch, Mr Blake, oder möchten Sie noch länger bleiben?
MR BLAKE	
HERR KÖNIG	Ich auch. Kommen Sie, wir gehen jetzt essen.

Die Deutsch sprechenden Länder Europas

In Deutschland, Österreich und in der deutschen Schweiz spricht man Deutsch. Sie sind Nachbarländer aber das Deutsch ist nicht das gleiche. Ein Norddeutscher spricht anders als ein Süddeutscher, und es ist für einen Deutschen schwer und für einen Ausländer noch schwerer, die verschiedenen Dialekte zu verstehen. Wer Deutsch kann, kann sich trotzdem in diesen drei Ländern verständlich machen und kann sich mit den Menschen dort unterhalten. In der Schweiz gibt es drei offizielle Sprachen: Deutsch, Französisch und Italienisch, und fast 5 Prozent der Bevölkerung spricht Rätoromanisch. Der deutsche Dialekt, den fast zwei Drittel der Bevölkerung spricht, ist jedoch sehr schwer zu verstehen.

Die Bundesrepublik Deutschland (BRD) ist ein großes Land mit über 62 Millionen Einwohnern (einschließlich West-Berlins). Es hat viel Industrie (das Ruhrgebiet ist das wichtigste Schwerindustriezentrum Europas) und ist durch diese Industrie und den Handel mit vielen anderen Ländern ein sehr reiches Land. Die Hauptstadt der Bundesrepublik ist Bonn, eine kleine Stadt am Rhein.

Die Deutsche Demokratische Republik (DDR) hat nur 17 Millionen Einwohner. Die Hauptstadt ist Ost-Berlin. Österreich ist sehr klein (nur 7,5 Millionen Menschen wohnen in diesem Land) und nicht so reich wie die Bundesrepublik und die Schweiz. Die Hauptstadt von Österreich, Wien, liegt an einem berühmten Fluß – an der Donau. Die Schweiz hat 5,5 Millionen Einwohner und ist für ihre Banken und ihre politische Neutralität bekannt. Die Hauptstadt der Schweiz ist Bern. Deutschland, Österreich und die Schweiz sind interessante Länder und beliebte Ferienziele für Touristen aus England. Es ist immer interessant, wenn man sich mit den Einwohnern eines Landes in der Landessprache unterhalten kann.

Questions

1. In which countries does one speak German?
2. Is the German spoken in Germany, Switzerland and Austria the same?
3. Within Germany, between which regions is the greatest difference in speech heard?
4. Can someone who knows standard German make himself understood in Germany, Switzerland and Austria?
5. Which languages are spoken in Switzerland?
6. What is said here about the German spoken in Switzerland?
7. How do West Germany and Austria compare in wealth and number of inhabitants?
8. How many inhabitants does East Germany have?
9. What is the official name of East Germany?
10. Does West Germany trade with many countries?
11. What makes West Germany a wealthy country?
12. What is the *Ruhrgebiet*?
13. Is Austria wealthy?
14. What is the similarity between Bonn and Vienna?
15. What makes a visit to these countries much more interesting?
16. What are the capital cities of the BRD, the DDR, Switzerland and Austria?

Grammatik 4

1 Gender of nouns (masculine, feminine, neuter)

	singular			plural
	masculine	feminine	neuter	masc., fem., neut.
the	der Wagen	die Wohnung	das Kind	die Wagen die Wohnungen die Kinder
a	ein Wagen	eine Wohnung	ein Kind	Wagen, Wohnungen, Kinder.
my	mein Wagen	meine Wohnung	mein Kind	meine Wagen
your	Ihr Wagen	Ihre Wohnung	Ihr Kind	Ihre Wagen Ihre Wohnungen Ihre Kinder
his	sein Wagen	seine Wohnung	sein Kind	seine Wagen
her	ihr Wagen	ihre Wohnung	ihr Kind	ihre Wohnungen
our	unser Wagen	unsere Wohnung	unser Kind	unsere Kinder
their	ihr Wagen	ihre Wohnung	ihr Kind	ihre Kinder
no	kein Wagen	keine Wohnung	kein Kind	keine Wagen keine Wohnungen keine Kinder

i *Plurals of feminine nouns:* –en. Tasche – Taschen; Frau – Frauen
ii *Feminine of masculine nouns:* –in. Engländer – Engländerin; Franzose – Französin
iii –chen, –lein *always neuter:* das Mädchen, das Fräulein

2 Pronouns

	singular			
1st person (I)	Ich bin Ingenieur. Ich rauche wenig.			
2nd person (you)	Sie sind der Direktor. Sind Sie die Sekretärin?			
3rd person (he, she, it)	masculine	Ist Nein, Ist Nein,	der Direktor er Ihr Garten er	da? ist nicht da. groß? ist klein.
	feminine	Das ist Ist Ja,	Fräulein Schmidt. Sie Ihre Wohnung sie	 ist die Sekretärin. klein? ist klein
	neuter	Geht Ja, Ist Ja,	das Kind es das Bier es	in die Schule? geht in die Schule. gut? ist gut.

	plural			
1st person (we)	Wir fahren in die Stadt. Wir sind verheiratet.			
2nd person (you)	Sind Sie in Frankfurt? Sie sind verheiratet.			
3rd person (they)	masculine, feminine, and neuter	Sind Ja, Was machen Kommen Ja,	Zigaretten sie die Kinder? Sie Mr Blake und Herr König? sie	teuer? sind teuer. gehen in die Schule. kommen.

3 Verbs – Present tense

ich		
Ich	rauche	wenig.
Ich	komme	um 9 Uhr.
Ich	gehe	gern ins Büro.
Ich	wohne	in London.

Sie (you)		
Sie	rauchen	viel, nicht wahr?
Sie	kommen	gern ins Büro, nicht wahr, Mr Blake?
Sie	gehen	gern ins College, nicht wahr, Herr Werner?
Sie	wohnen	in Epsom, nicht wahr, Mr Blake?

er, sie, es		
Er	raucht	viel.
Der Herr	kommt	um 8 Uhr.
Es	geht	Herrn König nicht sehr gut.
Sie	wohnt	in Hamburg.

wir		
Wir	rauchen	nicht.
Wir	kommen	um 3 Uhr.
Wir	gehen	nach Hause.
Wir	wohnen	in der Nähe von London.

sie (they)		
Die Blakes	rauchen	nicht.
Herr und Frau Dietz	kommen	um 7 Uhr.
Sie	gehen	um 10 Uhr nach Hause.
Herr und Frau König	wohnen	in Frankfurt.

4 Verbs whose stems end in 't'

Es kostet nicht viel.
Er arbeitet gern.

5 Strong verbs (verbs with irregular 3rd person singular)

Ich spreche Englisch.	Er spricht Englisch.
Ich nehme den Wagen.	Er nimmt den Wagen.
Ich lese die Zeitung.	Sie liest die Zeitung.
Ich fahre in die Stadt.	Er fährt in die Stadt.
Ich esse wenig.	Er ißt wenig.

6 sein (to be)

Ich	bin	Ingenieur/Engländer.
Sie	sind	der Direktor.
Er	ist	Student.
Sie	ist	Studentin.
Es	ist	nicht sehr gut.
Wir	sind	verheiratet.
Sie	sind	sehr nett.
Mr und Mrs Blake	sind	sehr nett.

Omission of article before nouns indicating profession or nationality.

7 haben (*to have*)

Ich	habe	einen Wagen.
Sie	haben	einen Garten.
Er	hat	ein Haus.
Sie	hat	eine Tochter.
Es	hat	keinen Vater.
Das Kind	hat	keinen Vater.
Wir '	haben	eine Wohnung.
Sie	haben	einen Sohn.
Herr und Frau König	haben	einen Sohn.

8 *Affirmative and negative sentences*

a. Ich rauche.	Ich rauche nicht.
Ich wohne in London.	Ich wohne nicht in London.
Er fährt in die Stadt.	Er fährt nicht in die Stadt.

b. Er trinkt Bier.	Er trinkt kein Bier.
Er spricht Englisch.	Er spricht kein Englisch.
Wir haben Kinder.	Wir haben keine Kinder.
Sie hat einen Wagen.	Sie hat keinen Wagen.

9 *Questions*

a. Er spricht Deutsch.	Spricht er Deutsch?
Sie arbeitet in London.	Arbeitet sie in London?
Sie gehen in die Schule.	Gehen sie in die Schule?

b Wer ist Herr Dietz?
Was machen Ihre Kinder?
Wo ist meine Sekretärin?

10 *Negative questions*

a. Haben Sie keinen Wagen?
Trinken Sie keinen Kaffee?
Sprechen Sie kein Deutsch?

b. Arbeiten Sie nicht in London?
Studiert er nicht in Heidelberg?
Gehen Ihre Kinder nicht in die Schule?

11 *Imperative*

Sprechen Sie Deutsch, bitte!
Kommen Sie!
Gehen Sie nach Hause!

compare with the interrogative
Sprechen Sie Deutsch?
Kommen Sie?
Gehen Sie nach Hause?

12 *Doch*

Rauchen Sie?	Ja, ich rauche.
Rauchen Sie nicht?	Doch, ich rauche.
Arbeitet er in London?	Ja, er arbeitet in London.
Arbeitet er nicht in London?	Doch, er arbeitet in London.
Sprechen Sie Deutsch?	Ja, ich spreche Deutsch.
Sprechen Sie kein Deutsch?	Doch, ich spreche Deutsch.
Haben Sie einen Wagen?	Ja, ich habe einen Wagen.
Haben Sie keinen Wagen?	Doch, ich habe einen Wagen.

13 *Word order*

a. *Position of adverbials*

Er fährt jetzt nach Hause.
Wir sind sehr oft in Deutschland.
Ich trinke immer Tee.

b. *Time before place*

	Time	Place
Er geht	jetzt	ins Hotel.
Wir fahren	sehr oft	nach Heidelberg.
Er fährt	um sechs Uhr	nach Hause.

14 *Position of verb*

	Verb (2)		
Ich	habe		ein Auto.
Wir	wohnen		in Hamburg.
Sie	haben	leider	keine Kinder.
Leider	haben	sie	keine Kinder.
Das Bier	ist	in Deutschland	sehr gut.
In Deutschland	ist	das Bier	sehr gut.
Ich	fahre	um halb sechs	nach Hause.
Um halb sechs	fahre	ich	nach Hause.

15 *'Gern' and 'lieber'*

a. Ich trinke gern Bier.
   Ich trinke lieber Wein.
   Er raucht gern Zigaretten.
   Er raucht lieber Zigarren.

b. Sie spricht gern Französisch, aber sie spricht lieber Deutsch.
   Wir wohnen gern in Deutschland, aber wir wohnen lieber in England.
   Arbeiten Sie gern in Frankfurt oder arbeiten Sie lieber in London?
   Ich studiere gern Französisch aber ich studiere lieber Englisch.

16 Case

a. Nominative and accusative of articles, possessive adjectives and 'kein'

nom.		Der Wagen ist da.
acc.	Ich habe	den Wagen da.
nom.		Ein Wagen kostet sehr viel.
acc.	Wir haben	einen Wagen.
nom.	Ist	kein Kaffee da?
acc.	Er trinkt	keinen Kaffee.
nom.		Mein Sohn studiert.
acc.	Ich bringe	meinen Sohn in die Schule.
nom.	Ist	Ihr Chefingenieur da?
acc.	Holen Sie	Ihren Chefingenieur!
nom.	Sein Wagen ist sehr klein.	
acc.	Er holt	seinen Wagen.

b. The feminine, neuter and plural show no change in the accusative

nom.		Die Sekretärin ist nicht da.
acc.	Holen Sie	die Sekretärin!
nom.		Mein Haus ist groß
acc.	Herr Dietz möchte	**mein Haus.**
nom.	Wo sind	Ihre Kinder?
acc.	Holen Sie	Ihre Kinder!

17 In + accusative ('to' or 'into')

masculine	feminine	neuter
Er geht in den Garten	Wir fahren in die Stadt.	Ich gehe ins (= in das) Büro.
Er geht in seinen Garten.	Ich gehe in meine Wohnung.	Ich bringe Sie in Ihr Hotel.
Wir gehen in Ihren Garten	Gehen Sie in Ihre Wohnung?	Ich gehe in mein Büro.

18 Numerals

1 eins	6 sechs	11 elf	16 sechzehn
2 zwei	7 sieben	12 zwölf	17 siebzehn
3 drei	8 acht	13 dreizehn	18 achtzehn
4 vier	9 neun	14 vierzehn	19 neunzehn
5 fünf	10 zehn	15 fünfzehn	20 zwanzig

N.B. ein Herr zwei Herren
eine Wohnung drei Wohnungen
ein Kind vier Kinder

19 Time

Wie spät ist es?	Es ist drei Uhr – 3.00.
Wieviel Uhr ist es?	Es ist halb vier – 3.30.
Wann kommt er?	Um eins – 1.00.
Um wieviel Uhr kommt er?	Um halb eins – 12.30.
Wann diktiert er?	Von zehn bis halb elf – 10.00–10.30.
Wie lange dauert es?	Eine Stunde – von 10 bis 11.

20   Expressions of quantity

Ein Glas Bier.
Eine Tasse Kaffee.
Eine Schachtel Zigaretten.
Eine Flasche Wein.
Ich rauche nicht viel.
Ich rauche sehr wenig.
Ich spreche nur wenig.
Ich verstehe fast alles.

21   Some adverbs

auch	Herr Dietz ist Ingenieur. Ich bin auch Ingenieur.
auch nicht	Er raucht nicht. Ich rauche auch nicht.
schon	Kommt Herr König nicht? Er ist schon da.
immer	In England spreche ich immer Englisch.
nur	Ich spreche nur wenig.
jetzt	Ich bringe Sie jetzt in Ihr Hotel.
oft	Er ist sehr oft in England.
da; hier	Ist er da? Nein, er ist nicht hier.
weit von	Epsom ist nicht weit von London.
in der Nähe von	Epsom ist in der Nähe von London.
sehr	Englische Zigaretten sind sehr gut.
ziemlich	Meine Wohnung ist ziemlich klein.
leider	Leider spreche ich kein Deutsch.
erst	Meine Verabredung ist erst um drei Uhr.

22   Nach Hause, zu Hause

Frau König ist zu Hause.

Herr König { kommt / fährt / geht }   nach Hause.

23   Adjectives after verb (no ending)

Das Haus ist groß.
Meine Wohnung ist sehr klein.
Die Zigaretten sind gut.
Das Bier ist schlecht.
Der Tabak ist teuer.
Der Kaffee ist nicht billig.

24   Prepositions

Er wohnt in Frankfurt.
Er kommt in sein Büro.
Herr Brückmann kommt aus Hamburg.
Er trinkt Kaffee mit Milch.
Ich trinke Tee ohne Zucker.
Mr Blake fährt nach Deutschland, nach
                              Frankfurt.
Von 10 bis 11 Uhr diktiert er Briefe.
Um elf Uhr kommt Herr Dietz.
Der Brief ist für ihn.

25   Conjunctions

Er ist kein Deutscher, aber er spricht gut
                              Deutsch.
Ich rauche englische und deutsche Zigaretten.
Möchten Sie Tee oder Kaffee?

5

Im Hotel

Dialog

Herr König checks that Mr Blake has his hand-luggage with him and suggests they set off. Mr Blake would like to go to the bank first, to cash some travellers' cheques. Banks don't shut till 5 o'clock, so they still have time.

1.	HERR KÖNIG	Wo haben Sie Ihr Gepäck, Mr Blake?
	MR BLAKE	Ich habe es hier. Ich habe nur eine Reisetasche und meine Aktentasche.
2.	HERR KÖNIG	Also, wollen wir gehen?
	MR BLAKE	Wenn Sie nichts dagegen haben, möchte ich zuerst auf die Bank gehen.
3.	HERR KÖNIG	Müssen Sie Geld wechseln?
	MR BLAKE	Ja, ich will Reiseschecks einlösen. Wann machen die Banken zu?
4.	HERR KÖNIG	Das ist kein Problem. Sie machen erst um fünf Uhr zu.
	MR BLAKE	Dann haben wir noch Zeit. Es gibt doch sicher eine Bank in der Nähe.

Herr König drives Mr Blake to the bank and risks parking outside it, despite the sign. A policeman sees him and asks what he is doing there, as parking is not allowed. Herr König apologizes, explaining that he is waiting for a friend. Fortunately, Mr Blake soon reappears and Herr König gets off with a warning.

5.	HERR KÖNIG	Hier sind wir schon. Ich warte auf Sie.
	MR BLAKE	Das ist nett von Ihnen. Hoffentlich dauert es nicht lange.
6.	POLIZIST	Was tun Sie denn da? Hier dürfen Sie nicht parken.
	HERR KÖNIG	Ach, Verzeihung! Ich warte auf einen Freund.
7.	POLIZIST	Sehen Sie das Schild nicht? Das bedeutet doch: „Parken verboten von sieben Uhr bis achtzehn Uhr." Dauert es lange?
	HERR KÖNIG	Nein, bestimmt nicht. Darf ich nicht noch eine Minute bleiben?
8.	POLIZIST	Tut mir leid, aber hier darf man wirklich nicht parken.
	HERR KÖNIG	Ah, da kommt mein Freund schon.
9.	POLIZIST	Na, gut. Aber das nächste Mal müssen Sie zwanzig Mark bezahlen.
	HERR KÖNIG	Ja, das weiß ich.

At the hotel, Mr Blake finds he has been given Room 31 on the first floor. He offers his passport for registration, but formalities will be dealt with later. He gets his key and the porter takes him up.

10.	EMPFANGSCHEF	Guten Tag! Was kann ich für Sie tun?
	MR BLAKE	Ich bin Mr Blake aus London. Ich glaube, Sie haben eine Reservierung für mich.
11.	EMPFANGSCHEF	Einen Augenblick, bitte. Ich muß mal nachsehen. Ja, Sie haben Zimmer 31 im ersten Stock. Leider ist es ein Zimmer ohne Bad.
12.	MR BLAKE	Das macht nichts. Hier ist mein Reisepaß. Wollen Sie ihn sehen?
	EMPFANGSCHEF	Danke, jetzt nicht. Hier ist Ihr Schlüssel. Der Hoteldiener bringt Sie gleich nach oben.
	MR BLAKE	Danke.

Grammar Summary

1. Pronouns as objects

Pronouns, like nouns, can be subjects or objects in a sentence. As in English (*he – him*, *I – me*, *they – them*), the German object forms are sometimes different from the subject forms. **Ich, wir** und **er** change:

Wo ist **Herr Dietz**?	Ich sehe **ihn** nicht.
Wo ist **der Wagen**?	Ich habe **ihn** da.
Wo sind Sie?	Hier bin ich – sehen Sie **mich** nicht?
Da kommt ein Polizist!	Hoffentlich sieht er **uns** nicht.

The pronouns **sie** (she), **es**, **Sie** (you), and **sie** (they) stay the same as in the nominative (or subject form).

2. Modal verbs (wollen, müssen, dürfen, können)

These verbs often require another verb to complete the meaning – just as in English:

$$\text{ich} \begin{cases} \text{will} \\ \text{muß} \\ \text{darf} \\ \text{kann} \end{cases} \text{vor der Bank parken} \qquad \begin{cases} \text{want to} \\ \text{have to} \\ \text{am allowed to} \\ \text{can (am able to)} \end{cases} \text{park outside the bank}$$

You will notice that the German version has a slightly different word order; the form of the completing verb used is the basic one, called the infinitive, and in sentences like those above, it is placed at the end of the sentence. The modal verbs do not have the usual forms. Check them on p. 92.

3. Separable verbs

These are very common in German. They consist of two parts, a prefix and a main part, e.g. **zumachen** (zu-machen). This prefix is detachable and in sentences like those below, it appears at the end. When you require the infinitive form after modal verbs, prefix and main part are not separated. Note that the addition of a prefix to a main verb can sometimes completely change its original meaning.

zumachen: to shut   **nachsehen:** to look up, check (information)

Die Banken **machen** um fünf Uhr **zu**.   Ich **sehe** gleich **nach**.
Sie müssen um fünf Uhr **zumachen**.   Ich kann gleich **nachsehen**.

Fragen

1. Hat Mr Blake Gepäck?
2. Hat er viel Gepäck?
3. Hat er nur seine Aktentasche?
4. Hat er einen Koffer?
5. Wo hat er seine Reisetasche?
6. Wo hat er seine Aktentasche?
7. Wo hat er seine Reisetasche und seine Aktentasche?
8. Wo hat er sein Gepäck?
9. Wieviel Gepäck hat er?
10. Hat Mr Blake Reiseschecks?
11. Hat er nur einen Reisescheck?
12. Hat er auch Geld?
13. Hat er nur Reiseschecks oder hat er auch Geld?
14. Braucht er Geld?
15. Was braucht er?
16. Will Herr König ins Hotel gehen?

17. Will er ins Büro oder ins Hotel gehen?
18. Wohin will Herr König jetzt gehen?
19. Will Mr Blake auf die Bank gehen?
20. Wohin will Mr Blake gehen?
21. Warum will er auf die Bank gehen?
22. Will er nicht ins Hotel gehen?
23. Wohin will Mr Blake jetzt gehen?
24. Wohin wollen Mr Blake und Herr König gehen?
25. Muß Mr Blake auf die Bank gehen?
26. Muß er Geld wechseln?
27. Warum muß er auf die Bank gehen?
28. Warum muß er Geld wechseln?
29. Gibt es eine Bank in der Nähe?
30. Wo ist die Bank?
31. Macht die Bank um drei Uhr zu?
32. Wann macht die Bank zu?
33. Wann machen die Banken in England zu?
34. Wann machen die Banken in Deutschland zu?
35. Machen die Banken in Deutschland um drei Uhr zu?
36. Wartet Herr König auf seine Frau?
37. Wartet er auf Mr Blake?
38. Auf wen wartet er?
39. Was tut Herr König da?
40. Dauert es lange?
41. Muß er lange warten?
42. Ist Parken hier verboten?
43. Darf man hier parken?
44. Darf Herr König hier parken?
45. Was heißt: „Parken verboten?"
46. Darf Herr König nicht noch eine Minute bleiben?
47. Darf er nicht auf seinen Freund warten?
48. Sieht der Polizist den Wagen?
49. Was sieht der Polizist?
50. Sieht Herr König das Schild nicht?
51. Was bedeutet das Schild?
52. Muß Herr König etwas bezahlen?
53. Wieviel muß er das nächste Mal bezahlen?
54. Hat Mr Blake keine Reservierung?
55. Was macht der Empfangschef?
56. Was muß der Empfangschef machen?
57. Hat Mr Blake ein Zimmer?
58. Hat Mr Blake Zimmer 29?
59. Ist Zimmer 31 im dritten Stock?
60. Wo ist Zimmer 31?
61. Ist es ein Zimmer mit oder ohne Bad?
62. Will der Empfangschef seinen Reisepaß sehen?
63. Was bekommt Mr Blake?
64. Wer bringt Mr Blake nach oben?
65. Wohin bringt ihn der Hoteldiener?

In der Klasse

Das Hotel hat hundertvierzig (140) Zimmer.
Zimmer eins (1) bis fünfunddreißig (35) sind im ersten Stock.
Zimmer sechsunddreißig (36) bis siebzig (70) sind im zweiten Stock.
Zimmer einundsiebzig (71) bis hundertfünf (105) sind im dritten Stock.
Zimmer hundertsechs (106) bis hundertvierzig (140) sind im vierten Stock.
Zimmer sechzig (60) ist im zweiten Stock.

Wieviele Zimmer hat das Hotel?
Wo ist Zimmer 21?
Ist Zimmer 40 im ersten Stock?
Wo ist Zimmer 76?
Ist Zimmer 139 im dritten Stock?
Wo ist Zimmer 111?
Ist Zimmer 60 im dritten Stock?
Wo ist Zimmer 84?
Ist Zimmer 98 im vierten Stock?
Wo ist Zimmer 33?

Erweiterung

Hotelgäste

1. Mr White ist aus London. 2. Er möchte ein Einzelzimmer mit Bad. 3. Er ist geschäftlich in Frankfurt. 4. Er bleibt eine Woche in Frankfurt. 5. Er füllt einen Meldezettel aus. 6. Er gibt seinen Namen, seine Adresse und seine Paßnummer an. 7. Der Hoteldiener weckt ihn um 6 Uhr. 8. Er steht sehr früh auf. 9. Er frühstückt um Viertel vor sieben. 10. Er geht um Viertel vor acht weg. 11. Er geht auf die Bank und löst Reiseschecks ein. 12. Um Viertel nach acht ruft er einen Geschäftsfreund an; er trifft ihn um halb zehn.

1. Herr und Frau Gruber sind aus Hamburg. 2. Sie möchten ein Doppelzimmer ohne Bad. 3. Sie sind auf Urlaub. 4. Sie bleiben drei Tage. 5. Sie füllen einen Meldezettel aus. 6. Sie geben ihren Namen, ihre Adresse und ihre Personalausweisnummern an. 7. Der Hoteldiener weckt sie um Viertel nach acht. 8. Sie stehen ziemlich spät auf. 9. Sie frühstücken um Viertel nach neun. 10. Sie gehen um Viertel nach zehn aus. 11. Sie gehen in ein Geschäft und kaufen Geschenke für ihre Kinder. 12. Um Viertel vor zwölf treffen sie Bekannte aus Hamburg.

Fragen

1. Ist Mr White aus Manchester?
2. Was für ein Zimmer möchte er?
3. Was macht er in Frankfurt?
4. Wie lange will er in Frankfurt bleiben?
5. Was muß er machen?
6. Was muß er angeben?
7. Um wieviel Uhr muß ihn der Hoteldiener wecken?
8. Muß Mr White früh aufstehen?
9. Um wieviel Uhr will Mr White frühstücken?
10. Um wieviel Uhr muß er weggehen?
11. Was muß er machen?
12. Was muß er nachher machen?
13. Sind Herr und Frau Gruber aus München?
14. Was für ein Zimmer möchten sie?
15. Was machen sie in Frankfurt?
16. Wie lange wollen sie in Frankfurt bleiben?
17. Was müssen sie machen?
18. Was müssen sie angeben?
19. Wollen Herr und Frau Gruber früh aufstehen?
20. Um wieviel Uhr muß sie der Hoteldiener wecken?
21. Um wieviel Uhr wollen sie frühstücken?
22. Um wieviel Uhr wollen sie ausgehen?
23. Was wollen sie machen?
24. Was wollen sie um Viertel vor zwölf machen?

Übungen

1 Warten Sie auf Ihren Freund?
Ja, ich warte auf ihn.
Hat er seinen Schlüssel?
Ja, er hat ihn.
Sehen Sie Ihren Sohn?
Wartet er auf seinen Bruder?
Brauchen Sie Ihren Reisepaß?
Bringt er den Koffer?
Sieht er seinen Freund?
Kaufen Sie den Wagen?

2 Sehen Sie Ihre Freundin?
Nein, ich sehe sie nicht.
Wartet er auf seine Frau?
Nein, er wartet nicht auf sie.
Nehmen Sie die Aktentasche?
Sieht er seine Schwester?
Haben Sie Ihre Reisetasche?
Kauft er die Reisetasche?
Lesen Sie die Zeitung?
Warten Sie auf Ihre Sekretärin?

3 Sehen Sie das Hotel?
Ja, ich sehe es.
Nimmt er das Zimmer?
Ja, er nimmt es.
Bezahlen Sie das Bier?
Braucht sie das Geld?
Sehen Sie das Schild?
Haben Sie Ihr Gepäck?
Bringt er das Päckchen?
Sieht er das Haus?

4 Ist das Bier für Sie?
Nein, es ist nicht für mich.
Ist die Reservierung für den Direktor?
Nein, sie ist nicht für ihn.
Ist das Geld für Ihre Frau?
Ist der Brief für den Chefingenieur?
Ist die Postkarte für Sie und Ihre Frau?
Ist das Zimmer für Mr Blake?
Sind die Zigaretten für den Empfangschef?
Sind die Briefe für Herrn und Frau König?

5 Ich will in die Stadt gehen.
Wollen Sie gleich in die Stadt gehen?
Ich will das Zimmer reservieren.
Wollen Sie das Zimmer gleich reservieren?
Ich will auf die Bank gehen.
Ich will den Reisepaß holen.
Ich will das Bier bezahlen.
Ich will das Geschenk kaufen.
Ich will den Reisescheck unterschreiben.
Ich will ins Büro gehen.

6 Wollen Sie früh aufstehen?
Ja, ich stehe immer früh auf.
Möchten Sie hier warten?
Ja, ich warte immer hier.
Müssen Sie um acht weggehen?
Dürfen Sie hier parken?
Wollen Sie zuerst anrufen?
Möchten Sie um sieben frühstücken?
Müssen Sie die Nummer angeben?
Dürfen Sie viel Wein trinken?

7 Ich habe ein Kind.
Ich kaufe Geschenke für mein Kind.
Sie haben zwei Kinder.
Sie kaufen Geschenke für ihre Kinder.
Er hat drei Kinder.
Sie hat ein Kind.
Wir haben vier Kinder.
Sie hat zwei Kinder.
Er hat ein Kind.
Sie haben ein Kind.
Ich habe zwei Kinder.
Wir haben ein Kind.

Übungen in der Klasse

8 Ich will nicht nach Hause gehen.
Sie müssen nach Hause gehen.
Er will das Bier nicht bezahlen.
Er muß das Bier bezahlen.
Sie will nicht ins Büro gehen.
Ich will den Scheck nicht unterschreiben.
Er will den Brief nicht lesen.
Wir wollen nicht auf ihn warten.
Sie will nicht Deutsch sprechen.
Wir wollen hier nicht parken.

9 Stehen Sie früh auf?
Ich muß früh aufstehen.
Lösen Sie die Reiseschecks ein?
Ich muß sie einlösen.
Rufen Sie gleich an?
Gehen Sie jetzt weg?
Füllen Sie den Meldezettel aus?
Kommen Sie zurück?
Geben Sie die Paßnummer an?
Machen Sie den Koffer zu?

10 Ich
Ich gebe meinen Namen an.
Die Sekretärin
Die Sekretärin gibt ihren Namen an.
Herr und Frau Gruber
Wir
Der Vertreter
Herr und Frau Schmidt
Fräulein Schwarz
Ich

11 Ich
Ich schreibe meine Adresse.
Frau Gruber
Frau Gruber schreibt ihre Adresse.
Mr White
Herr und Frau Gruber
Meine Frau und ich
Der Vertreter
Herr und Frau Schmidt
Wir

12　Ich
Ich treffe Bekannte aus München.
Er
Er trifft Bekannte aus München.
Wir
Fräulein Becker
Mr White
Herr und Frau Gruber
Der Direktor
Ich

13　Parken Sie hier?
Ich darf hier nicht parken.
Gehen Sie in die Stadt?
Ich darf nicht in die Stadt gehen.
Rufen Sie ihn an?
Bleiben Sie hier?
Gehen Sie aus?
Wollen Sie ihn treffen?
Wollen Sie rauchen?
Stehen Sie spät auf?

14　Wann machen die Banken zu?
Ich glaube, sie machen erst um fünf Uhr zu.
Wann liest er die Post?
Ich glaube, er liest sie erst um fünf Uhr.
Wann geht sie weg?
Wann ruft er an?
Wann trifft er ihn?
Wann fährt er nach Hause?
Wann kommt Herr König?
Wann kommt sie zurück?

15　Ich gehe auf die Bank.
Wenn Sie nichts dagegen haben, gehe ich auf die Bank.
Ich komme um vier zurück.
Wenn Sie nichts dagegen haben, komme ich um vier zurück.
Ich möchte zuerst Geld wechseln.
Ich rufe Sie an.
Ich kaufe ein Geschenk.
Ich gehe ins Geschäft.
Ich treffe eine Freund.
Ich möchte jetzt essen.

Konversation

A *Die Studenten stellen einander diese Fragen:*

1 Im Hotel

Haben Sie eine Reservierung?
Sie sind Mr Smith aus London, nicht wahr?
Möchten Sie ein Einzelzimmer oder ein Doppelzimmer?
Möchten Sie ein Zimmer mit Bad oder ohne Bad?
Sie möchten ein Einzelzimmer mit Bad, nicht wahr?
Möchten Sie Zimmer 21 im ersten Stock oder Zimmer 60 im zweiten Stock?

Haben Sie viel Gepäck?
Haben Sie nur eine Reisetasche?
Haben Sie auch eine Aktentasche?
Haben Sie einen Koffer?
Haben Sie einen Koffer und eine Aktentasche?
Haben Sie auch eine Reisetasche?
Wieviel Gepäck haben Sie?
Wo haben Sie Ihr Gepäck?

Wer bringt Sie nach oben?
Bringt Sie der Empfangschef nach oben?
Der Hoteldiener bringt Ihr Gepäck nach oben, nicht wahr?

2 Auf der Bank

Möchten Sie auf die Bank gehen?
Warum möchten Sie auf die Bank gehen?
Haben Sie kein Geld?
Brauchen Sie Geld?
Sie haben Reiseschecks, nicht wahr?
Möchten Sie Geld wechseln?
Haben Sie viel Geld?

Gibt es eine Bank in der Nähe?
Ist die Bank weit von hier?
Wo ist die Bank?
Macht die Bank um drei Uhr zu?
Wo machen die Banken früh zu, in England oder in Deutschland?
Wo machen die Banken spät zu, in England oder in Deutschland?

3 Beim Parken

Warum parken Sie hier?
Dürfen Sie hier parken?
Warum darf man hier nicht parken?
Warten Sie auf einen Freund?
Warten Sie auf Ihre Frau?
Müssen Sie lange warten?
Sie müssen nur eine Minute warten, nicht wahr?
Sehen Sie das Schild?
Wollen Sie lange parken?

Müssen Sie etwas bezahlen?
Müssen Sie das nächste Mal etwas bezahlen?
Müssen Sie das nächste Mal 20 DM bezahlen?
Wieviel müssen Sie das nächste Mal bezahlen?

B *Die Studenten arbeiten in Paaren. Ein Student spielt die Rolle des Empfangschefs und der andere Student spielt die Rolle des Gastes. Der Empfangschef beginnt.*

der Empfangschef		der Gast	
1	?	1	Zimmer?
2	Reservierung?	2	Keine Reservierung.
3	Wie lange?	3	Drei Tage.
4	Wieviele Personen?	4	Drei. Frau und Sohn.
5	Doppelzimmer mit Diwan?	5	Doppelzimmer und Einzelzimmer.
6	Mit Bad?	6	? DM mit Bad?
7	Doppelzimmer – 60 DM pro Nacht. Keine Einzelzimmer mit Bad.	7	Macht nichts. ? DM ohne Bad?
8	Doppelzimmer – 40 DM Einzelzimmer – 30 DM	8	Doppelzimmer ohne Bad und Einzelzimmer.
9	16 und 17 im ersten Stock. Schlüssel. Garage für den Wagen?	9	Nein.
10	Gepäck?	10	Ziemlich viel.
11	Hoteldiener. Reisepaß oder Personalausweis?	11	Personalausweis.
12	Meldezettel.	12	Restaurant?
13	Ja. Gleich essen?	13	Tisch reservieren – 7 Uhr.
14	Wecken?	14	Nein. Auf Urlaub. Nicht früh aufstehen.

C Rede: Mein Programm für morgen

Nehmen Sie die zwei ersten Sätze als Beispiele des Satzbaus und mit Hilfe der Andeutungen, sagen Sie, was Sie morgen machen.

Ich *muß* früh aufstehen.
Ich *will* um 7 frühstücken.

Um acht weggehen – in die Stadt – Parkplatz finden.
Kein Geld – Bank – Geld holen.
Brauche Geld – Geschenke – für wen?
Geschäftsfreund anrufen – treffen – zu Mittag essen.
Briefe schreiben.
Kaffee trinken.
6.30 Freundin treffen – ins Theater gehen.
10.30 in ein Café gehen – Glas Wein trinken.
Nach Hause kommen.
Ins Bett gehen.

1. Was kann man hier tun?

Hier kann man Kaffee trinken.

2. Write a few sentences about Herr Werner from Frankfurt who is on business in Hamburg. Say where he is staying; what sort of room he has; how long he is staying; what time he gets up/has breakfast; whether he has got an appointment; who he is meeting and where; whether he goes to the shops and buys presents for his wife/children/girlfriend; who he phones in Hamburg; what he does after dinner; what time he goes to bed.

EINE ANGEHEHME FAHRT

Dialog

Reception calls Mr Blake in his room to let him know that a company car is waiting for him. He asks reception to give the driver a message. When he goes down, he finds the driver pleasant and friendly. He sits in front with him to get a better view.

1.	EMPFANGSCHEF	Hallo? Mr Blake?
	MR BLAKE	Am Apparat.
2.	EMPFANGSCHEF	Der Chauffeur von der Firma Breuer ist da.
	MR BLAKE	Wie bitte? Ich höre Sie nicht gut. Können Sie etwas lauter sprechen?
3.	EMPFANGSCHEF	(*lauter*) Der Chauffeur von der Firma Breuer ist da.
	MR BLAKE	Bitte sagen Sie ihm, ich komme gleich hinunter.
4.	CHAUFFEUR	Guten Morgen, Mr Blake! Der Wagen ist vor der Tür.
	MR BLAKE	Guten Morgen! Ich kann vorne bei Ihnen sitzen, nicht wahr?
5.	CHAUFFEUR	Aber selbstverständlich! Ich mache die Tür auf. Bitte, steigen Sie ein!
	MR BLAKE	Hier vorne kann ich etwas mehr von der Stadt sehen.

The driver gives Mr Blake a map of the city, and shows him where they are and the route they will take to the factory in Bockenheim.

6.	CHAUFFEUR	Wie gefällt es Ihnen bei uns in Frankfurt?
	MR BLAKE	Es gefällt mir gut, aber ich kenne die Stadt noch gar nicht.
7.	CHAUFFEUR	Ich gebe Ihnen einen Stadtplan.
	MR BLAKE	Danke vielmals. Ein Stadtplan ist immer praktisch.
8.	CHAUFFEUR	Ich habe immer ein paar in der Tasche – für unsere Gäste. Wissen Sie, wo wir sind?
	MR BLAKE	Ja, am Paulsplatz, aber ich finde es nicht auf dem Plan.
9.	CHAUFFEUR	Darf ich es Ihnen zeigen? Wir sind hier im Zentrum.
	MR BLAKE	Und wohin fahren wir?
10.	CHAUFFEUR	Nach Bockenheim. Also, das ist unser Weg: Berliner Straße, Kaiserstraße, Theodor Heuss-Allee, Bockenheim. . . .
	MR BLAKE	Sind wir schon da?

The driver reports their arrival at the main entrance, where Fräulein Becker will meet Mr Blake. Mr Blake thanks him and the driver leaves, having wished Mr Blake a pleasant stay.

11.	CHAUFFEUR	Ja. Das ist der Haupteingang. Hier steigen Sie aus, Mr Blake, und ich melde Sie beim Portier an. . . .
	MR BLAKE	Ich danke Ihnen für die angenehme Fahrt.
12.	CHAUFFEUR	Nichts zu danken. Fräulein Becker holt Sie von hier ab. Also, auf Wiedersehen, Mr Blake! Ich wünsche Ihnen viel Vergnügen in Frankfurt.
	MR BLAKE	Danke. Auf Wiedersehen!

Grammar Summary

1. The dative case

1. In these sentences:

>He gave his visitor a map of the town
>She brought her visitor a drink
>We're showing our visitors the town
>He wishes his visitor a pleasant stay,

something is given to, done for or said to the visitors. There is a special case used in German for people in situations like those of the visitors – the **dative case**. It has special endings for words like *der* and *ein* before the noun in all three genders. Personal pronouns (me, you, him, etc.) also have dative forms:

	Masculine (der)	Neuter (das)	Feminine (die)	Plural (die)	
ich gebe	dem Gast	dem Kind	der Sekretärin	den Gästen	einen Stadtplan
er bringt	einem Gast	unserem Kind	seiner Sekretärin	seinen Freunden	etwas zu trinken
sie kauft	ihm	ihm	ihr	ihnen	ein Geschenk
	dem Chef	dem Fräulein	meiner Freundin	den Damen	den Weg
ich zeige	ihm	ihm	ihr	ihnen	die Stadt
	meinem Mann	meinem Kind	unserer Familie	den Kindern	das Restaurant
					das Hotel
					das Hotel
					den Eingang

>N.B. In the dative plural, **n** is added to the noun plural (Gäste**n**, Kinder**n**) unless it happens to end with **n** anyway (Damen) or if its plural is formed by adding s (Büros, Hotels).

2. The dative is also used after certain verbs: *danken*, *gefallen*, and with the idiom 'wie geht es . . . ?' which you know already.

Ich danke **Ihnen** für den Stadtplan.
Frankfurt gefällt **mir** gut.
Wie geht es **ihnen**?

Notice that the dative of *Sie* (you) and of *sie* (they) is the same, the only difference being the capital I of *Ihnen* (you).

3. Like the accusative, the dative is used after certain words belonging to the class called prepositions, e.g. **von**, **bei**:

Der Chauffeur ist **von der** Firma Breuer.
Mr Blake sitzt **bei dem** Chauffeur.
or
Mr Blake sitzt **beim** Chauffeur.

(**Bei dem** and **von dem** can be shortened to **beim** and **vom**, but there is no way of abbreviating *bei der* and *von der*.)

4. The dative is used after **in**, **an**, **auf**, **vor** when describing where people or things are located or where something is (being) done:

Wir sind **am (an dem)** Paulsplatz.
Er arbeitet **im (in dem)** Zentrum.
Meine Frau ist **in der** Wohnung.

Sie wartet **auf dem** Parkplatz.
Das Auto steht **vor dem** Eingang.
Mr. Blake ist **in der** Bank.

When these words describe where people are going to, they must be followed by the accusative:

Er fährt **an den** Paulsplatz.
Ich muß **in die** Wohnung gehen.

Wir gehen **ins (in das)** Zentrum.
Kommen Sie **vor die** Kamera, bitte!

1. Ist Mr Blake im Bett oder am Apparat?
2. Hört Mr Blake den Empfangschef gut?
3. Spricht Mr Blake mit Herrn König?
4. Mit wem spricht er?
5. Kann der Empfangschef nicht lauter sprechen?
6. Spricht er jetzt lauter?
7. Wer spricht lauter?
8. Was sagt der Empfangschef?
9. Wer ist da?
10. Geht Mr Blake nicht hinunter?
11. Wann geht er hinunter?
12. Wo ist der Wagen, auf dem Parkplatz oder vor der Tür?
13. Was ist vor der Tür?
14. Sitzt Mr Blake hinten?
15. Bei wem sitzt er?
16. Wo will Mr Blake sitzen?
17. Wer macht die Tür auf?
18. Was macht der Chauffeur?
19. Was macht Mr Blake?
20. Warum möchte Mr Blake vorne sitzen?
21. Wie gefällt es Mr Blake in Frankfurt?
22. Kennt Mr Blake die Stadt gut?
23. Was gibt der Chauffeur Mr Blake?
24. Ist es ein Stadtplan von London?
25. Wo hat der Chauffeur den Stadtplan?
26. Hat er nur einen Stadtplan?
27. Ist ein Stadtplan praktisch?
28. Wie gefällt Mr Blake der Stadtplan?
29. Wem dankt Mr Blake für den Stadtplan?
30. Wo sind Mr Blake und der Chauffeur?
31. Findet es Mr Blake auf dem Plan?
32. Wer zeigt Mr Blake, wo sie sind?
33. Wem zeigt der Chauffeur, wo sie sind?
34. Was zeigt der Chauffeur Mr Blake?
35. Sind sie jetzt in Bockenheim?
36. Ist der Paulsplatz in der Umgebung oder im Zentrum von Frankfurt?
37. Wohin fahren die Herren?
38. Ist es weit nach Bockenheim?
39. Wo steigt Mr Blake aus?
40. Bei wem meldet der Chauffeur Mr Blake an?
41. Meldet ihn der Chauffeur bei Herrn König an?
42. Wer holt Mr Blake ab?
43. Was macht Fräulein Becker?
44. Wofür dankt Mr Blake dem Chauffeur?
45. Wer wünscht Mr Blake viel Vergnügen in Frankfurt?
46. Was wünscht der Chauffeur Mr Blake?
47. Was tut der Chauffeur?

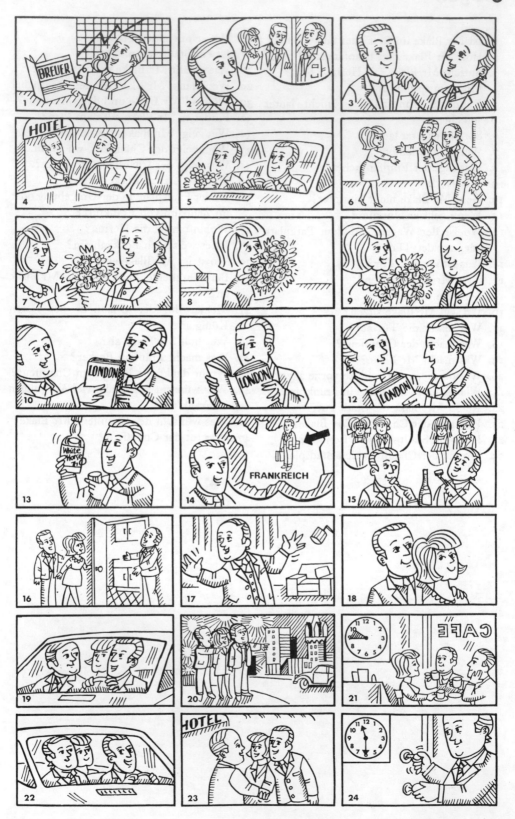

Teil B

Erweiterung

Ein Abend bei Schneiders

1. Herr Schneider ist der Verkaufsleiter bei der Firma Breuer.
2. Mr Blake ist heute abend bei Herrn Schneider eingeladen.
3. Herr Schneider ist ein Freund von ihm.
4. Herr Schneider holt ihn vom Hotel ab.
5. Sie fahren mit dem Wagen zu Schneiders.
6. Herr Schneider stellt ihm seine Frau vor.
7. Mr Blake gibt ihr Blumen.
8. Die Blumen gefallen ihr gut.
9. Sie dankt ihm für die Blumen.
10. Er bringt Herrn Schneider ein Buch über London.
11. Das Buch gefällt ihm gut.
12. Er dankt seinem Freund dafür.
13. Er bietet ihm ein Glas Whisky an.
14. Dann erzählt er ihm von einer Geschäftsreise nach Frankreich.
15. Beim Abendessen sprechen sie über ihre Familien.
16. Nach dem Essen zeigen sie ihm das Haus.
17. Er findet es sehr schön.
18. Das freut sie natürlich.
19. Dann fahren sie alle drei in die Stadt.
20. Herr und Frau Schneider zeigen ihm etwas von der Stadt.
21. Sie sitzen eine Stunde in einem Café.
22. Dann bringen sie Mr Blake zurück ins Hotel.
23. Er dankt ihnen für den schönen Abend.
24. Um halb zwölf ist Mr Blake wieder im Hotel.

Fragen

1. Was ist Herr Schneider bei der Firma Breuer?
2. Bei wem ist Mr Blake heute abend eingeladen?
3. Kennt Mr Blake Herrn Schneider?
4. Holt ihn Herr Schneider vom Büro ab?
5. Wie kommen sie zu Schneiders?
6. Wen stellt Herr Schneider ihm vor?
7. Was gibt Mr Blake Frau Schneider?
8. Gefallen ihr die Blumen?
9. Was sagt sie?
10. Was bringt Mr Blake Herrn Schneider?
11. Gefällt ihm das Buch?
12. Was macht er?
13. Was bietet er ihm an?
14. Wovon erzählt er ihm?
15. Worüber sprechen sie beim Essen?
16. Was machen sie nach dem Essen?
17. Wie gefällt ihm das Haus?
18. Freut das Herrn und Frau Schneider?
19. Bringen sie ihn dann gleich ins Hotel zurück?
20. Was machen sie in der Stadt?
21. Wie lange sitzen sie im Café?
22. Was machen sie dann?
23. Wofür dankt Mr Blake Herrn und Frau Schneider?
24. Um wieviel Uhr ist Mr Blake wieder im Hotel?

Übungen

1 Hören Sie das Telefon?
Nein, ich höre es nicht.
Kennen Sie unseren Chef?
Nein, ich kenne ihn nicht.
Sehen Sie Ihre Freundin?
Treffen Sie Herrn Schneider?
Kaufen Sie den Wagen?
Holen Sie die Geschenke?
Nehmen Sie die Aktentasche?
Brauchen Sie das Geld?

2 Bleiben Sie in Frankfurt?
Leider können wir nicht in Frankfurt bleiben.
Gibt er seine Adresse an?
Leider kann er seine Adresse nicht angeben.
Kommen Sie um drei Uhr?
Ruft er seinen Freund an?
Fahren Sie in die Stadt?
Holt er die Kinder ab?
Essen Sie um eins?
Löst er den Scheck ein?

3 Mein Freund kommt auch.
Unser Freund kommt auch.
Ich spreche über meine Familie.
Wir sprechen über unsere Familie.
Das ist für meine Sekretärin.
Meine Kinder sind in der Schule.
Das ist für meine Gäste.
Ich sehe meinen Freund nicht.
Hier ist mein Weg.
Meine Wohnung ist sehr klein.

4 Ich habe keinen Stadtplan.
Ich gebe Ihnen einen Stadtplan.
Ich habe kein Glas.
Ich gebe Ihnen ein Glas.
Ich habe keine Zeitung.
Ich habe keinen Schlüssel.
Ich habe kein Programm.
Ich habe keine Zigaretten.
Ich habe kein Buch.
Ich habe keine Tasche.

5 Er sieht das Schild nicht.
Ich zeige ihm das Schild.
Er weiß nicht, wo wir sind.
Ich zeige ihm, wo wir sind.
Er kennt die Stadt nicht.
Er findet den Weg nicht.
Er sieht den Eingang nicht.
Er findet die Straße nicht.
Er kennt das Zentrum nicht.
Er weiß nicht, wo es ist.

6 Frau Schmidt hat keinen Schlüssel.
Ich hole ihr einen Schlüssel.
Renate hat kein Geld.
Ich hole ihr Geld.
Die Sekretärin hat keinen Stadtplan.
Frau König hat kein Programm.
Fräulein Müller hat kein Glas.
Die Frau hat keine Tasche.
Ihre Tochter hat kein Buch.
Frau Schneider hat keine Tasse.

7 Ich kenne seine Frau nicht.
Er stellt mir seine Frau vor.
Wir kennen den Herrn nicht.
Er stellt uns den Herrn vor.
Ich kenne die Sekretärin nicht.
Ich kenne seinen Geschäftsfreund nicht.
Wir kennen den Direktor nicht.
Ich kenne den Verkaufsleiter nicht.
Ich kenne den Exportleiter nicht.
Wir kennen seine Tochter nicht.

8 Ich gebe ihr ein Geschenk.
Sie dankt mir dafür.
Fräulein Becker gibt ihm eine Zigarette.
Er dankt ihr dafür.
Herr König gibt ihr das Geld.
Wir geben ihm einen Stadtplan.
Ihre Freundin gibt ihr ein Buch.
Sein Freund gibt ihm eine Flasche Whisky.
Wir geben ihr den Scheck.
Der Vertreter gibt ihm den Brief.

9 Wie gefällt Ihnen mein Haus?
Es gefällt mir gut.
Wie gefallen Herrn und Frau König die
Geschenke?
Sie gefallen ihnen gut.
Wie gefallen Ihnen die Blumen?
Wie gefällt Herrn Schneider und seinem
Freund das Hotel?
Wie gefällt Herrn und Frau Schmidt die
Wohnung?
Wie gefällt Ihnen unsere Stadt?
Wie gefällt Mr Blake und Fräulein Becker Ihr
Büro?
Wie gefällt Ihnen mein Wagen?

10 Ich bin im Hotel.
Gut, ich hole Sie vom Hotel ab.
Ich bin am Paulsplatz.
Gut, ich hole Sie vom Paulsplatz ab.
Ich bin im Büro.
Ich bin im Restaurant.
Ich bin im Café.
Ich bin im Zentrum.
Ich bin am Haupteingang.
Ich bin im Geschäft.

11 Ist es in der Nähe von der Wohnung?
Es ist nicht weit von der Wohnung.
Ist es in der Nähe von der Stadt?
Es ist nicht weit von der Stadt.
Ist es in der Nähe von der Bank?
Ist es in der Nähe von der Schule?
Ist es in der Nähe von der Hauptstraße?
Ist es in der Nähe von der Tür?
Ist es in der Nähe von der Theodor Heuss-
Allee?
Ist es in der Nähe von der Berliner Straße?

12 der Direktor
Heute abend bin ich beim Direktor eingeladen.
die Sekretärin
*Heute abend bin ich bei der Sekretärin ein-
geladen.*
der Verkaufsleiter
die Freundin
der Chef
die Familie
der Freund
die Tochter

13 Herr König kennt ihn gut.
Er ist ein Freund von Herrn König.
Der Direktor kennt ihn gut.
Er ist ein Freund vom Direktor.
Die Sekretärin kennt ihn gut.
Herr Schneider kennt ihn gut.
Der Exportleiter kennt ihn gut.
Ich kenne ihn gut.
Wir kennen ihn gut.
Sie kennen ihn gut.

14 Wann geht er ins Hotel?
Er ist jetzt im Hotel.
Wann geht er in die Wohnung?
Er ist jetzt in der Wohnung.
Wann geht er ins Konferenzzimmer?
Wann geht er in die Stadt?
Wann geht er ins Café?
Wann geht er in die Schule?
Wann geht er ins Büro?
Wann geht er in die Hauptstraße?

15 Wie geht es Ihnen?
Es geht mir gut.
Wie geht es dem Chef?
Es geht ihm gut.
Wie geht es der Sekretärin?
Wie geht es Herrn König und seiner Frau?
Wie geht es dem Freund?
Wie geht es der Frau?
Wie geht es Herrn und Frau Schneider?
Wie geht es Fräulein Becker?

Konversation

A *Sie sind zu Besuch bei Herrn Schneider. Studieren Sie den Text, bis Sie die Rolle von Mr Blake spielen können.*

HERR SCHNEIDER Hier sind wir schon. Sie können hier aussteigen Mr Blake. Ich parke den Wagen vor der Tür, denn ich will Sie später nach Hause bringen.

MR BLAKE

HERR SCHNEIDER O ja. Ich möchte meinen neuen Wagen nicht immer auf der Straße stehen lassen. Übrigens, eine Garage ist immer praktisch.

MR BLAKE

HERR SCHNEIDER Den neuen habe ich seit Januar – also etwa schon drei Monate. Ich bin damit sehr zufrieden. Wo ist denn nur mein Schlüssel?

MR BLAKE

HERR SCHNEIDER Nein, er ist nicht da. Ich muß klingeln. (*Klingelt. Frau Schneider kommt.*) Tut mir furchtbar leid, Liebling. Ich habe meinen Schlüssel vergessen. Darf ich dir unseren Gast, Mr Blake, vorstellen?

FRAU SCHNEIDER Guten Abend, Mr Blake, und herzlich willkommen. Es freut mich sehr, Sie kennenzulernen.

MR BLAKE

FRAU SCHNEIDER Danke, gut. Bitte, legen Sie ab.

MR BLAKE

FRAU SCHNEIDER O, Mr Blake! Rosen – meine Lieblingsblumen! Wie nett von Ihnen! Ich hole gleich eine Vase. Vielen, vielen Dank!

MR BLAKE

HERR SCHNEIDER Gehen wir ins Wohnzimmer. Hoffentlich ist es Ihnen warm genug?

MR BLAKE

HERR SCHNEIDER Was? Ich bekomme auch ein Geschenk! Und ein Buch über London! Lieber Freund, das ist wirklich zu nett!

MR BLAKE

HERR SCHNEIDER Ja, es gefällt mir sehr.

MR BLAKE

HERR SCHNEIDER Nein, sie war noch nie mit mir in London. Sie haben recht. Jetzt kann ich ihr etwas von London im Buch zeigen. Nun, was trinken Sie – ein Gläschen Kognak oder möchten Sie lieber Whisky?

MR BLAKE

HERR SCHNEIDER Ja, in England trinke ich auch immer Whisky, aber in Deutschland, wie Sie, nehme ich lieber Kognak. Gerda, möchtest du einen Wermuth?

FRAU SCHNEIDER	Nein danke, Paul. Ich muß das Essen fertig machen. Entschuldigen Sie mich ein paar Minuten, Mr Blake.
MR BLAKE	
HERR SCHNEIDER	Danke schön. Ich rauche gern diese Sorte. Wie gefällt es Ihnen bei unserer Firma?
MR BLAKE	
HERR SCHNEIDER	Ja, wir alle finden Herrn König sehr nett. Und die Firma ist sehr modern.
MR BLAKE	
HERR SCHNEIDER	Ich bin schon fünf Jahre bei der Firma.
MR BLAKE	
HERR SCHNEIDER	Ja, ich muß sagen, ich bin sehr zufrieden.
FRAU SCHNEIDER	Meine Herren, das Essen ist fertig. Gehen wir ins Eßzimmer?
HERR SCHNEIDER	Kann ich dir helfen?
FRAU SCHNEIDER	Du kannst Mr Blake zeigen, wo er sitzt. Dann kannst du bitte den Wein aus dem Kühlschrank holen. Hoffentlich trinken Sie gern Wein, Mr Blake.
MR BLAKE	
FRAU SCHNEIDER	Ja, das weiß ich. Vielleicht, weil Sie alle Weine importieren müssen. Heute abend trinken wir Rheinwein. Hoffentlich schmeckt er Ihnen.
MR BLAKE	
FRAU SCHNEIDER	O, das freut mich. Wollen Sie nach dem Essen das ganze Haus sehen?
MR BLAKE	
HERR SCHNEIDER	Ja, wann kommt Ihre Frau nach Deutschland – oder wissen Sie das noch nicht genau?
MR BLAKE	
HERR SCHNEIDER	Kommen Ihre Kinder auch oder müssen sie wegen der Schule in England bleiben?
MR BLAKE	
HERR SCHNEIDER	Christl ist bei einer Freundin, und Udo ist schon im Bett, Gott sei Dank!
MR BLAKE	
HERR SCHNEIDER	Christl ist dreizehn, und Udo ist neun Jahre alt.
MR BLAKE	
HERR SCHNEIDER	Wenn Sie das nächste Mal zu uns kommen, werden Sie sie kennenlernen, Mr Blake. Für den ersten Besuch war es besser, allein zu sein. Sie kennen meine Kinder nicht! Wie alt sind Ihre Kinder?
MR BLAKE	
HERR SCHNEIDER	Dann verstehen Sie, was ich meine. Manchmal muß man Ruhe haben.
FRAU SCHNEIDER	Wie gefällt Ihnen die Stadt Frankfurt, Mr Blake? Kennen Sie sie schon ein bißchen?
MR BLAKE	
HERR SCHNEIDER	Sie kennen aber das Nachtleben von Frankfurt gar nicht. Gerda, was sagst du zu einer kleinen Fahrt in die Stadt? Frau Meyer kann von zehn bis zwölf als Babysitter kommen.
FRAU SCHNEIDER	Wie ist es mit Ihnen, Mr Blake? Vielleicht haben Sie gar keine Lust dazu?

MR BLAKE

FRAU SCHNEIDER   Dann habe ich auch nichts dagegen.

HERR SCHNEIDER   Wenn du lieber zu Hause bleibst –

FRAU SCHNEIDER   Nein, danke. Wenn du auf einen Nachtbummel gehen willst, dann komme ich mit. Ich kenne dich. Du kannst stundenlang im Lokal sitzen und die Zeit vergessen. Und morgen müssen wir alle arbeiten, nicht wahr, Mr Blake?

MR BLAKE

HERR SCHNEIDER   Dann sind wir alle einverstanden. Um zwölf sind wir alle wieder zu Hause. Ich rufe unsere Nachbarin an.

FRAU SCHNEIDER   Noch ein Glas Wein, Mr Blake

MR BLAKE

B *Sie sind auf einer Geschäftsreise in einer deutschen Stadt. Sprechen Sie über die folgenden Themen.*

1. Ich bin . . .   (Hamburg, Frankfurt, Düsseldorf)
2. Ich bleibe . . .   (wie lange?)
3. Ich wohne . . .   (Hotel)
4. Das Hotel . . .   (gut, schlecht, teuer, billig, groß, klein, alt, modern)
5. Mein Zimmer . . .   (schön, nicht schön, mit/ohne Bad, ruhig)
6. Zufrieden? Nicht zufrieden?
7. Das Hotel ist . . .   (Zentrum, weit/nicht weit, in der Nähe)
8. Die Fabrik ist . . .   (Zentrum, Umgebung, 3 Kilometer weg, 15 Minuten mit dem Wagen)
9. Ich fahre . . .   (wie? Wagen, Firmenchauffeur, Bus)
10. Die Firma gefällt . . .
    Sie ist . . .
11. Der Direktor und meine Kollegen sind . . .
12. Ich möchte etwas mehr . . .
13. Stadtplan?
14. Ich kenne . . .   (wen? wie gut?) Er ist . . . der Firma.
15. Heute abend . . .
16. Er holt mich ab . . .   (wann? von wo? zu Fuß, mit dem Wagen)
17. Ich muß . . .   (Geschenk – was? Buch, Wein, Likör)
18. Und für seine Frau . . . (Blumen, Schokolade)
19. Hoffentlich . . .
20. Um zwölf . . .

1. Select from the right-hand column the most appropriate endings for the following unfinished sentences:

1 Mr Blake steht	vorne beim Chauffeur.
2 Er frühstückt	einen Stadtplan.
3 Der Chauffeur von der Firma Breuer holt ihn	am Haupteingang aus. im Hotel.
4 Mr Blake sitzt	viel Vergnügen in Frankfurt.
5 Der Chauffeur gibt ihm	um halb neun ab.
6 Sie fahren vom Stadtzentrum	beim Portier an.
7 Dort steigt Mr Blake	nach Bockenheim.
8 Der Chauffeur meldet ihn	um halb acht auf.
9 Mr Blake dankt dem Chauffeur	für die angenehme Fahrt.
10 Der Chauffeur wünscht ihm	

2. Imagine that you have had a win on the Lotto (a weekly lottery in West Germany). You want to buy a gift for everyone on the following list. Say what you intend to buy each person.

Der Direktor   *Dem Dirkektor kaufe ich eine Aktentasche.*

1 Der Chauffeur   5 Der Portier
2 Die Sekretärin   6 Der Vertreter von der Firma Mohn
3 Die Stenotypistin   7 Der Exportleiter
4 Der Ingenieur   8 Die Verkaufsleiterin

3. Imagine you are going out to dinner this evening. Using the following cues to guide you, say what is planned.

    bei wem eingeladen?
    wer?
    wo?
    dorthin – wie?
    etwas mitbringen?
    Abendessen – wann?
    nach dem Essen?
    nach Hause – wann?

MESSEBESUCH
Dialog

Herr König inquires politely if Mr Blake is satisfied with his hotel, etc., and if he is settling down and getting to know Frankfurt.

1.	HERR KÖNIG	Nun, wie gefällt es Ihnen bei uns?
2.	MR BLAKE	Gut, danke.
3.	HERR KÖNIG	Sind Sie mit Ihrem Hotel zufrieden?
4.	MR BLAKE	Ja, es ist sehr schön.
5.	HERR KÖNIG	Ich wohne nicht gern in einem Hotel. Und Sie?
6.	MR BLAKE	Natürlich bin ich lieber in meinem Haus. Aber das Hotel ist wirklich sehr gut.
7.	HERR KÖNIG	Das freut mich. Von Ihrer Fahrt mit dem Wagen hierher kennen Sie sicher auch schon etwas von unserer Stadt.
8.	MR BLAKE	Ein wenig. Die Stadt gefällt mir.

Herr König suggests that Mr Blake might like to go to the company stand at the Trade Fair with Herr Schneider, the sales manager, who is going after lunch. Herr König arranges for Mr Blake to collect a trade pass from his secretary.

9.	HERR KÖNIG	Übrigens, Herr Schneider muß heute zur Messe. Wollen Sie mit ihm gehen?
10.	MR BLAKE	Sehr gern. Auf einer Messe gibt es so viel Interessantes.
11.	HERR KÖNIG	Ja, und Herr Schneider kann Ihnen alles zeigen.
12.	MR BLAKE	Danke. Wann geht Herr Schneider zur Messe?
13.	HERR KÖNIG	Ich glaube, gleich nach dem Mittagessen. Ich sage Ihnen noch Bescheid.
14.	MR BLAKE	Gut, heute vormittag bin ich im Büro.
15.	HERR KÖNIG	Sie brauchen auch einen Messeausweis. Den bekommen Sie von meiner Sekretärin. Holen Sie ihn von ihrem Büro, falls sie es vergißt.

Mr Blake asks about transport. He is told that they will probably go by tram, as traffic will be heavy and parking difficult. Herr König mentions Herr Frank, the Breuer sales engineer in charge of their stand for the day.

16.	MR BLAKE	Danke. Ich darf ihn nicht vergessen. Ist es weit zur Messe?
17.	HERR KÖNIG	Ja, ziemlich weit. Sie ist auf dem Messegelände. Herr Schneider fährt aber wohl nicht mit seinem Wagen.
18.	MR BLAKE	Ist am Nachmittag zu viel Verkehr auf dem Weg zur Messe?
19.	HERR KÖNIG	Ja, und auf dem Parkplatz bei der Messe ist es immer sehr voll.
20.	MR BLAKE	Das macht nichts. Ich fahre ganz gern mit der Straßenbahn.
21.	HERR KÖNIG	Schön. Herr Schneider holt Sie also von Ihrem Büro ab. Kennen Sie übrigens Herrn Frank?
22.	MR BLAKE	Nein, wer ist das?
23.	HERR KÖNIG	Herr Frank ist heute auf unserem Messestand. Er ist Verkaufsingenieur bei der Firma.
24.	MR BLAKE	Gut, er kann mir alles auf dem Stand erklären.

1. **mit, zu, nach,** three new prepositions always followed by the dative:

> Ich gehe **mit meinem** Freund aus.
> Ich bin **mit meinem** Hotel zufrieden.
> Wir fahren **mit der** Straßenbahn.
> Sie gehen **zum (zu dem)** Stand von Breuer.
> **Nach** (*meaning after*) **dem** Mittagessen fahren wir **zur (zu der)** Messe.

Saying to (a place) is not straightforward. If the destination is a named town, district or country, you nearly always say **nach**, e.g. wir fahren **nach** Bockenheim. Otherwise there is a choice of **zu** with the **dative**, or **in**, **an** or **auf** with the **accusative**. **Zu** and **in** are much commoner than **an** or **auf**.

2. Modal verbs

a. If the meaning is clear, they may be used without completing with an infinitive:

> Herr Schneider **muß** heute zur Messe (gehen). Ich **darf** nicht so spät in die Stadt (fahren).

b. When you want to say you mustn't do something (the sense being you're not allowed or you'd better not), remember to use **dürfen**:

> Ich **darf** meinen Reisepaß nicht vergessen.
> Sie **dürfen** hier nicht rauchen.

3. Emphasis

As you know, first position in the sentence can be used for emphasis of an item other than the subject. A pronoun item may be given more emphasis by using a form identical with the definite article. This is very common in spoken German.

> **Den** (Ausweis) bekommen Sie von meiner Sekretärin.
> **Die** (Speisekarte) bekommen Sie vom Kellner.

Fragen

1. Wohnt Mr Blake in einer Wohnung?
2. Wohnt Mr Blake in einem Hotel?
3. Wo wohnt er? ✓
4. Er ist mit seinem Hotel nicht zufrieden, oder?
5. Wohnt Herr König gern in einem Hotel?
6. Wo wohnt er lieber?
7. Wohnt Mr Blake lieber im Hotel oder in seinem Haus?
8. Ist das Hotel nicht gut?
9. Wie gefällt ihm das Hotel?
10. Kennt Mr Blake Frankfurt?
11. Kennt er Frankfurt gut?
12. Kennt er es von seiner Fahrt mit der Straßenbahn zum Betrieb?
13. Woher kennt er es? ✗
14. Muß Herr Schneider heute zur Messe?
15. Wohin geht Herr Schneider heute?
16. Wann geht er zur Messe?
17. Geht er schon nach dem Frühstück zur Messe? ✓
18. Will Mr Blake nicht mitgehen?
19. Mit wem will Mr Blake zur Messe gehen?
20. Braucht Mr Blake keinen Messeausweis?
21. Von wem bekommt er ihn?
22. Bekommt er ihn nicht von Herrn König?
23. Wer gibt ihm den Messeausweis?
24. Wo gibt ihm die Sekretärin den Messeausweis?
25. Warum?
26. Warum holt ihn Mr Blake?
27. Ist es weit zur Messe?
28. Wo ist die Messe? ✓
29. Fährt Herr Schneider mit seinem Wagen zur Messe?
30. Geht er zu Fuß zur Messe?
31. Wie fährt er zur Messe?
32. Ist viel Verkehr auf dem Weg zur Messe?
33. Warum fährt Herr Schneider nicht mit dem Wagen?
34. Fährt Mr Blake nicht lieber mit dem Wagen?
35. Ist der Parkplatz bei der Messe sehr voll?
36. Wann ist er besonders voll?
37. Kann man nachmittags gut bei der Messe parken?
38. Holt Herr Schneider Mr Blake von seinem Büro oder vom Hotel ab?
39. Von wo holt Herr Schneider Mr Blake ab?
40. Gibt es auf der Messe viel Interessantes zu sehen?
41. Was gibt es auf einer Messe?
42. Wer ist auf dem Messestand?
43. Wer ist Herr Frank?
44. Mr Blake kennt ihn, nicht wahr?
45. Kann er Mr Blake alles erklären?
46. Was kann er Mr Blake erklären?

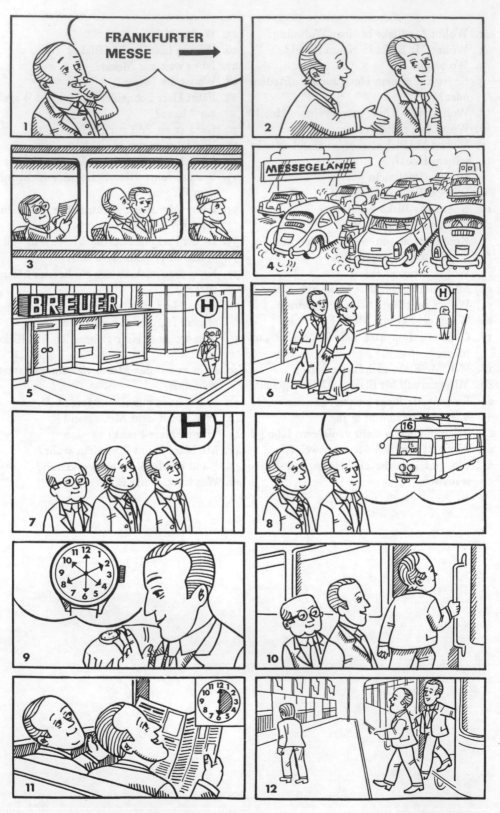

Erweiterung

Die Fahrt zur Messe

1. Mr Blake will zur Messe.
2. Er geht mit seinem Freund, Herrn Schneider.
3. Sie fahren mit der Straßenbahn, nicht mit dem Wagen.
4. Es gibt so viel Verkehr auf dem Weg zur Messe.
5. Die Haltestelle ist nicht weit vom Betrieb.
6. Sie gehen zur Haltestelle.
7. Sie warten an der Haltestelle.
8. Sie müssen mit der 16 fahren.
9. Die Straßenbahn fährt alle zehn Minuten.
10. Sie steigen in die Straßenbahn ein.
11. Sie fahren eine halbe Stunde.
12. Sie steigen am Messegelände aus.
13. Die Endstation ist direkt am Eingang zur Messe.
14. Sie gehen zum Eingang.
15. Am Eingang müssen sie einem Portier den Ausweis zeigen.
16. Die Firma Breuer hat ihren Stand in Halle 2.
17. Der Stand ist links vom Eingang.
18. In der Halle gibt es viel zu sehen.
19. Viele Firmen zeigen dem Publikum ihre Waren.
20. Sie gehen zum Stand von Breuer AG.
21. Auf dem Stand sind Elektrogeräte ausgestellt.
22. Herr Frank ist heute auf dem Stand.
23. Er spricht mit einem Kunden.
24. Ein Vertreter zeigt einem Herrn einen Kühlschrank.

Fragen

Antworten Sie für Mr Blake.

1. Wohin wollen Sie?
2. Gehen Sie allein?
3. Fahren Sie mit dem Wagen?
4. Warum nicht mit dem Wagen?
5. Wo ist die Haltestelle?
6. Wohin gehen Sie?
7. Wo warten Sie auf die Straßenbahn?
8. Fahren Sie mit der 17?
9. Wie oft fährt die Straßenbahn?
10. Steigen Sie in den Bus ein?
11. Wie lange fahren Sie?
12. Wo steigen Sie aus?

13. Wo ist die Endstation?
14. Wohin gehen Sie?
15. Wem müssen Sie den Ausweis zeigen?
16. Wo hat die Firma ihren Stand?
17. Wo ist der Stand in der Halle?
18. Ist es interessant in der Halle?
19. Was machen die Firmen?
20. Zu welchem Stand wollen Sie?
21. Wo findet man Elektrogeräte ausgestellt?
22. Wo ist Herr Frank heute?
23. Was macht er?
24. Was macht der Vertreter?

1 ein Hotel
Ich bin nicht gern in einem Hotel.
eine Wohnung
Ich bin nicht gern in einer Wohnung.
ein Café
ein Betrieb
ein Restaurant
eine Stadt
ein Büro
eine Straßenbahn

2 Wie gefällt Ihnen Ihr Hotel?
Ich bin mit meinem Hotel zufrieden.
Wie gefällt Herrn Schmidt unser Messestand?
Er ist mit unserem Messestand zufrieden.
Wie gefällt Frau Schneider ihr Kühlschrank?
Wie gefällt Ihnen und Ihrer Frau Ihre Wohnung?
Wie gefällt Herrn und Frau König ihr Wagen?
Wie gefällt dem Vertreter die Messe?
Wie gefällt der Sekretärin ihre Schreibmaschine?
Wie gefällt dem Direktor sein Büro?

3 Sind Sie mit Ihrem Wagen zufrieden?
Ja, er gefällt mir gut.
Ist die Hausfrau mit der Waschmaschine zufrieden?
Ja, sie gefällt ihr gut.
Ist der Kunde mit dem Preis zufrieden?
Ist das Kind mit dem Buch zufrieden?
Sind die Damen mit dem Kühlschrank zufrieden?
Ist der Leiter mit seinem Büro zufrieden?
Ist der Direktor mit seiner Sekretärin zufrieden?
Sind die Vertreter mit dem Plan zufrieden?

4 Was macht sein Freund?
Herr Frank spricht gerade mit seinem Freund.
Was macht unser Kunde?
Herr Frank spricht gerade mit unserem Kunden.
Was macht Ihre Sekretärin?
Was macht der Herr?
Was macht unser Portier?
Was macht Ihr Mädchen?
Was macht die Frau?
Was macht das Fräulein?

5 Der Portier gibt Ihnen einen Schlüssel.
Einen Schlüssel bekommen Sie vom Portier.
Meine Sekretärin gibt Ihnen einen Messeausweis.
Einen Messeausweis bekommen Sie von meiner Sekretärin.
Herr Frank gibt Ihnen die Preisliste.
Unser Vertreter gibt Ihnen einen Katalog.
Meine Frau gibt Ihnen ein Glas.
Unser Verkaufsleiter gibt Ihnen ein Programm.
Ihr Chauffeur gibt Ihnen einen Stadtplan.
Sein Ingenieur gibt Ihnen einen Plan.

6 das Messegelände
Auf dem Messegelände ist es jetzt sehr voll.
die Messe
Auf der Messe ist es jetzt sehr voll.
der Parkplatz
der Weg
die Bank
der Messestand
die Straße
der Paulsplatz

7 die Straßenbahn
Ich muß jetzt zur Straßenbahn.
das Hotel
Ich muß jetzt zum Hotel.
die Schule
der Eingang
die Haltestelle
der Messestand
der Paulsplatz
der Verkaufsleiter

8 Das Mittagessen dauert zwei Stunden.
Und nach dem Mittagessen müssen wir nach Hause gehen.
Die Besprechung ist um halb drei.
Und nach der Besprechung müssen wir nach Hause gehen.
Die Ausstellung ist um vier.
Die Konferenz beginnt um zwei.
Das Abendessen ist von sieben bis neun.
Die Mittagspause dauert anderthalb Stunden.
Die Schule ist um zwei aus.
Wir gehen um acht ins Theater.

9 Gehen Sie zum Paulsplatz?
Ja, wir treffen unseren Freund am Paulsplatz.
Gehen Sie zur Haltestelle?
Ja, wir treffen unseren Freund an der Haltestelle.
Gehen Sie zum Eingang?
Gehen Sie zum Messegelände?
Gehen Sie zur Hauptwache?
Gehen Sie zum Messestand?
Gehen Sie zum Haupteingang?
Gehen Sie zum Paulsplatz?

10 ein Kunde
Er zeigt einem Kunden einen Kühlschrank.
die Dame
Er zeigt der Dame einen Kühlschrank.
ein Herr
meine Frau
der Kunde
sein Gast
die Sekretärin
unser Exportleiter

11 Kann er Herrn Schneider alles erklären?
Ja, er kann ihm alles erklären.
Wollen Sie Frau König alles zeigen?
Ja, ich will ihr alles zeigen.
Muß ich dem Direktor alles sagen?
Können Sie dem Vertreter alles geben?
Möchte er dem Kunden alles zeigen?
Will sie ihrem Gast alles anbieten?
Kann er unserem Ingenieur alles erklären?
Können wir der Sekretärin alles sagen?

12 Ich will jetzt Mr Blake seinen Ausweis geben.
Ja, falls Sie ihn vergessen.
Er will jetzt eine Verabredung machen.
Ja, falls er sie vergißt.
Die Herren wollen jetzt die Ausstellung sehen.
Die Dame will jetzt den Preis aufschreiben.
Ich will jetzt den Brief diktieren.
Sie will ihm jetzt den Plan sagen.
Wir wollen ihm jetzt die Nummer geben.
Herr Frank will ihm jetzt die Preisliste schicken.

Konversation

A *Die Studenten üben in Paaren. Ein Student stellt dem anderen Fragen über die Messe. Der andere Student beantwortet die Fragen von dem Plan auf der nächsten Seite.*

1. Das Messegelände? (wo?)
2. Straßenbahnlinien? (21 und 22?)
3. Haltestelle für die Messe? (wo?)
4. Mit dem Wagen dorthin fahren?
5. Parkplatz?
6. Bus?
7. Linien?
8. Wieviele Messehallen?
9. Restaurant?
10. Wo?
11. Haushaltsgeräte? – Wo?
12. Halle 2? – Wo?
13. In Halle 6 – was ausgestellt?
14. Elektrofahrzeuge?
15. Wo ausgestellt?
16. Freigelände – hinten? vorne? in der Mitte?
17. Neben Halle 3 – was?
18. Presseausweis?
19. Fernsehen und Radio?
20. Wo?

B Messebesuch mit Herrn Schneider

Sie sind Mr Blake. Sprechen Sie über Ihren Besuch hier.

1. Heute gehe ich... (wo? wann? mit wem?)
2. Die Messe ist... (wo?)
3. ...nicht weit von... (Betrieb? Stadt? Zentrum?)
4. Ich fahre nicht mit... (Wagen? Bus? Zug? Straßenbahn?)
5. Am Messegelände gibt es... (was?)
6. Die Haltestelle ist... (wo?)
7. Die Straßenbahn fährt... (wie oft?)
8. Ich brauche... (was?)
9. ...Verabredung (wann? mit wem?)
10. Ein Portier ist... (wo?)
11. Ich weiß...zeigen (wem? was?)
12. Unser Stand... (wo?)
13. Halle 2 ist... (wo?)
14. Dort sind...ausgestellt (Chemikalien? Porzellan? Textilien? was?)
15. Herr Frank ist heute... (wo?)
16. Er ist... (Exportleiter? Vertreter? was?)
17. Im Moment... (was macht er?)
18. Auf dem Stand sind auch... (wer?)
19. Ein Vertreter zeigt... (wem? was?)
20. Herr Frank und Herr Schneider erklären... (wem? was?)

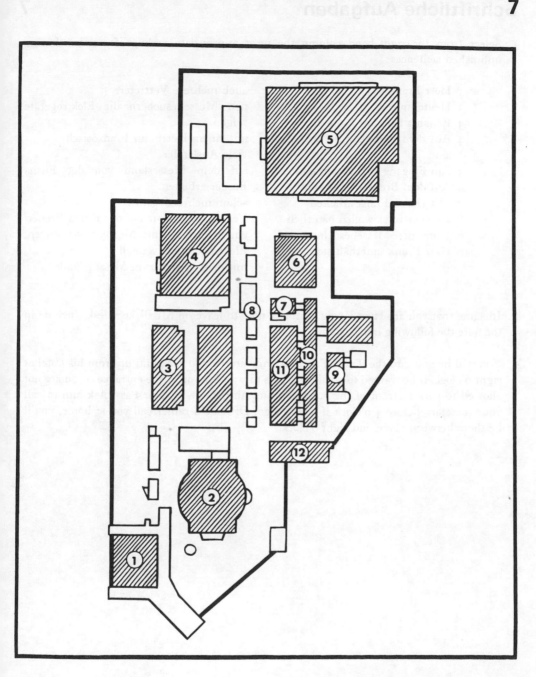

Plan des Messegeländes

1. Halle 1: Elektromotoren
2. Halle 2: Haushaltsgeräte
3. Halle 3: Fernsehen und Radio
4. Halle 4: Fernsehen und Radio
5. Halle 5: Glas und Porzellan
6. Halle 6: elektrische Büromaschinen

7. Halle 7: elektrische Schreibmaschinen
8. Freigelände: Elektrofahrzeuge
9. Restaurant
10. Pressehaus
11. Chemikalien
12. Textilien

Schriftliche Aufgaben

1. Select from the right-hand column the most appropriate endings for the following unfinished sentences:

1 Herr Frank ist	auch mehrere Vertreter.
2 Heute muß er	den Messebesuchern die Elektrogeräte
3 Er fährt früh am Morgen	zeigen.
4 Auf dem Parkplatz bei der Messe	mit einem Herrn auf Französisch.
sind	viele Ausländer.
5 Am Eingang zur Messe muß er	auf dem Messestand von der Firma
6 Auf dem Breuer-Stand sind	Breuer arbeiten.
7 Mit Herrn Frank arbeiten	schon mehrere Autos.
8 Die Vertreter wollen natürlich	Verkaufsingenieur bei der Firma Breuer.
9 Unter den Messebesuchern sind	einem Portier seinen Messeausweis zeigen.
10 Herr Frank unterhält sich	Elektrogeräte ausgestellt.
	mit dem Wagen zum Messegelände.

2. Imagine that you are Herr König writing a note to leave on Mr Blake's desk. Include in the note the following information:

You will be going to the Trade Fair tomorrow and would pick him up from his hotel at eight o'clock, if he wanted to go along. He is to wait for you at the entrance – you are not allowed to park in front of the hotel. Remind him about his Fair Pass. Ask him to call your secretary before 4 o'clock if he can't go. Of if he'd rather call you at home, you'll be there between seven and eight o'clock.

Geschäfte und Unterhaltung auf der Messe 8
Business and pleasure at the Trade Fair Extensive

In this unit, as in Unit 4, you will again be asked to test and practise your skill in listening and reading comprehension, and intelligent guessing. The grammar section may look a bit alarming at first glance, as you have covered a remarkable number of structures in the last three units. However, you will soon recognize familiar patterns and words, and the logical structure of the language will impress itself gradually on your mind. Resist the temptation to spend too long on the grammar, however, once the point has been grasped and any difficulties cleared up.

In the first listening passage, *Auf dem Messestand*, Herr Schneider and Mr Blake discuss the merits and costs of Trade Fair advertising and the competition with other firms while waiting for Herr Frank to finish making a sale to a customer. Herr Schneider then introduces them, and they chat about their exhibits. They are interrupted by Monsieur Durand, an important and not thoroughly satisfied customer. His main interest is in refrigerators, but he thinks the prices are too high. Herr Frank suggests they discuss business over a glass of brandy and they retire into the reception room behind the stand. In the second listening passage, *Ein internationaler Abend*, Monsieur Durand is introduced to Mr Blake. Herr Schneider has to return to his office, so the others arrange to make a quick tour of the Fair and then go back to town and have dinner together. In the third exercise, *Eine Verabredung*, you are asked to play the part of Mr Miller from Leeds, another visitor to the Fair, who is trying to arrange a meeting by telephone with an old friend, Herr Meier.

The reading passage, *Die Stadt Frankfurt am Main*, gives you a lot of information about Frankfurt past and present, local industry, cultural features, geographical location, and the tourist attractions of the surrounding country. It is quite a difficult passage with much new vocabulary, but with intelligent guessing, your teacher's help, and the clues always to be found in the English questions, you should understand and retain as much as you are expected to at this stage.

HERR SCHNEIDER	Sehen Sie unseren Stand schon? Dort rechts in der Ecke.
MR BLAKE	Ach ja, Breuer AG. Neben dem Stand von Siemens.
HERR SCHNEIDER	Ich sehe, Herr Frank spricht momentan mit einem Kunden. Wir wollen ihn nicht stören.
MR BLAKE	Ja, vielleicht schließt er gerade einen Verkauf ab.
HERR SCHNEIDER	Ich zeige Ihnen zuerst unsere Erzeugnisse.
MR BLAKE	Ja, bitte. Ihr Stand ist ja sehr groß.
HERR SCHNEIDER	Ja, wir nehmen immer einen großen Stand. Natürlich sind die Kosten sehr hoch, aber wir glauben, es lohnt sich trotzdem.
MR BLAKE	Auf einer Messe hat man natürlich die beste Gelegenheit, die neuen Erzeugnisse zu zeigen.
HERR SCHNEIDER	Siemens und andere Firmen machen uns viel Konkurrenz. Die Werbung ist also sehr wichtig.
MR BLAKE	Man will natürlich mit den Konkurrenten Schritt halten.
HERR SCHNEIDER	Jetzt können wir aber Herrn Frank begrüßen.... Guten Tag, Herr Frank!
HERR FRANK	Guten Tag, Herr Schneider! Was bringt Sie heute zu mir?
HERR SCHNEIDER	Das ist Mr Blake aus England. Ich will ihm unseren Messestand zeigen.
HERR FRANK	Es freut mich, Sie kennenzulernen, Mr Blake.
MR BLAKE	Guten Tag, Herr Frank! Ihr Stand gefällt mir sehr.
HERR FRANK	Wie Sie sehen, haben wir eine große Anzahl von Elektroartikeln: Kühlschränke, Waschmaschinen, Staubsauger, Bügeleisen....
MR BLAKE	Diese Waschmaschine sieht sehr modern aus. Ist es ein neues Modell?
HERR FRANK	Ja, diese Maschine ist ganz neu. Sie ist natürlich vollautomatisch.
HERR SCHNEIDER	Wir hoffen, mit dieser Maschine viel Erfolg zu haben.
HERR FRANK	Entschuldigen Sie mich, hier kommt M. Durand aus Paris. Er ist ein bedeutender Großhändler.
M. DURAND	Guten Tag!
HERR FRANK	Guten Tag, M. Durand! Wie geht es Ihnen?
M. DURAND	Ganz gut, danke. Und hat die Firma Breuer uns etwas Neues anzubieten?
HERR FRANK	Ja, dieses Jahr haben wir mehrere neue Modelle. Was soll ich Ihnen zeigen? Kühlschränke, Waschmaschinen....?
M. DURAND	Wir fangen am besten mit den Kühlschränken an.
HERR FRANK	Dieses Modell 120 1. ist in Deutschland sehr beliebt. Es ist auch preiswert.
M. DURAND	Das möchte ich hoffen. Wir haben mit den Breuer-Kühlschränken oft Schwierigkeiten beim Verkauf. Sie sind zu teuer.
HERR FRANK	Wir haben unsere Kühlschränke, Waschmaschinen und Bügeleisen im Durchschnitt um 10% verbilligt.
M. DURAND	Das ist eine angenehme Nachricht. Diese Waschmaschine hier gefällt mir sehr gut. Vielleicht nehmen wir eine größere Anzahl.
HERR FRANK	Ich schlage vor, wir besprechen das bei einer Tasse Kaffee. Oder darf ich Ihnen ein Gläschen Kognak anbieten?
M. DURAND	Ja, bitte. Ich nehme gern einen Kognak.

Questions

1. Where is the stand of 'Breuer AG'?
2. What is Herr Frank doing at the moment?
3. Why do Herr Schneider and Mr Blake not want to interrupt him?
4. What will Herr Schneider show Mr Blake?
5. Do 'Breuer AG' have a big stand?
6. A Trade Fair provides the best opportunity of doing what?
7. Do 'Breuer AG' have a lot of competition?
8. Is advertising very important for them?
9. Does Mr Blake like the stand of 'Breuer AG'?
10. What articles are exhibited at this stand?
11. What is the attractive feature of the new model of washing machine?
12. Is M. Durand a wholesale or retail dealer?
13. What is M. Durand interested in?
14. Why has M. Durand had difficulties in selling Breuer refrigerators?
15. Has the firm increased or reduced prices recently?
16. Is M. Durand interested in purchasing any more Breuer goods?
17. What does Herr Frank suggest?
18. What would M. Durand like to drink?

Hören und Verstehen Ein internationaler Abend

HERR SCHNEIDER	Ich muß leider wieder ins Büro zurück. Möchten Sie vielleicht noch auf der Messe bleiben, Mr Blake?
MR BLAKE	Ja, ich möchte gern bleiben. Ich habe noch Zeit.
HERR SCHNEIDER	Sie finden nun ja selbst ins Hotel zurück, nicht wahr?
MR BLAKE	Ja, natürlich. Machen Sie sich keine Sorgen, Herr Schneider.
HERR SCHNEIDER	Am Abend sind die Straßenbahnen von der Messe in die Stadt leider sehr voll.
MR BLAKE	Das macht nichts. Ich habe Zeit und kann warten.
HERR SCHNEIDER	Also, ich hoffe, Sie sehen noch viel Interessantes.
MR BLAKE	Ja. In dieser Halle gibt es noch viel zu sehen.
HERR SCHNEIDER	Auf Wiedersehen, Mr Blake!
MR BLAKE	Auf Wiedersehen, Herr Schneider! Wir sehen uns ja morgen im Büro.
HERR SCHNEIDER	Herr Frank, auf Wiedersehen! Ich muß jetzt gehen.
HERR FRANK	Auf Wiedersehen, Herr Schneider! – Gehen Sie auch schon, Mr Blake, oder können Sie noch bleiben?
MR BLAKE	Ich kann noch bleiben. Ich gehe heute nicht mehr ins Büro zurück.
HERR FRANK	Soll ich Ihnen auch noch die anderen Messehallen zeigen?
MR BLAKE	Ja, bitte. Das ist wirklich sehr freundlich von Ihnen.
HERR FRANK	Darf ich Sie zuerst mit M. Durand bekannt machen?
MR BLAKE	Guten Tag, M. Durand!
HERR FRANK	M. Durand, das ist Mr Blake aus England.
M. DURAND	Guten Tag, Mr Blake! Möchten Sie Deutsch sprechen, oder sprechen Sie lieber Französisch?
MR BLAKE	Ich spreche lieber Deutsch. Mein Französisch ist gar nicht gut.

M. DURAND	Sind Sie schon lange in Frankfurt?
MR BLAKE	Nein, ich bin erst drei Tage hier. Und Sie, M. Durand?
M. DURAND	Ich bin erst seit gestern da.
MR BLAKE	Wie lange bleiben Sie in Frankfurt?
M. DURAND	Ich weiß es noch nicht genau. Vielleicht eine Woche.
MR BLAKE	Haben Sie auf der Messe viel zu tun?
M. DURAND	Ja, natürlich. Ich bin Großhändler für Elektroartikel.
MR BLAKE	Wie finden Sie die Messe, interessant?
M. DURAND	Ja, es gibt dieses Jahr viel Neues.
HERR FRANK	Meine Herren, ich schlage vor, wir sehen uns jetzt die Messe an und wir treffen uns um sieben zum Abendessen.
MR BLAKE	Ja, das ist eine gute Idee. Sind Sie heute abend frei, M. Durand?
M. DURAND	Ja. Ich muß zwar ein paar Briefe schreiben, aber dazu brauche ich nicht lange.
MR BLAKE	Sie können also mit Herrn Frank und mir zu Abend essen?
M. DURAND	Ja, gern. Kennen Sie schon die besten Frankfurter Restaurants, Mr Blake?
MR BLAKE	Nein, leider nicht. Aber in der Nähe von meinem Hotel ist ein Restaurant.
HERR FRANK	Ich kenne Frankfurt gut. Ich zeige Ihnen ein Spezialitätenrestaurant.
MR BLAKE	Ja, wunderbar.
HERR FRANK	Wir können dann mit meinem Wagen fahren. Sie sind ohne Wagen da, nicht wahr, Mr Blake?
MR BLAKE	Ja, mein Wagen ist in England. Und Sie, M. Durand?
M. DURAND	Ich bin auch ohne Wagen. Ich bin heute mit dem Taxi zur Messe gekommen.
MR BLAKE	Es ist sehr schwer, einen Parkplatz zu finden, nicht wahr?
M. DURAND	Ja, das ist bei einer Messe immer so.
MR BLAKE	Also, gehen wir?
HERR FRANK	Ja, es gibt sehr viel zu sehen. Wir gehen zunächst in Halle drei.
HERR FRANK	Sehen Sie, hier ist das Restaurant schon. Es heißt Hong-Kong.
M. DURAND	Ach, es ist ein chinesisches Restaurant. Gibt es in England auch chinesische Restaurants, Mr Blake?
MR BLAKE	Ja, es gibt viele chinesische Restaurants. Und in Frankreich?
M. DURAND	Ja, ein paar, aber nicht viele.
HERR FRANK	Gefällt Ihnen das Restaurant, Mr Blake?
MR BLAKE	Ja, es gefällt mir. Sicher gibt es hier gut zu essen.
M. DURAND	Also, gehen wir hinein?
HERR FRANK	Ja. Wo möchten Sie sitzen?
M. DURAND	Hier, an diesem Tisch beim Fenster.

Questions

1. Does Mr Blake want to go back with Herr Schneider?
2. What is Herr Schneider a little worried about?
3. When will Blake and Schneider see each other again?
4. What does Herr Frank offer to do?
5. To whom does Herr Frank introduce Mr Blake?
6. What is Mr Blake's French like?
7. When did M. Durand arrive in Frankfurt?
8. How long does he intend to stay?
9. What kind of goods is M. Durand interested in?
10. What does he think of the Fair this year?
11. What does Herr Frank propose to M. Durand and Mr Blake?
12. How do they respond to his suggestion?
13. Where does Herr Frank promise to take them that evening?
14. Has M. Durand got his car there?
15. How did he come from town?
16. What arrangement do they all make for transport back into town?
17. Which hall do they intend visiting next?
18. What kind of restaurant does Herr Frank take them to?
19. Are there many such restaurants in England and France?
20. Where do they choose to sit?

Konversation Eine Verabredung

Sie sind Mr Miller aus Leeds. Sie sind in Frankfurt für die Messe. Sie rufen Herrn Meier, einen alten Kollegen an, um eine Verabredung zu machen.

HERR MEIER	Hier Meier.
MR MILLER	
HERR MEIER	Müller? Ja, Herr Müller, was kann ich für Sie tun?
MR MILLER	
HERR MEIER	Oh, Mr Miller! Sie in Frankfurt?
MR MILLER	
HERR MEIER	Ach, ja, für die Messe. Das ist sehr schön. Dann müssen wir uns aber irgendwann treffen.
MR MILLER	
HERR MEIER	Wie ist es heute nachmittag, haben Sie Zeit?
MR MILLER	
HERR MEIER	Gut, also heute abend. Wo wohnen Sie?
MR MILLER	
HERR MEIER	Ein sehr gutes Hotel. Sind Sie zufrieden?
MR MILLER	
HERR MEIER	Das freut mich. Ich hole Sie heute abend mit dem Wagen ab. Ist Ihnen halb sieben recht?

MR MILLER

HERR MEIER Natürlich sind Sie zum Abendessen bei uns. Sie müssen doch auch meine Frau kennenlernen.

MR MILLER

HERR MEIER Ja, seit einem Jahr.

MR MILLER

HERR MEIER Dann also bis heute abend. Ich muß heute zur Messe. Ich komme dann anschließend bei Ihnen vorbei.

MR MILLER

HERR MEIER Na, dann können wir uns doch da schon treffen.

MR MILLER

HERR MEIER Ich habe um zwei eine Verabredung im Pressehaus.

MR MILLER

HERR MEIER Dann kann ich Sie ja mit dem Wagen vom Hotel abholen.

MR MILLER

HERR MEIER Also, gut. Wollen wir uns dann um halb fünf im Messerestaurant treffen?

MR MILLER

HERR MEIER Auf Wiedersehen, Mr Miller. Vielen Dank für den Anruf.

Lesestück Die Stadt Frankfurt am Main

Frankfurt ist eine der bedeutendsten Städte in der Deutschen Bundesrepublik. Frankfurt liegt im Bundesland Hessen. Aber die Hauptstadt von Hessen ist nicht Frankfurt, sondern die kleinere Stadt Wiesbaden. Frankfurt hat ungefähr 580 000 Einwohner und ist in der Deutschen Bundesrepublik ziemlich zentral gelegen. Frankfurt liegt am Main. Der Main ist ein wichtiger Fluß und mündet ca. 30 km von Frankfurt bei Mainz in den Rhein.
Frankfurt ist eine alte Stadt und war schon im Mittelalter sehr bedeutend. Viele Jahrhunderte lang wurden die deutschen Kaiser in Frankfurt am Main gekrönt. Viele Besucher aus dem In- und Ausland kommen nach Frankfurt, um die Paulskirche, den Dom, den Römer (das alte Rathaus), und das Goethehaus zu sehen. Goethe, der größte deutsche Dichter, wurde 1749 in Frankfurt geboren.
Im zweiten Weltkrieg wurde in Frankfurt vieles durch Bomben zerstört. Seit 1945 ist wieder viel aufgebaut worden. Durch den Wiederaufbau der Stadt in der Nachkriegszeit hat Frankfurt aber sehr an Charakter verloren. Zwar wurden einige historische Gebäude im alten Stil wieder aufgebaut, aber trotzdem unterscheidet sich die Stadt heutzutage kaum von mancher anderen Industriestadt.
Frankfurt ist schon lange ein Mittelpunkt des Handels und der Industrie. Viele große Banken entstanden in Frankfurt und auch heute ist der Sitz der Deutschen Bundesbank in dieser Stadt.
In der Stadt Frankfurt gibt es heute viele große Bürogebäude und in der Umgebung findet man viel Industrie. Die Farbwerke Höchst, wo Farben, Lacke und andere Chemikalien erzeugt werden, sind in der Nähe von Frankfurt zu Hause. Andere große industrielle Konzerne sind Siemens & Halske AG., Hartmann & Braun (Elektroinstrumente) und Mouson (Kosmetik). Auch die Glas- und Porzellanindustrie ist bedeutend.
Frankfurt ist auch ein kultureller Mittelpunkt und hat natürlich eine Universität und verschiedene Hochschulen. Das Städel ist die städtische Kunstgalerie und besitzt viele

Kunstschätze. Das Frankfurter Opernhaus wurde im Krieg zerstört, aber das neue Opernhaus ist eines der modernsten Opernhäuser Europas. In Frankfurt gibt es auch viele bekannte Theater. Auch der Hessische Rundfunk ist in Frankfurt zu Hause. Der schöne Palmengarten und der interessante Zoo werden von vielen Frankfurtern und auch von Fremden besucht. Die Umgebung von Frankfurt ist sehr schön. Der Taunus im Nordwesten der Stadt ist ein beliebtes Ausflugsziel. Der Taunus ist ein dicht bewaldetes Gebiet mit vielen Hügeln und Tälern. Südlich von Frankfurt ist die Bergstraße. An dieser Straße gibt es im Frühling viele blühende Obstbäume und viele Leute machen einen Ausflug zur Bergstraße. Auch der Rhein ist nicht weit von Frankfurt im Westen und in ungefähr einer Stunde kann man z.B. Bingen und Rüdesheim, zwei schöne Weinbaustädte, erreichen.

Questions

1. Is Frankfurt one of the cities of less importance?
2. In which 'Bundesland' is Frankfurt situated?
3. What is the capital of Hessen?
4. How many inhabitants has the city of Frankfurt?
5. Is Frankfurt situated on a river?
6. Has Frankfurt gained importance only in recent times?
7. What important event took place for many centuries in Frankfurt?
8. What sights do visitors come to see?
9. What connection is there between Goethe and Frankfurt?
10. Was there any bomb damage in Frankfurt?
11. How has the rebuilding affected the character of the city?
12. What is Frankfurt a centre of?
13. Can you mention some important industries carried on in or near Frankfurt?
14. What has Frankfurt to offer as a cultural centre?
15. Which radio station is to be found in Frankfurt?
16. What are the surroundings of Frankfurt like?
17. Why is the Taunus such a popular place for outings?
18. Which region lies to the south of Frankfurt and why is it so popular in spring?
19. How far away are some of the Rhine beauty spots in terms of travelling time?
20. What are Bingen and Rüdesheim noted for apart from being beauty spots on the Rhine?

26 Accusative case of pronouns

	as direct object			after certain prepositions	
me	Sie bringen	mich	ins Hotel, nicht wahr?	Ist der Brief für	mich?
you	Ich höre	Sie	nicht.	Das Bier ist für	Sie.
him	Wir sehen	ihn	um 3 Uhr.	Wir gehen ohne	ihn.
her	Er bringt	sie	nach Hause.	Er wartet auf	sie.
it	Er sieht	es / ihn / sie	nicht.	Ich fahre ohne	es. / ihn. / sie.
us	Herr König trifft	uns	um zwei.	Er wartet auf	uns.
them	Der Direktor sieht	sie	(all genders) nicht.	Die Briefe sind für	sie. (all genders)

27 Dative case of pronouns

(to) me	Er gibt	mir	einen Stadtplan.
(to) you	Ich zeige	Ihnen	die Stadt.
(to) him	Der Vertreter zeigt	ihm	einen Kühlschrank.
(to) her	Der Kellner bringt	ihr	einen Kaffee.
(to) us	Der Empfangschef gibt	uns	den Schlüssel.
(to) them	Der Polizist zeigt	ihnen	das Schild.

28 Dative case of articles, 'kein' and possessive adjectives

masc. } -em neut. }	Er gibt	dem Gast	den Schlüssel.
	Herr Frank zeigt	einem Vertreter	den Stand.
	Ich gebe	meinem Kind	das Buch.
	Er kauft	seinem Sohn	einen Wagen.
	Sie bringt	ihrem Freund	Zigaretten.
	Ich gebe	keinem Kind	so viel Geld.
	Zeigen Sie	unserem Freund	den Garten!
	Sagen Sie	Ihrem Chef	den Preis!
	Die Eltern geben	ihrem Kind	ein Geschenk.
fem. -er	Er zeigt	der Dame	eine Waschmaschine.
	Der Vertreter zeigt	einer Frau	einen Kühlschrank.
	Mr Blake kauft	seiner Frau	ein Geschenk.
	Geben Sie	meiner Sekretärin	den Scheck, bitte!
plural -en noun -n (unless plural ends in 's')	Er gibt	den Gästen	ihre Schlüssel.
	Er zeigt	den Vertretern	die Preisliste.
	Wir geben	unseren Kindern	keine Schokolade.
	Bringen Sie	Ihren Freunden	ein Glas Wein!

29 Prepositions always followed by dative case

von	Das ist nett von	Ihnen.	
	Der Chauffeur von	der	Firma ist da.
	Es ist nicht weit	vom (von + dem)	Zentrum.
aus	Er nimmt den Stadtplan aus	der	Tasche.
	Ich bin aus		London (*from London*).
	Er kommt aus	seinem	Büro.
mit	Sind Sie mit	Ihrem	Hotel zufrieden?
	Wir fahren mit	der	Straßenbahn dorthin.
bei	Ich kann bei	Ihnen	sitzen.
	Mr Blake sitzt	beim (bei + dem)	Chauffeur.
	Wir sind bei	der	Sekretärin eingeladen.
nach	Nach	dem	Essen zeige ich Ihnen das Haus.
	Nach	der	Schule gehen die Kinder nach Hause.
seit	Seit	der	Messe ist die Stadt sehr voll.
	Seit	dem	Frühstück ist er nicht zu Hause.
zu	Er kommt heute abend zu	uns.	
	Er muß heute	zur (zu + der)	Kirche.
	Sie gehen	zum (zu + dem)	Stand von Breuer und Co.

30 Prepositions sometimes followed by accusative, sometimes by dative case

an	Wir gehen an	die	Haltestelle.
	Sie warten an	der	Haltestelle.
	Ich gehe an	den	Tisch.
	Wir sind jetzt	am (an + dem)	Tisch.
auf	Ich möchte auf	die	Bank gehen.
	Er ist auf	der	Bank.
	Er geht auf	den	Parkplatz.
	Auf	dem	Parkplatz ist es immer voll.
in	Sie gehen in	den	Garten.
	Sie sind	im (in + dem)	Garten.
	Er will zuerst	ins (in + das)	Hotel gehen.
	Er bleibt heute abend	im (in + dem)	Hotel.
	Wir fahren gleich in	die	Stadt.
	Ich kenne ein gutes Restaurant in	der	Stadt.
vor (*in front of*)	Bringen Sie den Wagen vor	die Tür.	
	Bringen Sie den Wagen vor	den Eingang.	
	Bringen Sic den Wagen vor	das Hotel.	
	Der Wagen ist vor	der Tür.	
	Der Wagen ist vor	dem Eingang.	
	Der Wagen ist vor	dem Hotel.	
vor (*before*)	Vor dem Essen trinken wir einen Martini.		
	Das müssen wir vor der Konferenz besprechen.		
	Vor dem Messebesuch holen Sie den Ausweis ab.		

31 Dative case after certain verbs

danken	Ich danke	Ihnen	für die angenehme Fahrt.
wünschen	Ich wünsche	Ihnen	viel Vergnügen.
helfen	Ich helfe	Ihnen.	

32 Common constructions using the dative which are quite different from English

to be (health)	Wie geht es Ihnen?	Danke, es geht mir gut.
	Wie geht es Ihrer Frau?	Danke, es geht ihr gut.
	Wie geht es den Kindern?	Danke, es geht ihnen gut.
to like	Wie gefällt es Ihnen hier? Es gefällt	uns gut.
	Gefällt der Dame die Waschmaschine? Nein, sie gefällt	ihr nicht.
	Gefällt dem Kunden der Kühlschrank? Ja, er gefällt	ihm sehr.
to be sorry	Es tut mir leid, Sie dürfen hier nicht parken.	
	Es tut dem Direktor leid, er kann heute nicht kommen.	
	Es tut uns sehr leid, aber wir haben keine Zimmer frei.	

33 Word order with nouns and personal pronouns in accusative (direct object) and dative (indirect object) case

2 nouns	Er zeigt unserem Exportleiter einen Kühlschrank.
	Er gibt seiner Frau eine Zigarette.
2 personal pronouns	Darf ich es Ihnen zeigen?
	Herr Frank zeigt sie ihnen morgen.
1 noun and 1 personal pronoun	Ich gebe Ihnen einen Stadtplan.
	Er zeigt ihm das Schild.
	Ich gebe ihn dem Gast.
	Er zeigt es dem Chef.

34 Masculine nouns which show endings in the singular

Herr	Der Herr wartet auf seine Frau. Der Brief ist für Herrn Schmidt. Er geht mit Herrn Schneider auf die Messe.
Name	Mein Name ist Blake. Mr Blake gibt seinen Namen an. Mit einem Namen wie Blake sind Sie sicher Engländer.
Kunde	Der Kunde ist aus Frankreich. Ich warte auf einen Kunden. Er zeigt dem Kunden einen Kühlschrank.
Polizist	Der Polizist zeigt ihm das Schild. Er sieht einen Polizisten. Herr König erklärt es dem Polizisten.
Junge	Mein Junge ist Student. Ich habe einen Jungen. Geben Sie dem Jungen zwei Mark.

35 Nouns in apposition

nominative acccusative dative	Das ist Herr Schneider, unser Verkaufsleiter. Ich sehe Herrn Schneider, unseren Verkaufsleiter. Wir gehen mit Herrn Schneider, unserem Verkaufsleiter.

36 Compound nouns

die Reise	+ der Scheck	= der Reisescheck
die Hand	+ das Gepäck	= das Handgepäck
die Konferenz	+ das Zimmer	= das Konferenzzimmer
das Hotel	+ der Diener	= der Hoteldiener
das Haupt	+ die Straße	= die Hauptstraße

37 Infinitives of verbs used as nouns

Das Parken ist hier verboten.
Ich bin mit dem Schreiben gleich fertig.
Das Rauchen ist schlecht für die Lungen.

38 Plurals of words of foreign origin

Deutsche Büros gefallen mir.
In den Büros fängt die Arbeit um acht Uhr an.
Ich gehe gern in deutsche Kinos.
In deutschen Kinos ist Rauchen verboten.
Die Hotels sind alle voll.
Reiseschecks sind sehr praktisch.

39 Formation of plurals of nouns learned so far

	singular	plural
1 −n or −en fem. nouns	Zigarette Frau Firma	Zigaretten Frauen Firmen
−nen	Sekretärin Freundin Engländerin	Sekretärinnen Freundinnen Engländerinnen
important exceptions	Tochter Mutter Stadt	Töchter Mütter Städte
2 −n or −en	Direktor Herr Junge Student Polizist Kunde Bett	Direktoren Herren Jungen Studenten Polizisten Kunden Betten
3 same as singular	Leiter Vertreter Wagen Engländer Zimmer Mädchen Kellner	Leiter Vertreter Wagen Engländer Zimmer Mädchen Kellner
4 add 'umlaut' only	Garten Vater Bruder	Gärten Väter Brüder.
5 add −e	Tag Freund Geschäft Brief Tisch Problem Geschenk Apparat Gerät Weg	Tage Freunde Geschäfte Briefe Tische Probleme Geschenke Apparate Geräte Wege
6 add ⸚e	Paß Gast Plan Platz Eingang Stand Kühlschrank Sohn	Pässe Gäste Pläne Plätze Eingänge Stände Kühlschränke Söhne
7 add −er	Kind Schild Gelände	Kinder Schilder Geländer
8 add ⸚er	Haus Glas Mann Buch	Häuser Gläser Männer Bücher

40 *Combination of prepositions with 'da' and 'wo'*

Der Brief ist   für ihn (meinen Mann). Er dankt mir { für den Stadtplan.   { für ihn/dafür.
Mr Blake kauft Blumen für sie (Frau Schneider). Sie dankt ihm { für sie.   { dafür.
Das Geld ist   für das Kind. Das Geld ist   für das Geschenk. Das Geld ist { für es (das Kind).   { dafür.
Was ist   in seiner Tasche? Der Stadtplan ist   darin.

Worüber sprechen sie?
Sie sprechen { über ihre Familien.
             { über sie.
Sie sprechen { über die neue Waschmaschine.
             { darüber.

Wem dankt Mr Blake für die angenehme Fahrt? Wofür dankt Mr Blake dem Chauffeur?
Mit wem geht er zur Messe? Er geht mit Herrn Schneider. Er geht mit ihm.
Womit kauft sie den Kühlschrank? Sie kauft ihn mit dem Geld. Was macht sie { mit dem Geld? Was macht sie { damit? Sie kauft den Kühlschrank damit.

41 *Translation of preposition 'to'*

1 *Countries* a. (*masculine and neuter*) b. (*feminine*)	Ich fahre oft nach England. Wir fahren heute in die Schweiz.
2 *Towns*	Kommen Sie oft nach Frankfurt?
3 *Home*	Jetzt gehen wir nach Hause.
4 *(on)to, to*	Er geht auf den Parkplatz. Ich möchte auf die Bank gehen.
5 *in, into*	Ich gehe in den Garten. Wir fahren in die Stadt. Ich bringe Sie ins Hotel.
6 *towards* *or*	Sie gehen zur Schule. Wir gehen zur Haltestelle. Wir gehen an die Haltestelle. Ich gehe zum Eingang. Gehen wir zum Stand von Breuer AG!
7 *to people's houses* *But*	Wir gehen zu Schneiders. Kommen Sie zu mir! Wir sind bei Schneiders eingeladen. Sie sind bei mir eingeladen.

42 *Bei*

1 *at/to a person's house*	Mr Blake ist bei Herrn Schneider eingeladen.
2 *at/to a person's office or* *place of work*	Herr Dietz ist beim Chef. Der Chauffeur meldet Mr Blake beim Portier an.
3 *during/while*	Beim Essen sprechen sie über ihre Familien.
4 *+ uns* *in our town* *in our country*	Wie gefällt es Ihnen hier bei uns?

43 Mit

with	Ich trinke Kaffee mit Milch.
	Er geht mit dem Verkaufsleiter auf die Messe.
by/in	Wir fahren nicht mit dem Wagen.
	Ich fahre ganz gern mit der Straßenbahn.
	Sie fährt mit dem Bus ins Büro.

44 Nach

after	Nach dem Frühstück gehe ich in die Stadt.
to	Heute fahre ich nach Hamburg/nach Frankreich.
home	Jetzt gehen wir nach Hause.
up	Der Hoteldiener bringt sie nach oben.
down	Kommen Sie gleich nach unten!

45 Demonstrative pronoun in place of personal pronoun for emphasis

Sie brauchen einen Ausweis.
Sie bekommen ihn von meiner Sekretärin.
Den bekommen Sie von meiner Sekretärin.

Sie wollen Blumen kaufen.
Sie bekommen sie in diesem Geschäft.
Die bekommen Sie in diesem Geschäft.

Von wem bekommt man das Buch?
Sie bekommen es von mir.
Das bekommen Sie von mir.

46 Expressions of time

1 Wie oft fährt die Straßenbahn?
  Sie fährt alle zehn Minuten. (accusative)

2 Wie lange dauert es?   Eine halbe Stunde/einen Augenblick. ⎫
  Wie lange bleiben Sie?   Einen Tag.   ⎪
                            Zwei Tage.   ⎬ accusative
                            Eine Woche.   ⎪
                            Drei Wochen.   ⎭

3 Wann kommt er?   Heute.   Morgen.
                         Heute vormittag.   Morgen früh.
                         Heute nachmittag.   Morgen nachmittag.
                         Heute abend.   Morgen abend.

Gehen Sie am Vormittag? Nein, am Nachmittag. ⎫
                                       am Abend. ⎬ dative

Vormittags bin ich im Büro.
Nachmittags bin ich auf der Messe.
Abends bin ich zu Hause.
Um wieviel Uhr kommt der Kunde? Um halb drei.
Kommt er nicht um zwei? Nein, erst um halb drei.

4 Ich treffe Sie (heute abend) (um acht Uhr).   5 Um viertel nach eins kommt Klaus.
   Wir sehen Sie (morgen) (um halb vier).   Um dreiviertel zwei gehe ich nach Hause.

47 Separable verbs – present tense

infinitive	as main verb
einlösen	Er löst Reiseschecks ein.
zumachen	Die Banken machen um fünf Uhr zu.
aufstehen	Ich stehe um sieben Uhr auf.
	Wann stehen Sie auf?
	Stehen Sie früh oder spät auf?
einsteigen	Bitte, steigen Sie in den Wagen ein!
anrufen	Ich rufe Sie heute abend an.
abholen	Er holt mich vom Büro ab.
ausgehen	Wir gehen morgen abend aus.
anmelden	Ich melde Sie bei der Sekretärin an.
vorstellen	Er stellt mir seine Frau vor.

48 Modal verbs – present tense (except 'mögen')

infinitive	ich	er sie, es	wir Sie, sie		completing infinitive
wollen	will	will	wollen	ins Hotel	gehen
müssen	muß	muß	müssen	ein Zimmer	reservieren
können	kann	kann	können	hier Geld	wechseln
dürfen	darf	darf	dürfen	eine Zigarette	rauchen
mögen	möchte (subj.)	möchte (subj.)	möchten (subj.)	eine Woche	bleiben
(Present tense rarely used)					

49 Modal verb with separable verb as completing infinitive

Ich stehe früh auf.	Ich muß früh aufstehen.
Er ruft sie an.	Er will sie anrufen.
Wir gehen um acht aus.	Wir möchten um acht ausgehen.
Holen Sie uns ab?	Können Sie uns abholen?
Wo steigen wir ein?	Wo dürfen wir einsteigen?

50 Translation of 'mustn't' and 'don't have to'

Sie müssen hier nicht warten.	*You don't have to wait here.*
Sie dürfen hier nicht warten.	*You mustn't wait here.*
	You're not allowed to wait here.

51 Use of modal without completing infinitive when meaning is clear

Ich muß in die Stadt.
Sie will auf die Bank.
Er kann Deutsch und Französisch.
Ich darf nicht ins Café.

52 Word order of clauses introduced by 'wenn' (i.e. not principal clauses)

1 Wenn Sie nichts dagegen haben,...
  Wenn ich mit der Straßenbahn fahre,...
  Wenn Sie heute frei sind,...
  Wenn Sie heute auf die Messe gehen,...
2 Wenn Sie sehr früh aufstehen,...
3 Wenn wir heute auf die Messe gehen wollen,...
4 Wenn sie vorne einsteigen wollen,...

53 Word order when sentence does not begin with principal clause

1 Wenn Sie nichts dagegen haben, möchte ich auf die Bank gehen.
Ich möchte auf die Bank gehen, wenn Sie nichts dagegen haben.
2 Wenn Sie sehr früh aufstehen, können wir alles auf der Messe sehen.
Wir können alles auf der Messe sehen, wenn Sie sehr früh aufstehen.
3 Wenn Sie etwas von der Stadt sehen wollen, können wir heute abend ausgehen.
Wir können heute abend ausgehen, wenn Sie etwas von der Stadt sehen wollen.

54 Direct and indirect questions

1 direct	Wo ist die Haltestelle? Was ist seine Paßnummer? Warum steht er so früh auf? Wann wollen sie auf die Messe gehen? Wieviele Reiseschecks will er einlösen?
2 indirect	Ich weiß nicht, wo die Haltestelle ist. Wissen Sie, was seine Paßnummer ist? Ich möchte wissen, warum er so früh aufsteht. Können Sie mir sagen, wann Sie auf die Messe gehen wollen? Wir wissen nicht, wieviele Reiseschecks er einlösen will.

55 Vowel changing verbs, and verbs with other irregularities

infinitive	ich	er, sie, es	wir Sie, sie	
wissen	weiß	weiß	wissen	es nicht.
sehen	sehe	sieht	sehen	das Schild nicht.
geben	gebe	gibt	geben	ihm den Schlüssel.
treffen	treffe	trifft	treffen	ihn heute abend.
gefallen	gefalle	gefällt	gefallen	dem Chef sehr gut.
vergessen	vergesse	vergißt	vergessen	den Namen.

56 Impersonal expressions

1 Gibt es ein Tabakgeschäft in der Nähe?
Ja, es gibt viele Tabakgeschäfte in der Nähe.
2 Was heißt das? Es heißt „Parken verboten".
3 Wie lange dauert es? Es dauert nicht lange.
4 Es tut mir leid, Sie dürfen hier nicht parken.
5 Wie gefällt es Ihnen hier? Es gefällt mir gut.
6 Mein Hotel ist sehr gut. Das freut mich.
7 Der Parkplatz ist immer voll! Das macht nichts, wir fahren nicht mit dem Wagen.
8 Wie geht es jetzt? Danke, es geht.

57 Viel, etwas, nichts, alles

viel	Haben Sie viel zu tun?	(pronoun)
	Es gibt viel Interessantes auf der Messe.	(pronoun)
	Er hat viel Geld.	(adjective)
	Ich will viel mehr von der Stadt sehen.	(adverb)
etwas	Der Verkaufsleiter hat etwas zu sagen.	(pronoun)
	In meiner Tasche habe ich etwas Gutes für die Kinder.	(pronoun)
	Wir haben noch etwas Zeit.	(adjective)
	Sprechen Sie etwas lauter, bitte!	(adverb)
nichts	Wir haben den Gästen nichts anzubieten.	(pronoun)
	Ich finde nichts Neues auf dem Stand.	(pronoun)
alles	Er kann mir alles zeigen.	(pronoun)
	Ich wünsche Ihnen alles Gute.	(pronoun)

58

Was für ein Wagen ist das?
Was für einen Wagen haben Sie?
Was für Kühlschränke sind das?

59 'Erst', 'zuerst' and 'erst-' (adjective)

Kommt er um drei Uhr? Nein, erst um halb vier.
Gehen Sie ins Hotel? Ja, aber ich möchte zuerst auf die Bank gehen.
Ist Zimmer 17 im zweiten Stock? Nein, im ersten Stock.

60 Position of 'nicht'

Er ist nicht der Direktor.
Der Direktor ist er nicht. (for emphasis)
Wir fahren nicht in die Stadt.
Wir fahren jetzt nicht in die Stadt.
Ich stehe nicht früh auf.
Er ruft mich nicht an.
Ich bringe ihn nicht ins Hotel.
Ich kann nicht in die Stadt gehen.
Er kann Mr Blake nicht ins Hotel bringen.
Wir wollen nicht mit dem Wagen fahren.
Ich darf nicht in die Stadt gehen.
Ich darf hier nicht parken.
Ich darf ihn nicht anrufen.
Wir warten nicht auf ihn.
Wir können nicht auf ihn warten.

61 Telling the time

12 *noon*	=	Mittag, zwölf Uhr
1 *p.m.*	=	ein Uhr, eins, (dreizehn Uhr)
1.5	=	fünf nach eins
1.10	=	zehn nach eins
1.15	=	Viertel nach eins
1.20	=	zwanzig nach eins
1.25	=	{ fünfundzwanzig nach eins / fünf vor halb zwei
1.30	=	halb zwei
1.35	=	{ fünfundzwanzig vor zwei / fünf nach halb zwei
1.40	=	zwanzig vor zwei
1.45	=	Viertel vor zwei
1.50	=	zehn vor zwei
1.55	=	fünf vor zwei
2 *p.m.*	=	zwei Uhr (vierzehn Uhr)
12 *midnight*	=	Mitternacht, vierundzwanzig Uhr

(The 24 hour clock is used on all time-tables and for official or formal occasions)

62 Cardinal numbers

(1–20 *Unit* 4)	60 sechzig
21 einundzwanzig	62 zweiundsechzig
26 sechsundzwanzig	70 siebzig
27 siebenundzwanzig	78 achtundsiebzig
30 dreißig	80 achtzig
34 vierunddreißig	88 achtundachtzig
40 vierzig	90 neunzig
43 dreiundvierzig	99 neunundneunzig
50 fünfzig	100 hundert
55 fünfundfünfzig	1000 tausend

63 Ordinal numbers *(require adjective endings)*

1st	= erst–	13th	= dreizehnt–
2nd	= zweit–	16th	= sechzehnt–
3rd	= dritt–	17th	= siebzehnt–
4th	= viert–	20th	= zwanzigst–
5th	= fünft–	21st	= einundzwanzigst–
6th	= sechst–	30th	= dreißigst–
7th	= siebent– / siebt–	40th	= vierzigst–
8th	= acht–	50th	= fünfzigst–
9th	= neunt–	60th	= sechzigst–
10th	= zehnt–	70th	= siebzigst–
11th	= elft–	80th	= achtzigst–
12th	= zwölft–	90th	= neunzigst–
		100th	= hundertst–

EIN TELEFONGESPRÄCH

Dialog

Herr König and Mr Blake are going to Zürich next week to visit the firm Swiss Chemicals. Mr Blake telephones Zürich to confirm arrangements, but Herr Huber, the director, is not available. The secretary offers to take a message, then suggests Mr Blake speak to Herr Neff, a colleague of Herr Huber.

1.	SEKRETÄRIN	Schweizerische Chemikalien. Hier ist das Büro von Herrn Huber.
2.	MR BLAKE	Hier ist Blake, Breuer AG. Ist es möglich, Herrn Huber zu sprechen?
3.	SEKRETÄRIN	Es tut mir leid, Mr Blake. Herr Huber ist im Moment nicht frei.
4.	MR BLAKE	Ach, wie schade! Wann wird er frei sein?
5.	SEKRETÄRIN	Das ist schwer zu sagen. Können Sie in einer Stunde wieder anrufen?
6.	MR BLAKE	Das geht leider nicht. Um elf erwarte ich einen Kunden.
7.	SEKRETÄRIN	Kann ich Herrn Huber etwas ausrichten?
8.	MR BLAKE	Ja, bitte. Es geht um unseren Besuch nächste Woche.
9.	SEKRETÄRIN	Möchten Sie vielleicht seinen Kollegen, Herrn Neff, sprechen?
10.	MR BLAKE	Ja, bitte. Er weiß wohl Bescheid.

Mr Blake corrects a misunderstanding about length of stay, and Herr Neff checks on travel arrangements with the intention of meeting their plane at Kloten, the airport for Zürich.

11.	SEKRETÄRIN	Bleiben Sie am Apparat. Ich verbinde Sie sofort.
12.	HERR NEFF	Guten Tag, Mr Blake. Was kann ich für Sie tun?
13.	MR BLAKE	Ich möchte Verschiedenes für nächste Woche besprechen.
14.	HERR NEFF	Ja, Sie kommen mit Herrn König am ersten März und bleiben bis zum vierten bei uns. Stimmt das?
15.	MR BLAKE	Nein, wir möchten nur zwei Tage bleiben. Wir kommen am Montag und bleiben bis Mittwoch. Ist Ihnen das recht?
16.	HERR NEFF	Ja, natürlich. Fahren Sie mit der Bahn oder fliegen Sie?
17.	MR BLAKE	Wir fliegen. Mit dem Zug dauert es zu lange.
18.	HERR NEFF	Gut. Ein Firmenchauffeur holt Sie vom Flughafen ab. Wann kommt das Flugzeug in Kloten an?
19.	MR BLAKE	Um 13.30. Nun, soviel ich weiß, haben wir noch keine Zimmerreservierungen.

Herr Neff promises to see to hotel reservations and to send off the 'programme' next day. Mr Blake's special request to see round the laboratory is unlikely to be granted owing to shortage of time.

20.	HERR NEFF	Machen Sie sich keine Sorgen. Das können wir erledigen.
21.	MR BLAKE	Vielen Dank. Ist das Programm schon festgelegt?
22.	HERR NEFF	Wir legen es heute fest und schicken es Herrn König morgen. Haben Sie einen besonderen Wunsch?
23.	MR BLAKE	Werden wir Zeit haben, das Laboratorium zu besichtigen?
24.	HERR NEFF	Kaum. Der Besuch ist ziemlich kurz, und wir haben viel zu besprechen.
25.	MR BLAKE	Ja, Sie haben recht. Also, besten Dank für Ihre Mühe, Herr Neff. Bis nächste Woche! Auf Wiederhören!

Grammar Summary

1. Future tense

Verb forms are grouped into tenses which indicate the time of an action (present, past, future, etc.). To form the future tense, use **werden** (which means *become*) as an auxiliary verb, together with the infinitive of the relevant verb, which is put at the end of the sentence.

Ich **werde** in einer Stunde frei **sein**.

Er **wird** morgen wieder **anrufen**.

Wir/Sie **werden** das Programm gleich **festlegen**.

The future tense is much less frequent in German than in English. To express the future, you very often just use the present tense in German:

Ich rufe morgen wieder an.   *I'll call back tomorrow.*

2. Phrases requiring 'zu' before infinitive

Ist es möglich, Herrn Huber **zu** sprechen?	(Notice the infinitive is again
Ist es möglich, ihn an**zu**rufen?	put at the end of the sentence.
Haben Sie Zeit, das Laboratorium **zu** besichtigen?	When it has a separable prefix,
Das ist schwer **zu** sagen.	**zu** is inserted after the prefix.)
Wir haben viel **zu** besprechen.	
Es ist schwer, immer so früh auf**zu**stehen.	

Fragen

1. Welche Firma ruft Mr Blake an?
2. Mit wem will er sprechen?
3. Ist es möglich, Herrn Huber zu sprechen?
4. Warum ist es nicht möglich, ihn zu sprechen?
5. Wann wird er frei sein?
6. Wird er in einer Stunde frei sein?
7. Kann Mr Blake in einer Stunde wieder anrufen?
8. Was kann die Sekretärin tun?
9. Warum ruft Mr Blake an?
10. Wann ist sein Besuch?
11. Wie heißt der Kollege von Herrn Huber?
12. Möchte Mr Blake mit Herrn Neff sprechen?
13. Weiß Herr Neff Bescheid?
14. Was macht die Sekretärin?
15. Was macht Mr Blake?
16. Was möchte Mr Blake besprechen?
17. Wird Mr Blake allein nach Zürich fahren?
18. Wann werden sie nach Zürich fahren?
19. Werden sie bis zum vierten bleiben?
20. Wie lange werden sie dort bleiben?
21. Werden sie eine Woche bleiben?
22. Werden sie am Dienstag ankommen?
23. Werden sie bis Donnerstag bleiben?
24. Was ist der Plan?
25. Wollen sie mit dem Wagen fahren?
26. Wollen sie mit der Bahn fahren?
27. Warum nicht?
28. Wie fahren sie nach Zürich?
29. Wo ist der Flughafen von Zürich?
30. Um wieviel Uhr kommt das Flugzeug in Kloten an?
31. Sie werden mit dem Bus in die Stadt fahren, nicht wahr?
32. Haben sie schon Zimmerreservierungen?
33. Ist Mr Blake sicher, daß sie keine Reservierungen haben?
34. Muß Mr Blake Zimmer reservieren?
35. Wer erledigt die Zimmerreservierungen?
36. Ist das Programm schon festgelegt?
37. Wann werden sie das Programm festlegen?
38. Wer legt das Programm fest?
39. Wem schicken sie das Programm?
40. Werden sie es ihm telefonieren?
41. Wann schicken sie es ihm?

42. Hat Mr Blake einen besonderen Wunsch? 44. Warum wird er keine Zeit haben?
43. Wird er Zeit haben, das Laboratorium 45. Wofür dankt Mr Blake Herrn Neff?
zu besichtigen?

Teil B

Erweiterung Das Programm für nächste Woche

1. Nächsten Montag ist der erste März.
   Am Vormittag fliegt Mr Blake nach Zürich.
   Er fährt um 11.15 Uhr mit dem Flughafenbus vom Hauptbahnhof ab.
   Er trifft Herrn König am Flughafen.
   Um 12.15 Uhr fliegt die Maschine ab.
   Um 13.30 Uhr kommt sie in Kloten an.
   Um 15.30 Uhr hat Mr Blake eine Verabredung mit Herrn Huber im Büro.

2. Nächsten Dienstag ist der zweite März.
   Dienstagvormittag macht Mr Blake einen Betriebsbesuch.
   Am Nachmittag hat er eine Konferenz.
   Am Abend ist er bei Hubers zum Abendessen eingeladen.

3. Nächsten Mittwoch ist der dritte März.
   Am Vormittag hat er eine Besprechung mit Herrn Huber und Herrn Neff.
   Am Nachmittag fliegt er nach Frankfurt zurück.
   Um 14.00 Uhr bringt ihn ein Firmenchauffeur zum Flughafen.
   Um 15.00 Uhr fliegt die Maschine ab.
   Um 16.30 Uhr kommt sie in Frankfurt an.

4. Nächsten Donnerstag ist der vierte März.
   Donnerstagvormittag besucht er die Elektrowerkstatt.
   Am Nachmittag nimmt er an einer Direktionssitzung teil.
   Am Abend geht er ins Theater.

5. Nächsten Freitag ist der fünfte März.
   Am Vormittag kauft er Geschenke für seine Familie.
   Am Nachmittag geht er mit Herrn Schneider in die Handelskammer.
   Am Abend ist er bei Königs eingeladen.

6. Nächsten Samstag ist der sechste März.
   Samstagvormittag um 11.00 Uhr fliegt er nach London zurück.
   Am Nachmittag wird er wieder zu Hause sein.
   Am Abend wird er wahrscheinlich fernsehen.

7. Nächsten Sonntag ist der siebte März.
   Sonntag ist kein Werktag.
   Er verbringt den ganzen Tag bei seiner Familie.

Das Vormerkbuch von Mr Blake

MÄRZ

1 MONTAG
11.15 *Hauptbahnhof ab (Air Terminal)*
11.45 *Herrn König am Flughafen treffen*
12.15 *Flughafen ab*
13.30 *Kloten (Zürich) an*
15.30 *Büro. Besprechung mit Herrn Huber*

2 DIENSTAG
9.00 *Betriebsbesuch*
14.30 *Konferenz*
20.30 *Abendessen bei Hubers*

3 MITTWOCH
10.00 *Besprechung mit Herrn Huber und Herrn Neff*
14.00 *Hotel ab (Firmenchauffeur)*
15.00 *Kloten ab*
16.30 *Frankfurt an*

4 DONNERSTAG
9.30 *Elektrowerkstatt*
11.30
15.00 *Direktionssitzung*
20.00 *Theater*

5 FREITAG
Vormittag: Geschenke kaufen
15.00 *Handelskammer (mit Herrn Schneider)*
20.00 *Abendessen bei Königs*

6 SAMSTAG (SONNABEND)
11.00 *Frankfurt (Flughafen) ab*
13.00 *London (Flughafen) an*
Nachmittag: zu Hause
Abend: frei (fernsehen)

7 SONNTAG
Frei

Fragen

Sie spielen die Rolle von Mr Blake. Beantworten Sie die Fragen von Ihrem Vormerkbuch.

1. Wann fliegen Sie nach Zürich?   Nächsten Montag.
   Am Vormittag oder am Nachmittag?   Am Vormittag.
   Fahren Sie mit dem Wagen zum Flug-   Nein, mit dem Flughafenbus.
   hafen?
   Von wo fährt der Bus ab?   Vom Hauptbahnhof.
   Fährt Herr König mit Ihnen?   Nein, ich treffe ihn am Flughafen.
   Um wieviel Uhr kommen Sie in Kloten   Um 13.30 Uhr.
   an?
   Sind Sie am Nachmittag frei?   Nein, ich habe eine Verabredung mit Herrn
                                             Huber.

2. Sind Sie am zweiten März in Frankfurt?   Nein, am zweiten März bin ich in Zürich.
   Ist Dienstag der dritte März?   Nein, Dienstag ist der zweite März.
   Was machen Sie Dienstagvormittag?   Ich besuche den Betrieb.
   Ist es möglich, Sie am Nachmittag zu   Leider nicht. Am Nachmittag habe ich eine
   treffen?   Konferenz.
   Was machen Sie Dienstagabend?   Ich bin bei Hubers eingeladen.

3. Wie lange bleiben Sie in Zürich?   Von Montag bis Mittwoch – zwei Tage.
   Wann fliegen Sie nach Frankfurt   Am dritten März.
   zurück?
   Am Vormittag?   Nein, am Nachmittag.
   Was machen Sie am Vormittag?   Ich habe eine Besprechung mit Herrn Huber
                                             und Herrn Neff.
   Werden Sie Zeit haben, etwas von   Leider nicht. Der Besuch ist ganz kurz.
   Zürich zu sehen?
   Wie fahren Sie zum Flughafen?   Ein Firmenchauffeur bringt mich zum
                                             Flughafen.
   Wann fliegt die Maschine ab?   Um 15.00 Uhr.
   Wann werden Sie in Frankfurt an-   Um 16.30 Uhr.
   kommen?
   Haben Sie am Abend eine Verabredung?   Nein, am Abend bin ich frei.

4. Werden Sie Donnerstagvormittag im   Nein, ich bin in der Elektrowerkstatt.
   Büro sein?
   Wann ist die Direktionssitzung?   Donnerstagnachmittag.
   Werden Sie daran teilnehmen?   Ja, ich nehme daran teil.
   Sind Sie nach der Sitzung frei?   Nein, ich gehe ins Theater.

5. Der wievielte ist am Freitag?   Freitag ist der fünfte März.
   Sind Sie am Vormittag im Betrieb?   Nein, ich muß Geschenke für meine Familie
                                             kaufen.
   Und am Nachmittag?   Am Nachmittag gehe ich in die Handels-
                                             kammer.
   Können Sie mit Herrn Schneider zu   Ja, wir gehen erst um 3 Uhr in die
   Mittag essen?   Handelskammer.
   Sind Sie Freitagabend frei?   Nein, ich bin bei Königs eingeladen.

6. Werden Sie nächste Woche in Frankfurt oder in Zürich sein?

Von Montag bis Mittwoch bin ich in Zürich; von Mittwoch bis Samstag bin ich in Frankfurt.

Wann fliegen Sie nach London zurück? — Samstagvormittag um elf Uhr.

Sind Sie Samstagnachmittag noch in Frankfurt? — Nein, am Samstagnachmittag werde ich wieder zu Hause sein.

Haben Sie das Wochenende frei? — Ja, Gott sei Dank!

7. Sind Sie am siebten März im Büro? — Nein, der siebte März ist ein Sonntag.

Arbeiten Sie am Sonntag? — Nein, Sonntag ist kein Arbeitstag.

Was machen Sie am Sonntag? — Ich verbringe den ganzen Tag bei meiner Familie.

KALENDER

Januar	Februar	März	April
So 7 14 21 28	4 11 18 25	3 10 17 24 31	7 14 21 28
Mo 1 8 15 22 29	5 12 19 26	4 11 18 25	1 8 15 22 29
D 2 9 16 23 30	6 13 20 27	5 12 19 26	2 9 16 23 30
M 3 10 17 24 31	7 14 21 28	6 13 20 27	3 10 17 24
Do 4 11 18 25	1 8 15 22 29	7 14 21 28	4 11 18 25
F 5 12 19 26	2 9 16 23	1 8 15 22 29	5 12 19 26
Sa 6 13 20 27	3 10 17 24	2 9 16 23 30	6 13 20 27

Mai	Juni	Juli	August
So 5 12 19 26	2 9 16 23 30	7 14 21 28	4 11 18 25
Mo 6 13 20 27	3 10 17 24	1 8 15 22 29	5 12 19 26
D 7 14 21 28	4 11 18 25	2 9 16 23 30	6 13 20 27
M 1 8 15 22 29	5 12 19 26	3 10 17 24 31	7 14 21 28
Do 2 9 16 23 30	6 13 20 27	4 11 18 25	1 8 15 22 29
F 3 10 17 24 31	7 14 21 28	5 12 19 26	2 9 16 23 30
Sa 4 11 18 25	1 8 15 22 29	6 13 20 27	3 10 17 24 31

September	Oktober	November	Dezember
So 1 8 15 22 29	6 13 20 27	3 10 17 24	1 8 15 22 29
Mo 2 9 16 23 30	7 14 21 28	4 11 18 25	2 9 16 23 30
D 3 10 17 24	1 8 15 22 29	5 12 19 26	3 10 17 24 31
M 4 11 18 25	2 9 16 23 30	6 13 20 27	4 11 18 25
Do 5 12 19 26	3 10 17 24 31	7 14 21 28	5 12 19 26
F 6 13 20 27	4 11 18 25	1 8 15 22 29	6 13 20 27
Sa 7 14 21 28	5 12 19 26	2 9 16 23 30	7 14 21 28

1 Ich will das Programm sehen.
Ich zeige es Ihnen sofort.
Die Sekretärin will die Adresse haben.
Ich gebe sie ihr sofort.
Der Kunde will den Preis wissen.
Mein Kollege will den Kühlschrank sehen.
Die Damen wollen die Waschmaschine sehen.
Unser Vertreter will die Rechnung haben.
Der Verkaufsleiter will das Datum wissen.
Die Gäste wollen das Zimmer sehen.

2 Was machen Sie mit dem Brief?
Ich schicke ihn unserem Vertreter.
Was machen Sie mit der Rechnung?
Ich schicke sie unserem Vertreter.
Was machen Sie mit dem Scheck?
Was machen Sie mit dem Geld?
Was machen Sie mit der Karte?
Was machen Sie mit dem Programm?
Was machen Sie mit der Zeitung?
Was machen Sie mit dem Buch?

3 der Vertreter
Ich schicke dem Vertreter einen Brief.
der Kunde
Ich schicke dem Kunden einen Brief.
meine Sekretärin
unser Verkaufsleiter
mein Kollege
Herr Frank
meine Frau
unser Vertreter

4 das Programm
Ich gebe dem Direktor das Programm.
es
Ich gebe es dem Direktor.
den Scheck
ihn
die Nummer
sie
den Brief
ihn

5 Schreibt er dem Direktor eine Postkarte oder einen Brief?
Er schreibt ihm einen Brief.
Holen Sie mir ein Glas Bier oder eine Flasche Wein?
Ich hole Ihnen eine Flasche Wein.
Bietet sie Frau König einen Kaffee oder einen Tee an?
Gibt er seinem Sohn das Haus oder den Wagen?
Bringen Sie dem Studenten eine Zeitung oder ein Buch?
Gebe ich dem Polizisten meinen Reisepaß oder meinen Ausweis?
Stellt er uns den Exportleiter oder den Chefingenieur vor?
Diktieren Sie Ihrer Sekretärin einen Brief oder das Programm für nächste Woche?

6a Herr Huber
Ist es möglich, Herrn Huber zu sprechen?
sein Kollege
Ist es möglich, seinen Kollegen zu sprechen?
meine Sekretärin
unser Vertreter
der Ingenieur
sein Kunde
der Verkaufsleiter
Herr Dietz

6b der Verkaufsleiter
Ist es möglich, mit dem Verkaufsleiter zu sprechen?
sein Kollege
Ist es möglich, mit seinem Kollegen zu sprechen?
ihr Verkaufsleiter
der Exportleiter
ihre Sekretärin
der Kunde
Herr Schneider
unser Vertreter

7 Ich möchte mit dem Verkaufsleiter sprechen.
Ist es möglich, mit dem Verkaufsleiter zu sprechen?
Ich möchte ihn im Büro anrufen.
Ist es möglich, ihn im Büro anzurufen?
Ich möchte am Vormittag abfahren.
Ich möchte ihm etwas ausrichten.
Ich möchte an der Besprechung teilnehmen.
Ich möchte den Betrieb besuchen.
Ich möchte ihn vom Flughafen abholen.
Ich möchte das Programm heute festlegen.

8 Ich will das Laboratorium sehen.
Wir werden keine Zeit haben, das Laboratorium zu sehen.
Ich will etwas von der Stadt sehen.
Wir werden keine Zeit haben, etwas von der Stadt zu sehen.
Ich will Bekannte in Zürich besuchen.
Ich will den Betrieb besuchen.
Ich will einen Tag auf der Messe verbringen.
Ich will ihm unseren Messestand zeigen.
Ich will es mit Herrn Huber besprechen.
Ich will ins Theater gehen.

9 Rufen Sie mich an!
Haben Sie Zeit, mich anzurufen?
Besuchen Sie die Messe?
Haben Sie Zeit, die Messe zu besuchen?
Holen Sie uns vom Flughafen ab?
Treffen Sie mich in der Stadt?
Kommen Sie nach der Sitzung zu uns?
Besprechen Sie das Programm mit uns?
Holen Sie mich vom Bahnhof ab?
Nehmen Sie an der Konferenz teil?

10   Ich bin noch nicht frei.
Wann werden Sie frei sein?
Er ruft noch nicht an.
Wann wird er anrufen?
Ich gehe noch nicht zurück.
Sie ist noch nicht zufrieden.
Ich weiß es noch nicht.
Wir fahren noch nicht ab.
Sie sind noch nicht sicher.
Es ist noch nicht möglich.

11   Der Chauffeur holt uns vom Büro ab.
Ich weiß schon, daß er uns vom Büro abholt.
Herr König legt das Programm heute fest.
Ich weiß schon, daß er es heute festlegt.
Sie fahren vom Hauptbahnhof ab.
Unsere Maschine fliegt um 12.15 Uhr ab.
Herr Neff nimmt heute nachmittag an einer
Sitzung teil.
Das Flugzeug kommt um 8 Uhr in Kloten an.
Die Sekretärin ruft Herrn König morgen an.
Mr Blake kommt am Mittwoch zurück.

Übungen in der Klasse

12   Die Sekretärin sagt, Herr König ist im
Moment nicht frei.
Ist sie sicher, daß er im Moment nicht frei ist?
Er sagt, Frau Schmidt kann morgen nicht
kommen.
*Ist er sicher, daß sie morgen nicht kommen
kann?*
Der Chauffeur sagt, er kennt Mr Blake schon.
Er sagt, Mr Blake bleibt bis Mittwoch in
Zürich.
Frau König sagt, ihr Mann hat keinen
besonderen Wunsch.
Herr Huber sagt, Mr Blake möchte das
Laboratorium besichtigen.
Frau Schneider sagt, Herr Neff ist auch bei
Hubers eingeladen.
Herr König sagt, daß man mit dem Bus zum
Flughafen fahren kann.

13   Er geht um 9 weg und bleibt bis halb elf.
Er verbringt anderthalb Stunden dort.
Er fährt am Montag weg und bleibt bis näch-
sten Montag.
Er verbringt eine Woche dort.
Sie geht Dienstagabend weg und bleibt bis
Mittwochmorgen.
Sie fahren Ende Juni weg und bleiben bis
Ende Juli.
Er geht am Donnerstag weg und bleibt bis
Freitag.
Sie geht im September nach Amerika und
bleibt bis nächsten September.
Sie fährt am Freitagabend weg und bleibt bis
Sonntagabend.
Er geht am Montag weg und bleibt bis Don-
nerstag.

Konversation

A Programm für die Woche vom 29.5.–3.6.

Stellen Sie sich vor, diese Seite ist Ihr Programm für nächste Woche. Erzählen Sie, was Sie machen werden.

SONNTAG, 29.5.
Flug nach Frankfurt.
12.20 Uhr: Abflug London Airport.
13.25 Uhr: Ankunft Frankfurt.
Fahrt mit Bus in die Stadt. Gepäck ins Hotel Astoria.
Nachmittag und Abend: Klein anrufen. Frei.
Stadtbesichtigung machen.

MONTAG, 30.5.
Bei Klein AG.
9.00 Uhr: Besprechung mit Verkaufsleiter, Herrn Lange.
Preise besprechen. Dann Direktor Klein treffen.
12.00 Uhr: Mittagessen mit Fritz Müller im Kaiserhof.
14.00 Uhr: Betriebsbesichtigung bei Klein AG.;
besonders Laboratorium.
Abend: frei. Wahrscheinlich ins Kino.

DIENSTAG, 31.5.
Messebesuch
Vormittags: Halle 1–3 besichtigen.
13.00 Uhr: Mittagessen im Messerestaurant mit Herrn Schmidt und
Herrn Krause von Braun u. Söhne.
Nachmittags: Halle 4–7 besichtigen.
20.00 Uhr: Theater.

MITTWOCH, 1.6.
10.00 Uhr: bei Braun u. Söhne.
An Konferenz mit Direktoren teilnehmen.
Nachmittags: Geschenke kaufen.
16.00 Uhr: London anrufen.
19.00 Uhr: Abendessen bei Direktor Klein.
Besuch von Direktor Klein in London besprechen.
Programm für seinen Besuch festlegen.

DONNERSTAG, 2.6.
Vormittags: Messe
Halle mit Elektrogeräten besichtigen. Neue Modelle ansehen.
Nachmittags: Handelskammer mit Herren von Klein AG. und Braun
u. Söhne.
Abends: mit Fritz Müller in die Stadt.

FREITAG, 3.6.
Rückflug nach London
11.00 Uhr: Abfahrt mit dem Bus vom Bahnhof.
12.30 Uhr: Abflug von Frankfurt.
13.35 Uhr: Ankunft in London.
15.00 Uhr: zu Hause. Büro anrufen. Briefe schreiben.

SAMSTAG, 4.6.
Vormittags: im Büro
10.00 Uhr: Betriebsleiter empfangen.
Besuch nach Frankfurt besprechen.
Nachmittags: im Garten arbeiten.
Abends: Mr und Mrs Jones zum Abendessen bei uns.

SONNTAG, 5.6.
13.00 Uhr: Mary's Eltern zum Mittagessen eingeladen.
Abends: frei! Radio und Fernsehen.

B Ein Telefongespräch mit Herrn Krause

Mr Brown, ein englischer Geschäftsmann, wird nächste Woche zum Messebesuch in Frankfurt sein. Er ruft Herrn Krause wegen des Programms an. Spielen Sie die Rolle von Mr Brown.

SEKRETÄRIN   Klein. Guten Tag!

MR BROWN

SEKRETÄRIN   Er kommt gerade von einer Konferenz. Können Sie ein paar Minuten am Apparat bleiben?

MR BROWN

SEKRETÄRIN   Um was geht es denn? Kann ich ihm etwas ausrichten?

MR BROWN

SEKRETÄRIN   Augenblick, Mr Brown. Herr Krause ist jetzt da. Ich verbinde Sie sofort.

HERR KRAUSE   Guten Tag, Mr Brown. Es ist gut, daß Sie anrufen. Wir werden das Programm für nächste Woche heute festlegen.

MR BROWN

HERR KRAUSE   Ja, aber ich brauche genauere Auskunft von Ihnen. An welchem Tag kommen Sie? Ist es am Mittwoch?

MR BROWN

HERR KRAUSE   Also, am Donnerstag, den 16. April. Und wie lange bleiben Sie genau?

MR BROWN

HERR KRAUSE   Also: Hotelzimmer vom 16. bis 23. April.

MR BROWN

HERR KRAUSE   Machen Sie sich keine Sorgen. Die Reservierung können wir ohne weiteres erledigen. Nun, werden Sie fliegen oder mit der Bahn kommen?

MR BROWN

HERR KRAUSE   Gut. Dann werden wir einen Wagen zum Bahnhof schicken. Um wieviel Uhr kommen Sie in Frankfurt an?

MR BROWN

HERR KRAUSE   Also: am Donnerstag, dem 16. April, 9.30 Uhr, Frankfurt Hauptbahnhof. Ich werde Ihnen Herrn Jahn schicken. Sie kennen ihn doch?

MR BROWN

HERR KRAUSE   Nun, da wir das Programm heute festlegen müssen, haben Sie einen besonderen Wunsch?

MR BROWN

HERR KRAUSE   Gut, ich werde Herrn Meier Ihren Wunsch ausrichten. Für einen Betriebsbesuch wird sicher Zeit sein, obwohl Sie so viel zu tun haben.

MR BROWN

HERR KRAUSE   Ja, natürlich. So bald wie möglich. Vielleicht noch heute, aber sicher nicht später als morgen. Nun, gibt es sonst noch etwas, oder ist das alles?

MR BROWN

HERR KRAUSE   Nichts zu danken, Mr Brown. Bis nächste Woche. Auf Wiederhören!

MR BROWN

Schriftliche Aufgaben

1. You have made the following notes in your diary. Say what you will be doing on Wednesday, 7th June. Fill in additional details where appropriate.

JUNI		
7	MITTWOCH	Nach Berlin
	7.45	Chauffeur zum Hotel
	8.15	Flughafen an
	8.45	Flughafen ab
	9.45	Berlin-Tegel an
	10.30	bei Seimens
	12.30	Mittagessen
	13.30	Laboratorium besichtigen
	14.30	Besprechung mit Verkaufsleiter
	15.45	Tegel an
	16.15	Tegel ab
	Abend	frei!

2. During a boring meeting Herr Frank passes a note to Mr Blake inviting him to dinner at his home. Write out the note, including in it the following points:

Ask whether Mr Blake will be free Friday evening. Say you and your wife would like to invite him to dinner and that a few friends and colleagues will also be there. Mr Blake can, of course, bring Mrs Blake if she's already in Frankfurt. You know that she's coming to Germany soon, but aren't sure when she's arriving. Say you'll be expecting him at eight o'clock and that you'll pick him up by car at his hotel if he wants.

PLATZRESERVIERUNG
Dialog

Mr Blake telephones Lufthansa to make two reservations for a flight to Zürich. He finds there is a suitable flight about midday on 1 March.

1. ANGESTELLTE Hier Lufthansa, guten Tag!
2. MR BLAKE Hier Firma Breuer AG. Ich möchte zwei Flugplätze nach Zürich reservieren.
3. ANGESTELLTE Ja. Für welches Datum, bitte?
4. MR BLAKE Wir brauchen die Plätze für Montag, den ersten März.
5. ANGESTELLTE Und für welche Zeit?
6. MR BLAKE Ist es möglich, gegen Mittag zu fliegen?
7. ANGESTELLTE Ja, es gibt einen Abflug um 12.15. Die Maschine landet um 13.30 in Kloten.
8. MR BLAKE Ja, das wäre sehr günstig.

He books the return flight for the afternoon of 3 March, to be confirmed 24 hours before take-off at the Zürich Lufthansa office. Having made sure the aircraft is a jet, he books first class seats and spells out his name.

9. ANGESTELLTE Wünschen Sie Hin- und Rückflug?
10. MR BLAKE Ja, bitte. Ich möchte den Rückflug für den dritten März reservieren – für den Nachmittag, wenn es möglich ist.
11. ANGESTELLTE Die Nachmittagsmaschine fliegt um 15 Uhr von Kloten ab.
12. MR BLAKE Sollen wir das noch bestätigen?
13. ANGESTELLTE Ja, bitte, 24 Stunden vor dem Rückflug beim Lufthansabüro in Zürich. Wünschen Sie erste Klasse oder Touristenklasse?
14. MR BLAKE Erste Klasse, bitte. Ist es ein Düsenflugzeug?
15. ANGESTELLTE Ja. Auf dieser Strecke fliegen nur Düsenflugzeuge.
16. MR BLAKE Also, bitte, buchen Sie zwei Plätze, hin und zurück.
17. ANGESTELLTE Auf welche Namen, bitte?
18. MR BLAKE Auf die Namen König und Blake. Ich buchstabiere diesen Namen – BLAKE.

He gives his phone number and confirms check-in time and departure of airport bus from the terminal at the main line station. He can get the tickets at any travel agency or at the airport. He remembers just in time to ask the price.

19. ANGESTELLTE Danke. Sind Sie telefonisch erreichbar?
20. MR BLAKE Ja, die Nummer ist 27 35 01. Wann sollen wir am Flughafen sein?
21. ANGESTELLTE Die Fluggäste sollen eine halbe Stunde vor dem Abflug im Wartesaal sein. Der Flughafenbus fährt um 11.15 vom Hauptbahnhof ab.
22. MR BLAKE Vielen Dank. Kann ich die Flugscheine nur bei Ihnen lösen?
23. ANGESTELLTE Nein, die können Sie in jedem Reisebüro lösen und zu jeder Zeit. Es geht auch am Flughafen, direkt vor dem Abflug.
24. MR BLAKE Ich darf nicht vergessen, nach dem Flugpreis zu fragen. Können Sie ihn mir bitte sagen?
25. ANGESTELLTE Hin- und Rückflug, Frankfurt – Zürich, erste Klasse – der Flugpreis ist 240 DM pro Person.
26. MR BLAKE Vielen Dank. Auf Wiederhören.

Grammar Summary

1. welcher? dieser, jeder

These words follow the same pattern as the definite article.

		nominative
masculine		Welcher Flughafen ist das?
neuter		Welches Büro hat ein Telefon?
feminine		Welche Maschine fliegt nach Köln?
plural		Welche Plätze sind frei?
		accusative
masculine		Diesen Namen buchstabiere ich.
neuter		Dieses Zimmer nehme ich.
feminine		Diese Dame kenne ich.
plural		Diese Karten bezahlen wir.
		dative
masculine		Man kann auf jedem Platz sitzen.
neuter		In jedem Reisebüro bekommt man Karten.
feminine		Auf jeder Strecke fliegen Düsenflugzeuge.
plural		Welchen Firmen schicken Sie die Kataloge?

2. sollen: modal verb with various uses; three of those are demonstrated in the examples below.

a. *should or shall*:

Wir **sollen** um 11 Uhr dort sein.	*We should (must) be there at 11.*
	We're supposed to be there at 11.
Soll ich die Karten bei Ihnen lösen?	*Should I get the tickets from you?*
Soll ich den Reisepaß mitbringen?	*Should (shall) I bring my passport?*

b. *to pass on an instruction*:

Sagen Sie ihr, sie **soll** am Haupteingang warten.	*Tell her to wait at the main gate.*
Er sagt uns, wir **sollen** um 8 Uhr zum Chef (gehen).	*He says we're to go to the boss at **8**.*

c. *in the sense of supposed to, it is thought that*:

Der Präsident soll tot sein.	*They say the President is dead.*
Mein Mann soll diese Woche in Zürich sein.	*My husband's supposed to be in Zürich this week (but he may not be).*
Wie soll ich das wissen?	*How am I supposed to know that?*

3. Vor + Dative

When vor is used with the meaning before, it is always followed by dative

Das müssen Sie **vor dem** Rückflug bestätigen.

Die Post kommt immer **vor dem** Frühstück.

4. Wäre: would be

Das **wäre** nett, wenn Sie morgen abend zu uns kommen.

Es **wäre** sehr schön, nach Zürich zu fliegen.

Es **wäre** günstig, gegen Mittag zu fliegen.

1. Möchte Mr Blake zwei Flugplätze reservieren?
2. Was möchte Mr Blake reservieren?
3. Warum ruft Mr Blake bei der Lufthansa an?
4. Will er nach Frankfurt oder nach Zürich fliegen?
5. Wohin will er fliegen?
6. Fliegt er allein?
7. Wer fliegt mit?
8. Für welches Datum braucht er die Plätze?
9. Wann will er fliegen?
10. Zu welcher Tageszeit will er fliegen?
11. Ist es möglich, gegen Mittag zu fliegen?
12. Will er gegen Abend fliegen?
13. Von wo fliegt die Maschine ab?
14. Wann fliegt die Maschine ab?
15. Wohin fliegt die Maschine?
16. Was ist Kloten?
17. Wann landet die Maschine in Kloten?
18. Landet sie am Vormittag in Kloten?
19. Wünscht Mr Blake nur einen einfachen Flug?
20. Was wünscht er?
21. Wann will er zurückfliegen?
22. An welchem Tag will er zurückfliegen?
23. Für welches Datum wünscht er den Rückflug?
24. Zu welcher Tageszeit will er zurückfliegen?
25. Will er am Vormittag zurückfliegen?
26. Muß er das bestätigen?
27. Wann muß er das bestätigen?
28. Wo muß er das bestätigen?
29. Was wünscht er, erste oder Touristenklasse?
30. Wünscht Mr Blake Touristenklasse?
31. Fliegt er mit einem Düsenflugzeug?
32. Fliegen nur Düsenflugzeuge auf dieser Strecke?
33. Bucht die Angestellte zwei Plätze?
34. Bucht sie sie nur für einen einfachen Flug?
35. Auf welche Namen bucht sie die Plätze?
36. Welchen Namen buchstabiert Mr Blake? (*Siehe auch Buchstabiertafel, Seite* **238**)
37. Ist Mr Blake telefonisch erreichbar?
38. Ist er nur schriftlich erreichbar?
39. Was ist seine Nummer?
40. Wann sollen sie am Flughafen sein?
41. Wo sollen sie eine halbe Stunde vor dem Abflug sein?
42. Wer soll eine halbe Stunde vor dem Abflug im Wartesaal sein?
43. Fahren sie mit dem Flughafenbus?
44. Wann fährt der Flughafenbus ab?
45. Von wo fährt der Flughafenbus ab?
46. Kann er die Flugscheine nur bei der Lufthansa lösen?
47. Wo kann er sie noch lösen?
48. Wo geht es auch?
49. Wann kann er sie im Reisebüro lösen?
50. Wann kann er sie im Flughafen lösen?
51. Was darf Mr Blake nicht vergessen?
52. Kann ihm die Angestellte den Flugpreis sagen?
53. Was ist der Flugpreis?

Erweiterung

Herr Müller reserviert einen Flugplatz nach München

1. Die Angestellte im Lufthansabüro macht eine Buchung für Herrn Müller.
2. Er möchte einen einfachen Flug nach München buchen.
3. Er bucht für den Flug LH 505.
4. Er möchte Touristenklasse fliegen.
5. Er will am zwanzigsten Juni fliegen.
6. Er möchte spät am Nachmittag fliegen.
7. Er fliegt lieber mit einem Düsenflugzeug.
8. Er löst seinen Flugschein beim Lufthansabüro.
9. Er bezahlt 160 DM.
10. Er möchte einen Platz am Gang reservieren.
11. Der Flugschein ist zwei Monate gültig.

Fragen

Answer the questions using the word dieser, *by comparing the second set of drawings with the first, and ticking the correct drawing as you give the answer.*

1. Welcher Name ist auf dem Flugschein?   Dieser Name ist auf dem Flugschein.
2. Welcher Flugschein ist für Herrn Müller?   Dieser Flugschein ist für Herrn Müller.
3. Für welchen Flug bucht er?   Er bucht für diesen Flug.
4. Für welche Klasse bestellt er den Flugschein?   Er bestellt den Flugschein für diese Klasse.
5. Für welches Datum reserviert er einen Platz?   Er reserviert einen Platz für dieses Datum.
6. Zu welcher Tageszeit möchte er fliegen?   Er möchte zu dieser Tageszeit fliegen.
7. Mit welchem Flugzeug fliegt er lieber?   Er fliegt lieber mit diesem Flugzeug.
8. Bei welchem Büro löst er seinen Flugschein?   Er löst seinen Flugschein bei diesem Büro.
9. Welchen Betrag bezahlt er?   Er bezahlt diesen Betrag.
10. Welchen Platz möchte er haben?   Er möchte diesen Platz haben.
11. Nach welchem Datum ist der Flugschein nicht mehr gültig?   Nach diesem Datum ist der Flugschein nicht mehr gültig.

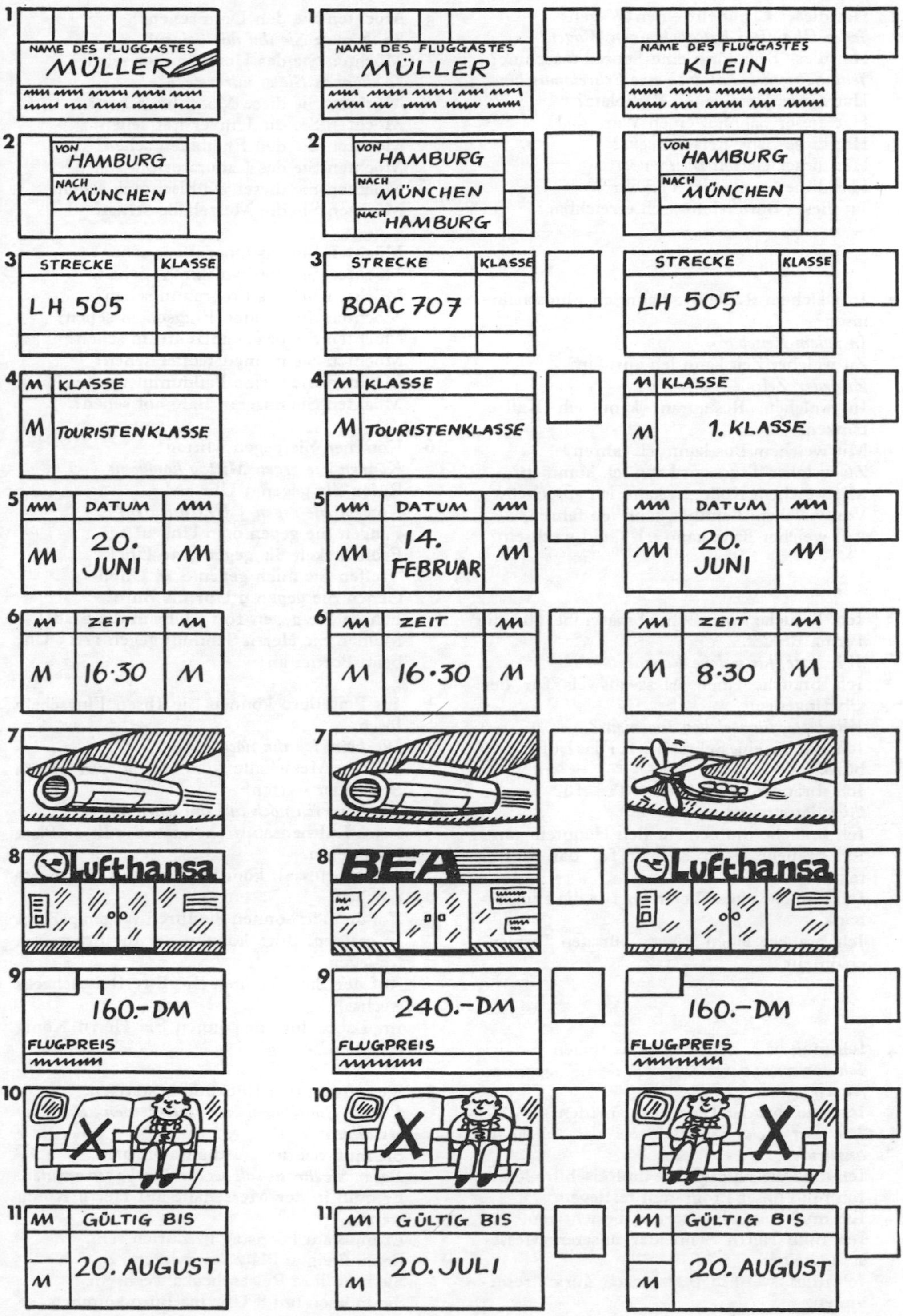
1
NAME DES FLUGGASTES
MÜLLER
1
NAME DES FLUGGASTES
MÜLLER
NAME DES FLUGGASTES
KLEIN
2
VON
HAMBURG
NACH
MÜNCHEN
2
VON
HAMBURG
NACH
MÜNCHEN
NACH
HAMBURG
VON
HAMBURG
NACH
MÜNCHEN
3
STRECKE
KLASSE
LH 505
3
STRECKE
KLASSE
BOAC 707
STRECKE
KLASSE
LH 505
4
M
KLASSE
M
TOURISTENKLASSE
4
M
KLASSE
M
TOURISTENKLASSE
M
KLASSE
M
1. KLASSE
5
DATUM
20. JUNI
5
DATUM
14. FEBRUAR
DATUM
20. JUNI
6
ZEIT
16·30
6
ZEIT
16·30
ZEIT
8·30
7
7
8
Lufthansa
8
BEA
Lufthansa
9
160.-DM
FLUGPREIS
9
240.-DM
FLUGPREIS
160.-DM
FLUGPREIS
10
10
11
GÜLTIG BIS
20. AUGUST
11
GÜLTIG BIS
20. JULI
GÜLTIG BIS
20. AUGUST

1 Hat dieser Chauffeur einen Wagen?
Jeder Chauffeur hat doch einen Wagen!
Hat diese Sekretärin eine Schreibmaschine?
Jede Sekretärin hat doch eine Schreibmaschine!
Hat dieses Hotel einen Parkplatz?
Hat dieser Bahnhof einen Wartesaal?
Hat diese Bank Reiseschecks?
Hat dieser Garten Blumen?
Hat diese Straße viel Verkehr?
Ist dieses Büro telefonisch erreichbar?

2 In welchem Reisebüro kann ich Flugscheine lösen?
In jedem Reisebüro.
Zu welcher Zeit kann ich anrufen?
Zu jeder Zeit.
In welchem Restaurant kann ich Kaffee trinken?
Mit welchem Bus kann ich fahren?
Zu welcher Tageszeit kann ich kommen?
Mit welchem Kollegen kann ich sprechen?
Von welchem Bahnhof kann ich fahren?
Auf welcher Bank kann ich Geld wechseln?

3 Ich brauche eine Schreibmaschine für die Firma Breuer.
Wie bitte, für welche Firma?
Ich brauche einen Messeausweis für den Chefingenieur.
Wie bitte, für welchen Ingenieur?
Ich brauche eine Sekretärin für das Lufthansabüro.
Ich brauche eine Tasse Tee für meinen Geschäftsfreund.
Ich brauche Blumen für den Haupteingang.
Ich brauche einen Kellner für das Messerestaurant.
Ich brauche einen Vertreter für die Bundesbank.
Ich brauche einen Wagen für den Firmenchauffeur.

4 Ich muß nach dem Flugpreis fragen.
Ich darf nicht vergessen, nach dem Flugpreis zu fragen.
Ich muß bei der Lufthansa anrufen.
Ich darf nicht vergessen, bei der Lufthansa anzurufen.
Ich muß die Flugscheine im Reisebüro lösen.
Ich muß unser Programm festlegen.
Ich muß das Laboratorium besichtigen.
Ich muß Herrn Schneider unseren Messestand zeigen.
Ich muß zwei Flugplätze nach Zürich reservieren.
Ich muß eine halbe Stunde vor dem Abflug im Wartesaal sein.

5 Möchten Sie den Dom sehen?
Ja, können Sie ihn mir zeigen?
Möchten Sie das Hotelzimmer sehen?
Ja, können Sie es mir zeigen?
Möchten Sie diese Maschine sehen?
Möchten Sie die Universität sehen?
Möchten Sie den Flughafen sehen?
Möchten Sie das Laboratorium sehen?
Möchten Sie diesen Kühlschrank sehen?
Möchten Sie die Messehalle sehen?

Möchten Sie das Opernhaus sehen?
Möchten Sie die Paulskirche sehen?
Möchten Sie das Programm sehen?
Möchten Sie meinen Flugschein sehen?
Möchten Sie das Stadtzentrum sehen?
Möchten Sie meinen Koffer sehen?
Möchten Sie meine Paßnummer sehen?
Möchten Sie unseren Bahnhof sehen?

6 Kommen Sie gegen Mittag!
Können Sie gegen Mittag kommen?
Rufen Sie gegen 3 Uhr an!
Können Sie gegen 3 Uhr anrufen?
Fangen Sie gegen 9.30 Uhr an!
Frühstücken Sie gegen 7.30 Uhr!
Treffen Sie mich gegen 8.45 Uhr!
Gehen Sie gegen 9 Uhr ins Büro!
Fahren Sie gegen 10.15 Uhr in die Stadt!
Melden Sie Herrn Schmidt gegen 11.15 Uhr beim Portier an!

7 Im Reisebüro können Sie Ihren Flugschein lösen.
Wo kann ich ihn noch lösen?
In der Messehalle können Sie auf Herrn Schneider warten.
Wo kann ich noch auf ihn warten?
Beim Lufthansabüro können Sie Ihren Platz reservieren.
Im Wartesaal können Sie Ihre Zigarette rauchen.
Vor der Tür können Sie Ihren Wagen parken.
In meinem Büro können Sie Ihr Programm festlegen.
Auf der Bank können Sie Ihre Reiseschecks wechseln.
Im Laboratorium können Sie Herrn König sprechen.

8 Sie müssen den Rückflug bestätigen.
Sagen Sie ihnen, sie sollen den Rückflug bestätigen.
Sie muß bei der Lufthansa anrufen.
Sagen Sie ihr, sie soll bei der Lufthansa anrufen.
Er muß in der Messehalle auf Herrn König warten.
Er muß am Dienstag in Zürich sein.
Er muß einen Platz reservieren.
Sie muß ihre Reiseschecks wechseln.
Sie müssen um 8 Uhr ins Büro kommen.
Er muß das Programm für nächste Woche besprechen.

9 Möchten Sie Ihr Programm festlegen?
Ja, wenn es möglich ist, möchte ich es festlegen.
Möchten Sie den Rückflug reservieren?
Ja, wenn es möglich ist, möchte ich ihn reservieren.
Möchten Sie Ihre Flugscheine jetzt lösen?
Möchten Sie Herrn König anrufen?
Möchten Sie Fräulein Becker sprechen?
Möchten Sie das Laboratorium besichtigen?
Möchten Sie Herrn Schneider besuchen?
Möchten Sie meine Sekretärin kennenlernen?

10 Dieser Flugschein ist bis zum 7. März gültig.
Nach dem 7. März ist er nicht mehr gültig.
Diese Adresse ist bis zum 5. Januar gültig.
Nach dem 5. Januar ist sie nicht mehr gültig.
Dieser Personalausweis ist bis zum 4. August gültig.
Dieser Messeausweis ist bis zum 6. September gültig.
Dieser Reisescheck ist bis zum 1. Mai gültig.
Dieser Preis ist bis zum 2. Februar gültig.
Dieser Reisepaß ist bis zum 3. April gültig.
Dieses Programm ist bis zum 8. Juni gültig.

11 Möchten Sie Ihre Flugscheine lösen?
Ja, die möchte ich jetzt lösen.
Möchten Sie Herrn König anrufen?
Ja, den möchte ich jetzt anrufen.
Möchten Sie die Plätze reservieren?
Möchten Sie die Messe besuchen?
Möchten Sie das Laboratorium besichtigen?
Möchten Sie Fräulein Becker sprechen?
Möchten Sie Ihr Programm festlegen?
Möchten Sie Ihre Reiseschecks wechseln?

Übung in der Klasse

12 Sie müssen Ihr Programm noch festlegen!
Soll ich es gleich festlegen?
Sie müssen noch in die Stadt fahren!
Soll ich gleich in die Stadt fahren?
Sie müssen noch Fräulein Becker anrufen!
Sie müssen noch das Laboratorium besichtigen!
Sie müssen noch Herrn Blake beim Direktor anmelden!
Sie müssen noch zwei Flugplätze nach Zürich reservieren!
Sie müssen noch Herrn König von der Messe abholen!
Sie müssen noch ins Büro gehen!

Konversation

A *Machen Sie die folgenden Buchungen. Sie spielen die Rolle vom Reisenden und ein anderer Student spielt die Rolle vom Büroangestellten.*

1. Berlin – München, 17. Mai, 1. Klasse, 2 Plätze, Hin- und Rückflug.

2. Hamburg – Stuttgart, 20. August, Touristenklasse, 1 Platz, einfach.

3. Düsseldorf – Wien, 16. Juli, Touristenklasse, 2 Plätze, Hin- und Rückflug.
   Besprechen Sie: Abflug und Ankunft
   > Flugpreis
   > Tageszeit
   > Flugscheine
   > Reservierung für den Rückflug
   > Rückflugbestätigung
   > Flughafenbus, Preis, Abfahrt

B *Wiederholen Sie das Tagebuch in Abschnitt 9, dann lesen Sie diesen Text, bis Sie die Rolle von Mr Blake spielen können.*

HERR SCHNEIDER	Guten Abend, Mr Blake! So spät noch im Büro an einem Samstagabend?
MR BLAKE	
HERR SCHNEIDER	Es ist schon halb sieben. Haben Sie noch zu tun?
MR BLAKE	
HERR SCHNEIDER	Sind Sie mit dem Briefschreiben bald fertig?
MR BLAKE	
HERR SCHNEIDER	Gut. Arbeiten Sie in England auch am Samstag?
MR BLAKE	
HERR SCHNEIDER	Ich arbeite meistens auch nicht am Samstag. Aber momentan habe ich mit der Messe so viel zu tun. Ich war den ganzen Nachmittag auf dem Messegelände.
MR BLAKE	
HERR SCHNEIDER	Bis nächsten Samstag. Das ist noch eine ganze Woche.
MR BLAKE	
HERR SCHNEIDER	Ja, das kann man sagen. Und nächsten Samstag fliegen wir ja zusammen nach London. Wann müssen wir am Flughafen sein?
MR BLAKE	
HERR SCHNEIDER	Holt uns in London jemand ab, oder nehmen wir ein Taxi?
MR BLAKE	
HERR SCHNEIDER	Es ist sehr freundlich von Ihnen. Und Sie erledigen auch meine Zimmerreservierung, nicht wahr?
MR BLAKE	
HERR SCHNEIDER	Ach ja! Sie haben eine gute Sekretärin in London. Soll ich die Flugplätze buchen, oder machen Sie das, Mr Blake?
MR BLAKE	
HERR SCHNEIDER	Fliegen Sie denn nicht am Montag nach Zürich?
MR BLAKE	
HERR SCHNEIDER	Haben Sie wirklich genug Zeit? Oder soll ich es lieber machen?
MR BLAKE	
HERR SCHNEIDER	Also, vielen Dank. Wie lange bleiben Sie eigentlich in Zürich?
MR BLAKE	

HERR SCHNEIDER Das ist nicht lange. Haben Sie in Zürich viel zu tun?

MR BLAKE

HERR SCHNEIDER Ja, und Besprechungen mit Herrn Huber dauern meistens sehr lange. Werden Sie Zeit haben, den Betrieb kennenzulernen?

MR BLAKE

HERR SCHNEIDER Der Betriebsbesuch wird sicher sehr interessant für Sie sein. Ich kenne Herrn Huber ganz gut. Bitte, grüßen Sie ihn von mir.

MR BLAKE

HERR SCHNEIDER Ja, ich war auch einmal bei Hubers zu Hause eingeladen. Frau Huber ist sehr gastfreundlich. Ich hoffe, Sie sehen auch etwas von Zürich.

MR BLAKE

HERR SCHNEIDER Ach, das ist schade. Bei Geschäftsreisen ist es leider oft so. Am Donnerstag sind Sie ja wieder bei uns. Sie nehmen doch an der Direktionssitzung teil, nicht wahr?

MR BLAKE

HERR SCHNEIDER Und was machen Sie am Vormittag?

MR BLAKE

HERR SCHNEIDER Vielleicht können wir am Donnerstag abend irgendwo gemeinsam ein Gläschen Wein trinken?

MR BLAKE

HERR SCHNEIDER Ach ja. Sie gehen ins Theater. Am Freitag sehen wir uns ja beim Mittagessen. Aber vielleicht können Sie Freitag abend zu mir nach Hause kommen?

MR BLAKE

HERR SCHNEIDER Bei Königs. Ach so! Und wie wäre es heute abend? Gleich jetzt? Wir gehen in die Astoria Bar.

MR BLAKE

HERR SCHNEIDER Gut. Morgen ist auch ein Tag.

C *Sie fahren bald geschäftlich nach Frankfurt. Mit Hilfe der folgenden Andeutungen erzählen Sie einem Kollegen Ihre Absichten – Daten, Reise, Hotelreservierung, Zweck des Besuchs, Geschäftsfreunde, Qualität der deutschen und englischen Artikel, usw.*

Frankfurt – nächste Woche – wie lange?
Daten.
Fliegen? Mit der Bahn?
Allein?
Hotel?
Deutsche Firma besuchen? Messe? Neue Modelle sehen? Kaufen?
Vom Flughafen/Bahnhof abholen–?
Programm: Verabredungen, Konferenzen, Besichtigungen.
Deutsch sprechen?
Bekannte in Frankfurt?
Freizeit?

1. Select from the right-hand column the most appropriate endings for the following unfinished sentences:

1 Frau Handke ist Verkaufsleiterin	beim Reisebüro in der Kaiserstraße.
2 Nächsten Dienstag wird sie	mit ihren Kollegen ins Restaurant
3 Sie löst ihren Flugschein	gehen.
4 Sie wird mit dem Wagen	bei der Firma Krause.
5 Das Flugzeug fliegt	ihr das Abendbrot machen.
6 In Hamburg wird sie mit einem Taxi	nach Frankfurt zurück.
7 Sie wird zu Mittag	zum Flughafen fahren.
8 Nach der Konferenz fliegt sie	natürlich sehr müde sein.
9 Sie wird am Abend	um 8.30 Uhr ab.
10 Ihr Mann und ihre Kinder werden	zu ihrer Konferenz fahren.
	nach Hamburg fliegen.

2. A secretary from the Firma Breuer has been waiting to book Mr Blake's trip to Zürich, but as he is spending the day at the Trade Fair she has been unable to contact him. She leaves him a note containing certain questions. Write out the note, including in it the following points:

date; number of persons; time of day; class; names of ticket-holders; date of return flight; reserve hotel rooms? travellers' cheques?

Für welches Datum soll ich den Flug nach Zürich für Sie reservieren? . . . . .

IM FLUGZEUG

Dialog

Mr Blake and Herr König are just boarding the plane for Zürich. Mr Blake's tape-recorder presents a problem but is eventually accommodated under the seat.

1. HERR KÖNIG   Diese Plätze sind frei. Welchen Platz möchten Sie haben?
2. MR BLAKE   Das ist mir egal. Das Tonbandgerät darf ich nicht ins Gepäcknetz legen. Was soll ich damit tun?
3. HERR KÖNIG   Stellen Sie es unter den Sitz.
4. MR BLAKE   Die Aktentaschen sind unter dem Sitz. Haben Sie genug Platz, oder stört es Sie?
5. HERR KÖNIG   Nein, gar nicht, es geht. Setzen Sie sich, wir werden bald starten.

Herr König tells Mr Blake that he knows Zürich almost as well as Frankfurt owing to his frequent business trips. Mr Blake is hungry and inquires about lunch. The stewardess explains that a snack will be served and the bar is at their disposal.

6. MR BLAKE   Kennen Sie Zürich schon?
7. HERR KÖNIG   Ja, ich habe oft geschäftlich in Zürich zu tun. Ich kenne Zürich fast so gut wie Frankfurt.
8. MR BLAKE   Hoffentlich wird das Wetter bald schöner. Wir werden wohl nicht viel Sicht haben.
9. HERR KÖNIG   Wir fliegen wahrscheinlich über den Wolken im Sonnenschein.
10. MR BLAKE   Ich habe Hunger. Sollen wir nicht etwas zu essen bekommen?
11. HERR KÖNIG   Fragen Sie die Stewardeß, ob sie uns etwas serviert.
12. MR BLAKE   Fräulein, servieren Sie uns ein Mittagessen?
13. STEWARDESS   Wir servieren eine Erfrischung, und natürlich steht Ihnen die Bar zur Verfügung.

Mr Blake orders drinks and his duty-free allowance of cigarettes. He gets a newspaper and asks for something for a headache. Herr König is concerned that he is feeling unwell, but Mr Blake makes light of it.

14. MR BLAKE   Wir nehmen zwei Whisky, bitte. Wieviele Zigaretten darf ich in die Schweiz mitnehmen?
15. STEWARDESS   Zweihundert pro Person.
16. MR BLAKE   Bringen Sie mir 200 Filter Kings, bitte.
17. STEWARDESS   Gern. Möchten Sie eine Zeitung?
18. MR BLAKE   Welche Zeitungen haben Sie?
19. STEWARDESS   *Die Welt*, die *Frankfurter Allgemeine* und die *Neue Zürcher Zeitung*.
20. MR BLAKE   Geben Sie mir die *Frankfurter*, bitte.
21. HERR KÖNIG   Fräulein, haben Sie etwas gegen Kopfschmerzen?
22. STEWARDESS   Ja, natürlich. Soll ich Ihnen ein paar Tabletten holen?
23. HERR KÖNIG   Ja, bitte. Und ein Glas Wasser bitte.
24. MR BLAKE   Ist Ihnen schlecht?
25. HERR KÖNIG   Ach, es ist nicht schlimm. Wir sollen bald landen. Dann geht's mir gleich besser.

Grammar Summary

1. Reflexive verbs

> Ich setze **mich** (nicht).
> Setzt er **sich**?
> Wir können **uns** hier setzen.
> Setzen Sie **sich**!
> Mr Blake und Herr König setzen **sich**.

Mich, **sich** and **uns** are reflexive pronouns in these sentences, and are an essential part of the verb. They go in the same position as ordinary personal pronoun objects. They exist in English (e.g. to refresh oneself), but many verbs are reflexive in German whose English equivalents are not.

2. Comparison

> Ihr Plan ist gut aber dieser ist besser.
> Frankfurt gefällt mir gut, Zürich gefällt mir besser.
> Er kennt Frankfurt besser als Zürich.
> Er kennt Zürich nicht so gut wie Frankfurt.

3. Indirect questions

> direct question: Fräulein, servieren Sie uns ein Mittagessen?
> indirect question: Fragen Sie die Stewardeß, ob sie uns ein Mittagessen serviert.
> direct question: Wieviele Zigaretten darf ich mitnehmen?
> indirect question: Ich weiß nicht, wieviele Zigaretten ich mitnehmen darf.
> direct question: Ist dieser Platz noch frei?
> indirect question: Ich frage, ob dieser Platz noch frei ist.

4. Idiomatic expressions

These are differently expressed from their English equivalents so that you might not be able to work out the German for yourself even if you knew all the necessary vocabulary.

Ich habe Hunger.	*I'm hungry.*
Sie haben recht.	*You're right.*
Ist Ihnen schlecht?	*Are you feeling ill?*
Mir ist zu warm.	*I'm too warm.*
Ich habe oft geschäftlich in Zürich zu tun.	*Business often brings me to Zürich.*
	I often have business to do in Zürich.
Mein Büro steht Ihnen zur Verfügung.	*My office is at your disposal.*

Fragen

1. Wo sind Herr König und Mr Blake?
2. Sind noch Plätze frei?
3. Welchen Platz möchte Mr Blake haben?
4. Weiß Mr Blake, was er mit dem Tonbandgerät tun soll?
5. Darf er es ins Gepäcknetz legen?
6. Wohin darf er es nicht legen?
7. Wohin soll er es stellen?
8. Was ist schon unter dem Sitz?
9. Hat Herr König genug Platz?
10. Stört ihn das Tonbandgerät?
11. Werden sie bald starten?
12. Wann werden sie starten?
13. Kennt Herr König Zürich schon?
14. Ist er oft auf Urlaub in Zürich?
15. Warum ist er oft in Zürich?
16. Kennt Herr König Zürich gut?
17. Wie gut kennt er Zürich?
18. Werden sie beim Flug viel Sicht haben?
19. Warum?
20. Werden sie über den Wolken fliegen?
21. Wo werden sie wahrscheinlich fliegen?
22. Hat Mr Blake Hunger?
23. Weiß Herr König, ob sie etwas zu essen bekommen?
24. Wen fragt Mr Blake, ob sie etwas zu essen bekommen?
25. Bekommen sie ein Mittagessen?
26. Was serviert ihnen die Stewardeß?
27. Was steht ihnen noch zur Verfügung?
28. Nehmen sie Gin?
29. Was nehmen sie?
30. Darf Mr Blake Zigaretten in die Schweiz mitnehmen?
31. Wie viele Zigaretten darf man mitnehmen?
32. Wie viele Zigaretten bringt die Stewardeß Mr Blake?
33. Welche Zigaretten bringt sie ihm?
34. Hat die Stewardeß Zeitungen?
35. Welche Zeitungen hat sie?
36. Möchte Mr Blake keine Zeitung?
37. Welche Zeitung möchte er?
38. Möchte Herr König eine Zeitung?
39. Warum möchte Herr König keine Zeitung?
40. Hat Mr Blake auch Kopfschmerzen?
41. Ist Herrn König schlecht?
42. Ist es sehr schlimm?
43. Hat die Stewardeß etwas gegen Kopfschmerzen?
44. Was hat sie gegen Kopfschmerzen?
45. Was für Tabletten hat sie?
46. Holt sie Herrn König Tabletten?
47. Was möchte Herr König noch?

Erweiterung   Ein Flug von Hamburg nach Wien

1. Die Fluggäste suchen ihre Plätze.
2. Sie legen ihr Handgepäck ins Gepäcknetz.
3. Schwere Sachen stellt man unter den Sitz.
4. Die Passagiere legen ihre Mäntel und Hüte ins Gepäcknetz.
5. Im Gepäcknetz liegen viele Mäntel, Hüte, Regenschirme, Fotoapparate und Pakete.
6. Die Passagiere setzen sich.
7. Vor dem Abflug schnallen sie sich fest.
8. 76 Passagiere und drei Stewardessen sind an Bord.
9. Im Flugzeug sind zwei Toiletten.
10. Nach dem Abflug schnallen sich die Passagiere wieder ab.
11. Nach dem Abflug darf man rauchen, aber nur Zigaretten.
12. In Frankfurt macht die Maschine eine Zwischenlandung.
13. Bis Frankfurt servieren die Stewardessen verschiedene Getränke.
14. Sie bieten den Passagieren auch Zeitungen und Zeitschriften an.
15. Nach dem Abflug von Frankfurt servieren sie das Mittagessen.
16. Nach dem Mittagessen sind einige Passagiere müde und schlafen.
17. Andere lesen Bücher, Zeitungen oder Zeitschriften.
18. Andere unterhalten sich mit ihren Reisegefährten.
19. Kurz vor der Landung verkaufen die Stewardessen zollfreie Zigaretten, zollfreie Weine und Spirituosen und zollfreies Parfüm.
20. Vor der Landung in Wien bittet eine Stewardeß die Passagiere, sich festzuschnallen.
21. Bei der Landung ist das Rauchen verboten.
22. Nach der Landung schnallen sich die Passagiere wieder ab.
23. Sie sammeln ihre Sachen zusammen und steigen aus.
24. Sie sind froh, daß sie in Wien sind.

Fragen

Spielen Sie die Rolle von einem Fluggast. Beantworten Sie die Fragen.

1. Was machen die Fluggäste?
   Was machen Sie?
2. Wohin legen die Passagiere ihr Handgepäck?
   Was machen Sie mit Ihrem Handgepäck?
3. Was stellt man unter den Sitz?
   Wohin stellen Sie Ihr Tonbandgerät?
4. Was machen die Passagiere mit ihren Mänteln und Hüten?
   Was machen Sie mit Ihrem Mantel und Ihrem Hut?
5. Was liegt im Gepäcknetz?
6. Was machen die Passagiere?
   Was machen Sie?
7. Was muß man vor dem Abflug machen?
   Was machen die Passagiere?
   Was machen Sie?

8. Wieviele Passagiere sind an Bord?
   Wieviele Stewardessen sind an Bord?
9. Gibt es im Flugzeug eine Toilette?
10. Wann dürfen sich die Passagiere abschnallen?
    Was machen die Passagiere nach dem Abflug?
    Was machen Sie nach dem Abflug?
11. Ist das Rauchen vor dem Abflug verboten?
    Ist das Rauchen nach dem Abflug verboten?
    Ist das Rauchen im Flugzeug verboten?
    Was darf man rauchen?
12. Geht der Flug direkt nach Wien?
13. Was machen die Stewardessen bis Frankfurt?
    Was serviert Ihnen die Stewardeß?

14. Was bieten die Stewardessen zum Lesen an?
    Wem bieten sie Zeitungen und Zeitschriften an?
15. Wann servieren sie das Mittagessen?
16. Was machen einige Passagiere nach dem Mittagessen?
    Warum schlafen sie?
17. Schlafen alle Passagiere?
18. Alle Passagiere schlafen oder lesen, nicht wahr?
    Mit wem unterhalten sie sich?
19. Was verkaufen die Stewardessen vor der Landung?
20. Was macht eine Stewardeß vor der Landung?
    Was machen die Passagiere?
    Was machen Sie?
21. Was ist bei der Landung verboten?
    Wann ist das Rauchen im Flugzeug verboten?
    Nur bei der Landung?
22. Wann schnallen sich die Passagiere wieder ab?
    Was machen Sie nach der Landung?
23. Was machen die Passagiere?
24. Sind die Passagiere froh?
    Warum sind sie froh?

Übungen

1   Bekommen wir eine Erfrischung?
    Fragen Sie, ob wir eine Erfrischung bekommen.
    Ist dieser Platz frei?
    Fragen Sie, ob dieser Platz frei ist.
    Hat die Stewardeß etwas gegen Kopfschmerzen?
    Fliegt Herr Schneider morgen nach Zürich?
    Müssen wir das Programm noch heute festlegen?
    Serviert uns die Stewardeß etwas zu essen?
    Wird Herr Huber um 11 Uhr frei sein?
    Wird uns der Firmenchauffeur vom Flughafen abholen?

2   Was macht Herr Huber morgen?
    Ich weiß nicht, was er morgen macht.
    Welchen Platz möchte Mr Blake haben?
    Ich weiß nicht, welchen Platz er haben möchte.
    Wer ruft Herrn Huber an?
    Wann bieten sie den Passagieren Zeitungen an?
    Wie soll man sich festschnallen?
    Wo kann man etwas zu essen bekommen?
    Warum fliegt Herr König so oft nach Zürich?
    Was soll Herr König gegen Kopfschmerzen nehmen?

3   Kennen Sie Herrn Blake besser als Herrn Jones?
    Nein, aber ich kenne ihn fast so gut wie Herrn Jones.
    Arbeiten Sie besser zu Hause als im Büro?
    Nein, aber ich arbeite dort fast so gut wie im Büro.
    Kennen Sie Frankfurt besser als Zürich?
    Sprechen Sie besser deutsch als Herr Blake?
    Finden Sie diesen Wagen besser als den Volkswagen?
    Gefällt Ihnen London besser als Berlin?
    Studieren Sie in Deutschland besser als in England?
    Verstehen Sie mich besser als Herr Konig?

4 dieses Tonband
Ich weiß nicht, was ich mit diesem Tonband tun soll.
dieses Glas
Ich weiß nicht, was ich mit diesem Glas tun soll.
diese Zigarette
dieser Flugschein
diese Karte
diese Maschine
dieser Brief
dieser Fotoapparat
dieses Geschenk

5 Diese Plätze sind alle frei.
Welchen Platz möchten Sie nehmen?
Diese Fotoapparate sind alle teuer.
Welchen Fotoapparat möchten Sie nehmen?
Diese Geschenke sind alle praktisch.
Diese Flugscheine sind alle gültig.
Diese Aktentaschen sind alle schwer.
Diese Tonbandgeräte sind alle teuer.
Diese Weine sind alle zollfrei.
Diese Bücher sind alle interessant.

6 Was machen die Passagiere?
Sie setzen sich.
Was macht Herr König?
Er setzt sich.
Was machen Sie?
Was machen wir?
Was macht die Sekretärin?
Was macht der Junge?
Was machen der Chauffeur und seine Frau?
Was macht der Direktor?

7 Herrn Blake
Die Stewardeß sagt Herrn Blake, er soll sich festschnallen.
mir
Die Stewardeß sagt mir, ich soll mich festschnallen.
ihnen
Fräulein Becker
Herrn Blake und Herrn König
dem Direktor
uns
Herrn Schneider und seiner Sekretärin

8 Gehen Sie nach Hause!
Darf ich Sie bitten, nach Hause zu gehen?
Schnallen Sie sich fest!
Darf ich Sie bitten, sich festzuschnallen?
Setzen Sie sich!
Kommen Sie morgen früh ins Büro!
Geben Sie Herrn König diesen Brief!
Sammeln Sie Ihre Sachen und steigen Sie aus!
Warten Sie um 8 Uhr im Laboratorium auf Herrn Schneider!
Reservieren Sie bei der Lufthansa zwei Flugkarten nach Zürich!

9 Die Passagiere schnallen sich *vor dem Abflug* fest.
Vor dem Abflug schnallen sich die Passagiere fest.
Die Stewardeß serviert ihnen *vor dem Mittagessen* verschiedene Getränke.
Vor dem Mittagessen serviert ihnen die Stewardeß verschiedene Getränke.
Einige Passagiere unterhalten sich *im Flugzeug* mit ihren Reisegefährten.
Die Stewardeß bringt ihnen *nach dem Mittagessen* Zeitungen und Zeitschriften.
Die Bar steht ihnen *natürlich* zur Verfügung.
Die Stewardeß verkauft ihnen *kurz vor der Landung* zollfreie Zigaretten.
Die Passagiere schnallen sich *nach der Landung* wieder ab.

Übungen in der Klasse

10 Steigt Herr König ins Flugzeug ein?
Er ist schon im Flugzeug.
Fährt Frau Schmidt gleich in die Stadt?
Sie ist schon in der Stadt.
Legen Sie Ihren Fotoapparat ins Gepäcknetz?
Geht der Direktor heute in die Kirche?
Steigt der Chauffeur in den Wagen ein?
Stellt Mr Blake das Tonbandgerät unter den Sitz?
Stellen Sie den Wein in den Kühlschrank?
Steigt Frau Schneider in die Straßenbahn ein?

11 Der Empfangschef sagt, sie sollen um 8 Uhr frühstücken.
Der Empfangschef bittet Sie, um 8 Uhr zu frühstücken.
Herr König sagt, Sie sollen ins Büro kommen.
Herr König bittet Sie, ins Büro zu kommen.
Die Sekretärin sagt, Sie sollen Herrn König anrufen.
Herr Schneider sagt, Sie sollen in die Stadt fahren.
Der Polizist sagt, Sie sollen dort nicht parken.
Herr Huber sagt, Sie sollen sich setzen.
Die Stewardeß sagt, Sie sollen sich festschnallen.
Der Direktor sagt, Sie sollen sich mit den Fluggästen unterhalten.

12 Welche Stewardeß ist Engländerin?
Diese Stewardessen sind alle Engländerinnen.
Welches Paket ist schwer?
Diese Pakete sind alle schwer.
Welcher Flugschein ist gültig?
Welches Flugzeug ist ein Düsenflugzeug?
Welcher Platz ist frei?
Welcher Mantel ist teuer?
Welches Buch ist interessant?
Welcher Hut ist modern?

A *Sie sind Fluggäste auf einem Flug nach Zürich. Unterhalten Sie sich paarweise mit Ihren Reisegefährten. Der erste Student ist Deutscher, der geschäftlich nach Zürich fliegt; der zweite ist ein englischer Student, der seinen Bruder in Zürich besucht. Sein Bruder ist Student auf der Universität in Zürich und ist auch verheiratet. Der Deutsche beginnt.*

DEUTSCHER	Guten Tag!	ENGLÄNDER	Guten Tag!
DEUTSCHER	Platz frei?	ENGLÄNDER	Ja – allein.
DEUTSCHER	Tonbandgerät unter den Sitz stellen?	ENGLÄNDER	Ja – Aktentasche ins Gepäcknetz legen.
DEUTSCHER	Nicht stören?	ENGLÄNDER	Nein.
DEUTSCHER	Wohin?	ENGLÄNDER	Zürich – Sie?
DEUTSCHER	Auch.	ENGLÄNDER	Zürich kennen?
DEUTSCHER	Sehr gut.	ENGLÄNDER	Oft nach Zürich?
DEUTSCHER	Ja – Geschäftsreisen.	ENGLÄNDER	Zürich schön?
DEUTSCHER	Ja – nicht kennen?	ENGLÄNDER	Nein.
DEUTSCHER	Auf Urlaub?	ENGLÄNDER	Ja – zwei Wochen.
DEUTSCHER	Wohin?	ENGLÄNDER	In Zürich bleiben.
DEUTSCHER	Bekannte in Zürich?	ENGLÄNDER	Bruder – verheiratet.
DEUTSCHER	Zürich schnell kennenlernen.	ENGLÄNDER	Bruder studiert dort.
DEUTSCHER	Schön.	ENGLÄNDER	Düsenflugzeug?
DEUTSCHER	Ja, natürlich.	ENGLÄNDER	Hoch fliegen, nicht?
DEUTSCHER	Ja, über den Wolken.	ENGLÄNDER	Wetter nicht schön.
DEUTSCHER	Schade – nicht viel Sicht.	ENGLÄNDER	Sonnenschein doch schön. Hunger – etwas zu essen?
DEUTSCHER	Nur eine Erfrischung.	ENGLÄNDER	Trinken?
DEUTSCHER	Sagen Sie der Stewardeß. Schlecht?	ENGLÄNDER	Ein wenig.
DEUTSCHER	Bald landen – dann besser.	ENGLÄNDER	Hoffentlich.

B *Lesen Sie, was die Stewardeß sagt, bis Sie die Rolle vom Fluggast im Dialog mit der Stewardeß spielen können.*

STEWARDESS Guten Tag!
FLUGGAST
STEWARDESS Es sind noch viele Plätze frei.
FLUGGAST
STEWARDESS Aber natürlich! Sitzen Sie lieber beim Fenster oder am Gang?
FLUGGAST
STEWARDESS Heute ist das Wetter leider gar nicht schön.
FLUGGAST
STEWARDESS In Zürich regnet es leider auch.
FLUGGAST
STEWARDESS Ja, sicher. Aber Sie werden nicht viel Sicht haben.
FLUGGAST
STEWARDESS Ja, bitte. Wir werden bald starten.
FLUGGAST
STEWARDESS Guten Tag, meine Damen und Herren! Im Namen von Kapitän Neumann und seiner Besatzung begrüße ich Sie an Bord unserer Maschine und wünsche Ihnen einen angenehmen Flug nach Zürich. Unsere Flugzeit wird heute 60 Minuten betragen, und wir werden bis zu einer Höhe von 2000 m ansteigen. In der Tasche Ihres Vordersitzes finden Sie ein Merkblatt mit der Aufschrift „Sicherheit an Bord". Darf ich Sie bitten, sich mit dem Inhalt vertraut zu machen. Wir werden in wenigen Minuten starten. Würden Sie sich dazu bitte festschnallen.
FLUGGAST
STEWARDESS Ja, wir servieren Ihnen eine Erfrischung.
FLUGGAST
STEWARDESS Nach dem Abflug steht Ihnen unsere Bar zur Verfügung, mein Herr.

Meine Damen und Herren, Sie können sich jetzt gern wieder abschnallen und dann rauchen, wenn Sie mögen, aber bitte nur Zigaretten. Einen Aschenbecher finden Sie am Ende Ihrer Armlehne.

Was möchten Sie trinken?
FLUGGAST
STEWARDESS Ja, sofort.
FLUGGAST
STEWARDESS Welche Zeitung möchten Sie?
FLUGGAST
STEWARDESS *Die Welt*, die *Frankfurter Allgemeine* und die *Neue Zürcher Zeitung*.
FLUGGAST
STEWARDESS Bitte schön.
FLUGGAST
STEWARDESS Ja, natürlich. Soll ich Ihnen eine Tablette holen?
FLUGGAST
STEWARDESS Möchten Sie auch ein Glas Wasser?
FLUGGAST
STEWARDESS Nehmen Sie diese Tabletten. Hoffentlich geht's Ihnen bald besser.
FLUGGAST

STEWARDESS	Zweihundert pro Person.
FLUGGAST	
STEWARDESS	Ja. Die haben wir.
FLUGGAST	
STEWARDESS	Bitte schön.
FLUGGAST	
STEWARDESS	Ja, Spirituosen und Wein.
FLUGGAST	
STEWARDESS	Gern. Wollen Sie auch Parfum kaufen?
FLUGGAST	
STEWARDESS	Schnallen Sie sich jetzt bitte fest, wir werden bald landen.
	Meine Damen und Herren, in wenigen Minuten werden wir in Zürich landen. Darf ich Sie daher bitten, sich wieder anzuschnallen und das Rauchen einzustellen. Und würden Sie nach der Landung so lange sitzen bleiben, bis die Maschine zum Stillstand gekommen ist. Wir hoffen, Sie hatten einen angenehmen Flug mit uns. Auf Wiedersehen!

Schriftliche Aufgaben

1. Complete the following sentences:

Frau Ewald fliegt nach Amerika.

Frau Ewald . . . . . nicht gern, aber sie . . . . . ihren Sohn in Amerika . . . . . . Heute fliegt . . . . . zum . . . . . Mal. Sie steigt ins . . . . . ein und . . . . . einen Platz. Ihren Mantel . . . . . sie ins . . . . Tasche stellt sie . . . . . den . . . . . . In London macht das Flugzeug eine . . . . . . Der . . . . . London–New York . . . . . 6 Stunden. Nach 2 Stunden . . . . . die Stewardessen eine . . . . . . Nach dem Essen . . . . . Frau Ewald eine . . . . . . Andere . . . . . lesen auch oder . . . . . . Vor der Landung . . . . . Frau Ewald zollfreie . . . . . für ihren . . . . . . Nach der Landung . . . . . sie ihre . . . . . zusammen und . . . . . aus. Sie ist sehr . . . . ., in New York zu . . . . . .

2. You leave a note for your secretary asking her to phone the travel agency and find out the following details about the flight you intend making to Berlin:

> whether there's a bus from the city centre
> what time to be at the airport
> whether you can take tape-recorders as hand luggage
> whether you get refreshments on the plane
> whether you can buy duty-free goods on this route
> how long the flight lasts
> where the plane lands in Berlin
> what the first class air-fare is

Begin your note as follows:

Rufen Sie bitte beim Reisebüro an und erkundigen Sie sich danach, ob ein Flughafenbus vom Stadtzentrum fährt . . . . .

BEI DER ZOLLKONTROLLE

Dialog

Mr Blake is going through Customs at Zürich airport. He answers the official's questions on nationality, normal residence, length and purpose of visit, before they go on to the contents of his case.

1.	ZOLLBEAMTER	Wohnen Sie in der Schweiz?
2.	MR BLAKE	Nein, ich bin Engländer.
3.	ZOLLBEAMTER	Was ist der Zweck Ihres Besuchs? Sind Sie auf Urlaub?
4.	MR BLAKE	Nein, ich bin geschäftlich hier.
5.	ZOLLBEAMTER	Wie lange wollen Sie sich in der Schweiz aufhalten?
6.	MR BLAKE	Nur drei Tage.
7.	ZOLLBEAMTER	Welche Koffer gehören Ihnen? Diese zwei?
8.	MR BLAKE	Nein, nur dieser. Das ist der Koffer dieses Herrn.

He has only personal effects in his case, his 200 cigarettes and a half bottle of whisky. His camera is an old one.

9.	ZOLLBEAMTER	Was haben Sie im Koffer?
10.	MR BLAKE	Nur persönliche Sachen – Kleidung, Wäsche, Schuhe, Toilettenartikel, usw.
11.	ZOLLBEAMTER	Haben Sie nichts zu verzollen? Keinen Tabak, keinen Alkohol?
12.	MR BLAKE	Doch, ich habe 200 Zigaretten und eine kleine Flasche Whisky.
13.	ZOLLBEAMTER	Darf ich den Inhalt des Koffers kontrollieren?
14.	MR BLAKE	Ja, natürlich. Moment, bitte – ich mache ihn auf. Bitte schön.
15.	ZOLLBEAMTER	Danke. In Ordnung. Darf ich mal diesen Fotoapparat sehen?
16.	MR BLAKE	Bitte schön. Es ist ein alter Apparat. Ich habe ihn schon lange.

The Customs official is a little puzzled about the tape-recorder. Is it new? What does Mr Blake need it for during his stay? What about tapes? Mr Blake assures him it is for recording business talks only.

17.	ZOLLBEAMTER	Danke. Und dieses Tonbandgerät – ist es neu?
18.	MR BLAKE	Nein, ich habe es schon anderthalb Jahre.
19.	ZOLLBEAMTER	Wozu brauchen Sie es während Ihres Aufenthaltes?
20.	MR BLAKE	Um Besprechungen, Konferenzen, usw. auf Band aufzunehmen.
21.	ZOLLBEAMTER	Ach so! Wieviele Tonbänder haben Sie mit?
22.	MR BLAKE	Drei oder vier. Sie sind in diesem Päckchen. Soll ich es aufmachen?
23.	ZOLLBEAMTER	Nein, danke. Das ist nicht nötig. Gehört diese Reisetasche auch Ihnen?
24.	MR BLAKE	Nein, das ist die Tasche der Dame da.

1. Genitive case

This last of the four cases is easy to understand and to remember, as its function and most of its forms are similar to those of the English 'possessive' – *this man's suitcase, the purpose of my visit*. The **genitive** is now infrequently used in spoken German when it can be avoided.

Was ist der Zweck **des** Besuchs?	(der Besuch)
Er ist der Direktor **eines** Betriebs.	(der Betrieb)
Wie ist der Name **Ihres** Kollegen, bitte?	(der Kollege)
Kennen Sie die Eltern **dieses** Kind(e)s?	(das Kind)
Das ist die Nummer **unseres** Büros.	(das Büro)
Das ist die Tasche **der** Dame.	(die Dame)

The genitive ending on all *der* and *ein* words followed by a masculine or neuter noun is **es**. The noun itself has an **s** (sometimes **es**, but the e is optional unless ease of pronunciation requires it) except for those which have the **n** ending (e.g. *Herr, Junge, Name, Kollege*, etc.). With feminine nouns, the ending is the same as for the dative.

Während (during) is one of a number of prepositions followed by the genitive.

> Rauchen verboten **während des** Abflugs und **der** Landung.

2. Adjective endings (nominative singular)

Ist **dieser** Apparat neu?	Nein, das ist **ein alter** Apparat.
Ist **das** Tonbandgerät teuer?	Nein, es ist **ein billiges** Gerät.
Whisky, ja? **Die** große Flasche?	Nein, **eine kleine** Flasche.

Adjectives need an ending only when they precede the noun they describe. Masculine and neuter adjectives after *ein* (or *mein, Ihr, kein*, etc.) have the endings **er** and **es** respectively, thereby showing the gender of the following noun. Feminine adjectives after *eine* have the ending **e**. After the definite article (*der/das/die*) the ending is **e**:

	alte		
Der		Apparat	
	große		
Das		Radio	gehört mir.
	kleine		
Die		Tasche	
	neue		
	billige		

		kleiner	Koffer
		neuer	Apparat
	ein	gutes	Buch
Das ist		billiges	Radio
	eine	schöne	Tasche
		teure	Kamera

N.B. Sometimes the noun is not stated, but understood, in which case the adjective still needs an ending:

> Welches Gerät gefällt Ihnen – das **kleine**?   Nein, das **große**.

1. Wohnt Mr Blake in der Schweiz?
2. Ist Mr Blake Schweizer?
3. Wo wohnt Mr Blake?
4. Ist Mr Blake auf Urlaub in der Schweiz?
5. Was ist der Zweck seines Besuchs?
6. Wie lange wird sich Mr Blake in der Schweiz aufhalten?
7. Wird sich Mr Blake lange in der Schweiz aufhalten?
8. Wo wird sich Mr Blake drei Tage aufhalten?
9. Gehören diese zwei Koffer Mr Blake?
10. Wem gehört der andere Koffer?
11. Wessen Koffer ist das?
12. Dieser Koffer gehört Mr Blake, nicht wahr?
13. Was hat Mr Blake im Koffer?
14. Was sind persönliche Sachen?
15. Muß man persönliche Sachen verzollen?
16. Was muß man zum Beispiel verzollen?
17. Hat Mr Blake keinen Tabak mit?
18. Wieviel Tabak hat er mit?
19. Hat Mr Blake auch Zigarren?
20. Muß Mr Blake die 200 Zigaretten verzollen?
21. Hat Mr Blake auch Alkohol?
22. Ist es eine große Flasche Whisky?
23. Hat Mr Blake auch eine Flasche Wein?
24. Hat Mr Blake eine Flasche Kognak?
25. Was will der Zollbeamte kontrollieren?
26. Was macht Mr Blake auf?
27. Warum macht Mr Blake den Koffer auf?
28. Findet der Zollbeamte etwas zu verzollen?
29. Was will der Zollbeamte noch sehen?
30. Ist es ein neuer Fotoapparat?
31. Hat Mr Blake den Fotoapparat erst seit einem Monat?
32. Was hat Mr Blake noch?
33. Wie alt ist das Tonbandgerät?
34. Es ist ein neues Tonbandgerät, nicht wahr?
35. Wie lange hat er es schon?
36. Wozu braucht Mr Blake das Tonbandgerät?
37. Ist Mr Blake auf Urlaub?
38. Hat Mr Blake auch Tonbänder mit?
39. Wieviele Tonbänder hat Mr Blake mit?
40. Sind die Tonbänder im Koffer?
41. Was ist in diesem Päckchen?
42. Soll Mr Blake das Päckchen aufmachen?
43. Hat Mr Blake auch eine Reisetasche?
44. Gehört diese Reisetasche Mr Blake?
45. Wem gehört die Tasche?
46. Ist das die Tasche dieses Herrn?

Verlegen Sie Ihre nächste Reise vom Wochen-
anfang oder Wochenende einfach auf die Wochenmitte,
und schon wird das Bahnfahren noch bequemer.
Bequemer für Sie, weil die Züge in der Wochenmitte
weniger stark besetzt sind. Bequemer für Ihr
Portemonnaie, weil Sie Reisegeld sparen. Mit der
Di-Mi-Do-Karte (Ferienkarte).

Was sparen Sie?

12,5% bei der Hinfahrt. Und 12,5% bei der
Rückfahrt.

Wann sparen Sie?

Immer, wenn Ihr Reiseziel über 200 km entfernt
liegt.

Wie sparen Sie?

Reisen Sie an einem Dienstag, Mittwoch oder
Donnerstag ab. Und kehren Sie an einem Dienstag,
Mittwoch oder Donnerstag zurück. Frühester Rück-
reisetermin also: der Dienstag der folgenden Woche,
das heißt, Ihre Reise dauert mindestens sechs Tage.
Warum auch nicht? Länger bleiben und weniger zahlen.

Wo sparen Sie?

Die Di-Mi-Do-Karte gilt in beiden Wagen-
klassen und allen Zügen, auch im TEE und Intercity.
(Zuschläge gehen natürlich extra).

Wichtig:

Treten Sie die Hinfahrt an dem von Ihnen ge-
wünschten, auf der Karte aufgedruckten Abreisetag an.
Die Karte gilt dann zwei Monate. Also lange genug
für lange Ferien.

Wo bekommen Sie
die Di-Mi-Do-Karte?

Bei allen Fahrkartenausgaben, DER-Reise-
büros und anderen DB-Verkaufsagenturen. Sagen Sie
einfach: Di-Mi-Do-Karte.

 **Mehr als fahren**

Besser und bequemer: unser neuer Service für's Reisegepäck.

Erweiterung

A Schweizerische Zollvorschriften

Man ist berechtigt, persönliche Sachen zollfrei in die Schweiz zu bringen. Unter persönlichen Sachen versteht man:

1. Kleidung – wie zum Beispiel Anzüge, Jacken, Hosen, Pullover, Hemden, Krawatten, Socken, Schuhe. 2. Wäsche – Unterhosen, Unterhemden, Schlafanzüge, Taschentücher, Handtücher. 3. Toilettenartikel – Rasierapparat, Zahnbürste, Zahnpasta, Seife, Kamm. 4. Allerlei Sportartikel. 5. Fotoapparat oder Schmalfilmkamera und Filme.

Außerdem ist man berechtigt, die Waren auf dieser Liste zollfrei zu importieren:

	Touristen aus Europa	*Touristen aus anderen Ländern*
Wein	2 Liter	2 Liter
Spirituosen	1 Liter	1 Liter
Parfum	$\frac{1}{4}$ Liter	$\frac{1}{2}$ Liter
Zigaretten	200 ⎱ (oder 250 g. Tabak)	400 ⎱ (oder 500 g. Tabak)
Zigarren	50 ⎰	100 ⎰

B Drei Passagiere

Der Schweizer, der aus England zurückkommt.

1. Das ist das Gepäck dieses Herrn: eine Reisetasche, ein Koffer, eine Schmalfilmkamera. Er ist Schweizer und kommt von einem Urlaub in England zurück. 2. Im Koffer hat er persönliche Sachen. Aber unter seiner Wäsche sind zwei Flaschen Whisky! 3. In der Reisetasche hat er Geschenke: drei Bücher, fünf Schallplatten, eine Wolljacke und ein Feuerzeug. 4. Den Whisky, die Wolljacke und das Feuerzeug muß er verzollen. 5. Er gibt dem Beamten 50 Franken dafür. 6. Er bekommt 9 Franken zurück.

Der französische Student.

1. Das ist das Gepäck dieses Studenten: zwei Koffer, eine Reisetasche, ein Radio, ein Plattenspieler, eine Schreibmaschine – ($1\frac{1}{2}$ Jahre alt). Er ist Franzose und kommt in die Schweiz, um in Zürich zu studieren. 2. In den Koffern sind persönliche Sachen, und auch viele Bücher und Schallplatten. 3. In der Reisetasche sind Eßwaren, wie Tee, Kaffee, Schokolade, eine Flasche Kognak, und Toilettenartikel. 4. Er muß den Kognak verzollen. 5. Er bezahlt 6 Franken dafür. 6. Er bekommt eine Quittung.

Die Amerikanerin auf der Durchreise.

1. Das ist das Gepäck dieser Dame: vier Koffer, drei Reisetaschen, ein Fotoapparat, eine Schmalfilmkamera. Die Dame kommt aus den Vereinigten Staaten und ist auf einer Europareise. 2. In den Koffern sind persönliche Sachen: Mäntel, Kleider, Hüte, Schuhe, Wäsche und Strümpfe. 3. Sie bleibt etwa 14 Tage in der Schweiz und ungefähr 4 Monate in Europa. 4. In den Reisetaschen sind Kosmetikartikel, Schmuck und Andenken aus verschiedenen Ländern Europas. 5. Sie nimmt diese Andenken nach Amerika mit. 6. Die Amerikanerin braucht keinen Zoll zu bezahlen. Sie ist nur auf der Durchreise in der Schweiz.

Fragen

Antworten Sie für den Schweizer.

1. Welches Gepäck gehört Ihnen?
   Sind Sie Schweizer?
   Wo waren Sie auf Urlaub?
2. Was haben Sie in diesem Koffer?
   Und was ist das? Diese Flaschen?
3. Und was haben Sie in der Reisetasche?
   Was für Geschenke?
   Den Whisky, die Wolljacke und das Feuerzeug müssen Sie verzollen.
4. Das hängt vom Wert ab. Haben Sie Rechnungen für die Jacke und das Feuerzeug?
5. Das macht 15 Franken für die Jacke, 8 Franken für das Feuerzeug und 18 Franken für den Whisky.
6. Sie bekommen 9 Franken zurück und das ist Ihre Quittung.

Antworten Sie für den französischen Studenten.

1. Welches Gepäck gehört Ihnen?
   Sind Sie Schweizer?
   Was ist der Zweck Ihres Besuchs?
2. Was haben Sie in diesen Koffern?
   Was für persönliche Sachen?
3. Was haben Sie in dieser Reisetasche?
   Machen Sie bitte die Tasche auf!
   Das geht in Ordnung. Zeigen Sie mir die Eßwaren, bitte!
4. Nur ¼ Liter Kognak ist zollfrei. Den Rest müssen Sie verzollen!
5. Sechs Franken. Und wie alt ist diese Schreibmaschine?
6. Das geht in Ordnung. Hier ist Ihre Quittung für die 6 Franken.

Antworten Sie für die Amerikanerin.

1. Welches Gepäck gehört Ihnen?
   Sind Sie Schweizerin?
   Sind Sie geschäftlich in der Schweiz?
2. Was haben Sie in diesen Koffern?
   Was für persönliche Sachen?
3. Wie lange wollen Sie sich in der Schweiz aufhalten?
   Länger als drei Monate?
   Wie lange bleiben Sie in Europa?
4. Was haben Sie in diesen Reisetaschen?
   Was für Andenken? Sind es Geschenke für Bekannte in der Schweiz?
5. Was werden Sie damit machen?
6. Sie brauchen keinen Zoll zu bezahlen.

Übungen

1 Ist das Ihr Koffer?
Ja, er gehört mir.
Ist das Frau Schneiders Schreibmaschine?
Ja, sie gehört ihr.
Ist das Herrn Königs Buch?
Ist das Herrn Blakes Wagen?
Ist das mein Mantel?
Ist das sein Haus?
Ist das der Betrieb von Herrn Breuer und Herrn Frank?
Ist das der Koffer von Ihnen und Ihrer Frau?

2 Ist dieser Apparat alt?
Ja, das ist ein sehr alter Apparat.
Ist dieser Koffer schwer?
Ja, das ist ein sehr schwerer Koffer.
Ist dieses Bier billig?
Ist dieser Stadtplan praktisch?
Ist dieses Buch interessant?
Ist dieses Haus modern?
Ist dieser Kunde freundlich?

3 Wem gehört dieser Koffer?
Ich weiß nicht, wessen Koffer das ist.
Wem gehört dieses Gepäck?
Ich weiß nicht, wessen Gepäck das ist.
Wem gehört dieser Wagen?
Wem gehört diese Schreibmaschine?
Wem gehört dieses Tonbandgerät?
Wem gehört dieser Apparat?
Wem gehört diese Zeitung?
Wem gehört dieser Whisky?

4 Ich brauche den Wagen.
Ich muß Herrn König abholen.
Ich brauche den Wagen, um Herrn König abzu-
holen.
Ich brauche die Schreibmaschine.
Ich muß einen Brief tippen.
Ich brauche die Schreibmaschine, um einen
Brief zu tippen.

Ich brauche das Telefonbuch.
Ich suche Herrn Schneiders Nummer.
Ich brauche das Tonbandgerät.
Ich will die Konferenz auf Band aufnehmen.
Ich brauche den Fotoapparat.
Ich will etwas fotographieren.
Ich brauche den Stadtplan.
Ich will den Weg finden.
Ich brauche 20 DM.
Ich will einen Hut kaufen.
Ich brauche den Schlüssel.
Ich muß den Koffer öffnen.

5 Haben Sie diesen Apparat schon lange?
Ja, ich habe ihn schon anderthalb Jahre.
Wohnen Sie schon lange in der Schweiz?
Ja, ich wohne schon anderthalb Jahre dort.
Kennen Sie Herrn Blake schon lange?
Lernen Sie schon lange Deutsch?
Arbeiten Sie schon lange bei Breuer und
Frank?
Sind Sie schon lange verheiratet?
Rauchen Sie schon lange Zigarren?

6 der Herr
Was ist der Name des Herrn?
der Kollege
Was ist der Name des Kollegen?
der Student
der Kunde
der Polizist
der Beamte
der Junge
der Tourist

7 Hat die Dame keine Tasche?
Doch, das ist die Tasche der Dame.
Hat die Zeitung keinen Namen?
Doch, das ist der Name der Zeitung.
Hat die Sekretärin keine Schreibmaschine?
Hat die Stewardeß keinen Freund?
Hat die Schwester keinen Mann?
Hat die Tochter kein Kind?
Hat die Studentin keine Freundin?
Hat die Schule keinen Haupteingang?

8 Gehört dieses Tonbandgerät Ihrem Freund?
Ja, das ist das Tonbandgerät meines Freundes.
Gehören diese Schuhe seinem Sohn?
Ja, das sind die Schuhe seines Sohnes.
Gehört dieser Fotoapparat Ihrem Mann?
Gehört dieser Schlüssel seinem Bruder?
Gehören diese Bücher dem Studenten?
Gehört dieser Koffer diesem Passagier?
Gehören diese Reisetaschen diesem Herrn?
Gehört diese Büro unserem Direktor?
Ich muß Herrn König abholen.

Übungen in der Klasse

9 Ich habe zwei Koffer.
Was haben Sie in den Koffern?
Sie hat drei Reisetaschen.
Was hat sie in den Reisetaschen?
Er hat vier Flaschen.
Ich habe drei Zimmer.
Sie haben fünf Päckchen.
Er hat zwei Büros.
Ich habe zwei Pakete.
Sie hat drei Wohnungen.

10 Haben Sie nur eine Jacke?
Nein, ich habe viele Jacken.
Haben Sie nur einen Anzug?
Nein, ich habe viele Anzüge.
Haben Sie nur einen Pullover?
Haben Sie nur ein Hemd?
Haben Sie nur einen Film?
Haben Sie nur ein Handtuch?
Haben Sie nur ein Kleid?
Haben Sie nur einen Mantel?
Haben Sie nur einen Hut?
Haben Sie nur ein Tonband?
Haben Sie nur eine Schallplatte?
Haben Sie nur ein Geschenk?
Haben Sie nur eine Krawatte?
Haben Sie nur eine Maschine?

11 die Koffer
Was soll ich mit den Koffern tun?
die Pakete
Was soll ich mit den Paketen tun?
die Schuhe
die Strümpfe
die Regenschirme
die Mäntel
die Kleider
die Taschentücher

Der Inhalt von Herrn Arnolfs Gepäck

200 Zigaretten in Reisetasche (erlaubt).

Eine Dose Zigarren im Schlafanzug versteckt.

Eine Flasche Likör (erlaubt).

Ein Transistor in der Manteltasche.

Eine Armbanduhr in einer Zigarettenschachtel in einer Tasche der Jacke.

Eine andere Armbanduhr in einem Taschentuch in der anderen Tasche der Jacke.

Ein Damenring in der Toilettentasche versteckt.

Eine kleine Flasche Parfum (als Geschenk deklariert) im Koffer.

Ein Nachthemd aus Nylon in einem Päckchen (als Geschenk deklariert).

Zwei Hemden – ein Sporthemd und ein Oberhemd – für sich selbst (deklariert) im Koffer.

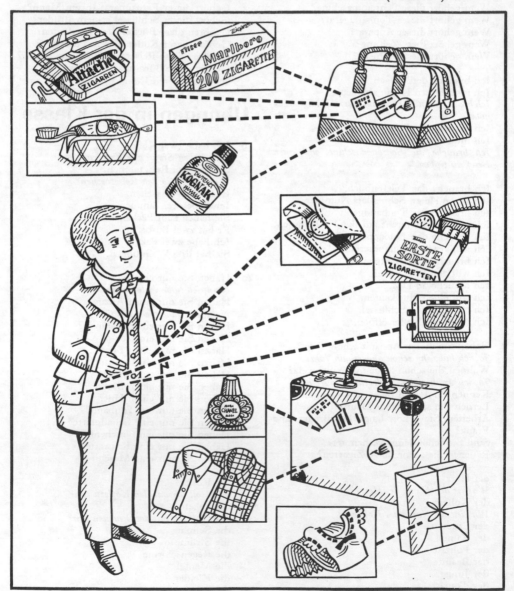

Konversation

A So einfach ist das Schmuggeln nicht!

Auf Seite 150 sehen Sie, was Herr Arnolf vor seinem Rückflug von der Schweiz nach Deutschland gekauft hat und was er damit gemacht hat. Jetzt muß er durch die deutsche Zollkontrolle gehen. Ein Student spielt die Rolle des Zollbeamten; ein anderer spielt die Rolle des Herrn Arnolf. Der Zollbeamte muß Arnolf viele Fragen stellen und das ganze Gepäck und seine Kleidung kontrollieren, bevor er die Armbanduhren, den Transistor, usw. findet. Herr Arnolf muß natürlich Zoll bezahlen und sich irgendwie entschuldigen.

Zollbeamter	Herr Arnolf
1. Deutscher?	1. Ja.
2. Wohnen?	2. Hamburg.
3. Wo waren Sie?	3. Schweiz.
4. Wie lange?	4.
5. Auf Urlaub?	5.
6. Gepäck?	6.
7. Inhalt?	7.
8. Geschenke?	8. Ja.
9. Was?	9.
10. Nichts zu verzollen?	10. Nein (*zögernd*).
11. Sicher?	11. Ja.
12. Tabak? Alkohol? Uhren? Schmuck?	12.
13. Kontrollieren?	13. (*Öffnet den Koffer*) Bitte schön.
14. Päckchen?	14. Nachthemd aus Nylon!
15. Koffer zumachen.	15. Danke.
16. Reisetasche – Inhalt?	16.
17. Kontrollieren?	17.
18. Fotoapparat?	18.
19. In Ordnung. Danke.	19. Danke.

20. Augenblick, mein Herr!

21. Mantel nicht vergessen!

22. Kleinen Moment – Mantel kontrollieren.

23. So! Schmuggeln!

24. Mit mir kommen.

25. Vielleicht noch etwas?

26. Jacke, Hut, Schuhe und Socken, bitte.

27. Und öffnen Sie den Koffer noch einmal, bitte!

28. (*Sucht in Taschen der Jacke*)!

29. Rechnungen?

30. Augenblick, bitte.

31. Reisepaß, bitte.

32. Das erste Mal, daß Sie schmuggeln?

33. Ihr Name ist nicht auf dieser Liste.
    100 DM Zoll bezahlen. Dieses Mal kein
    Strafgeld.

34. Hier unterschreiben, bitte. Sie dürfen
    die Waren behalten.

35. Warnung – das nächste Mal – sehr streng.
    Quittung.

36. Ja. Ihre Sachen mitnehmen. Warnung
    nicht vergessen.

20. ?

21. Mein Gott! Danke.

22.

23. Nein! Vergessen.

24. Aber. . . .

25. Ja. . . . Nein . . . Geschenke, für meine
    Familie . . .

26. Ja – sofort.

27.

28.

29. Ja. Wieviel Zoll?

30. Strafgeld auch?

31.

32. Schmuggeln!! (*Protestieren*)

33. Gott sei Dank! Waren behalten?

34. Vielen Dank.

35. Verstehe. Entschuldigen. Danke. Jetzt
    gehen?

36.

B *Sie gehen durch die deutsche Zollkontrolle. Mit Hilfe der Andeutungen sagen Sie dem Beamten alles, was er wissen will, ohne daß er Ihnen Fragen stellt.*

Gepäck?
Engländer
Aufenthalt in Deutschland – geschäftlich – wie lange?
Inhalt des Koffers
Inhalt der Reisetasche
Tabak? Alkohol? Parfum?
Tonbandgerät (nicht neu) und Tonbänder.
Fotoapparat und Filme
Geschenke für Bekannte.

C *Ein Spiel für kleine Gruppen (8–10 Studenten)*

ERSTER STUDENT	Ich gehe auf eine Reise. In meinem Koffer ist ein Anzug.
ZWEITER STUDENT	Ich gehe auf eine Reise. In meinem Koffer sind ein Anzug und ein Paar Schuhe.
DRITTER STUDENT	Ich gehe auf eine Reise. In meinem Koffer sind ein Anzug, ein Paar Schuhe und drei Hemden.
VIERTER STUDENT	Ich gehe auf eine Reise. In meinem Koffer sind ein Anzug, ein Paar Schuhe, drei Hemden und ...

(So geht es weiter bis zum letzten Studenten. Der kann wieder anfangen aber man darf keine Artikel vom ersten Spiel wiederholen.)

1. Draw up a list of items which the following people would be likely to take with them:

1 Ulrich Bauer –	leaving home to study in Münster
2 Wolfgang Schülzky –	doctor spending a weekend in London
3 Ingrid Kroll –	visiting parents in Leipzig

Here are some items to start you off:

Pfeife	Bücher
Reiseschecks	Kofferschlüssel
Reisepaß	Personalausweis
Regenschirm	Straßenplan von London
Fotoapparat	Wintermantel
5 Paar Schuhe	Schallplatten
Abendkleid	Adreßbuch

2. Select from the right-hand column the most appropriate endings for the following unfinished sentences:

1 Miss Wells bleibt	einen angenehmen Aufenthalt in Deutschland.
2 Sie besucht Freunde	bis man ihr Gepäck vom Flugzeug bringt.
3 In ihrem Koffer hat sie	nichts zu verzollen.
4 Solche Sachen sind ja	nur persönliche Sachen.
5 In ihrer Reisetasche hat sie	zwei Wochen in Deutschland.
6 Nach der Landung geht sie	in Darmstadt südlich von Frankfurt.
7 Dort zeigt sie	Wolljacken, Schallplatten und Bücher für ihre Freunde.
8 Dann muß sie warten,	dem Beamten ihren Reisepaß.
9 Bei der Zollkontrolle braucht sie	zuerst zur Paßkontrolle.
10 Der Zollbeamte wünscht ihr	in England viel billiger als in Deutschland.

Am Flughafen At the airport

This is the third of the units in which your role is mainly receptive. The first exercise is a listening passage dealing with the arrival at Zürich airport. You will hear the announcement of the arrival of the flight (all announcements in this unit are authentic – only times and flight numbers have been 'invented'), and then a passenger asking his way to where he has to reclaim his luggage. Next, you hear another passenger having some difficulty in finding the right suitcase and inquiring where he gets the airport bus into Zürich. Meanwhile, Herr König and Mr Blake have collected their baggage, and have been waiting for the driver from Swiss Chemicals to appear. Then there is an announcement for Herr König, and he finds Herr Huber has left a message for him to proceed by taxi into Zürich. They soon find a free taxi, and chat to the driver on the way to their hotel.

In the second recorded conversation, you are asked to do more than listen for answers to questions. The scene is Cologne airport, where transit passengers for Berlin have been delayed owing to a mechanical breakdown. A Swiss, a German and an Englishman get into conversation in the transit lounge. After listening several times, you will try to take the part of the Englishman.

The reading passage is on the regional geography of Germany – not too technical and not too detailed. You may find it a little difficult, but it is important to be reasonably well-informed on the subject, as there is a close connection between geography and industry, agriculture, transport and employment.

The grammatical summary will show you just how much you have covered in the last four units and it by no means deals with every single grammatical point included in them. Be warned once again not to spend too much time on it. Do not be misled, however, into thinking that you can afford to ignore the grammar summaries altogether. Dull work though it may be at the time, you will find that they will provide you at the end of the course with an enlightening perspective on the language.

Ankunft

LAUTSPRECHER	Achtung bitte! Lufthansa geben die Ankunft ihrer Maschine LH464 aus Frankfurt bekannt. Wir wiederholen: Lufthansa geben die Ankunft ihrer Maschine LH464 aus Frankfurt bekannt.
1. PASSAGIER	Entschuldigen Sie bitte, können Sie mir sagen, wo die Gepäckausgabe ist?
2. PASSAGIER	Gehen Sie geradeaus und dann nach links. Sehen Sie alle diese Gepäckträger dort? Die stehen an der Gepäckausgabe.
1. PASSAGIER	Danke schön.

Gepäckausgabe

ANGESTELLTER	Gepäckschein, bitte.
1. PASSAGIER	Augenblick, bitte. . . . Hier, bitte.
ANGESTELLTER	Sehen Sie vielleicht Ihren Koffer?
1. PASSAGIER	Nein, leider nicht.
ANGESTELLTER	Wie sieht denn der Koffer aus?
1. PASSAGIER	Es ist ein großer Koffer mit mehreren Bildern darauf.
ANGESTELLTER	Ah, hier. Ein weißer Koffer?
1. PASSAGIER	Nein, ein brauner.
ANGESTELLTER	Ich glaube, ich hab' ihn; da, neben dem roten.
1. PASSAGIER	Ja, das ist er.
ANGESTELLTER	Wollen Sie einen Träger?
1. PASSAGIER	Das kommt darauf an. Von wo fährt der Bus nach Zürich ab?
ANGESTELLTER	Gehen Sie geradeaus und dann durch diese große Glastür. Die Haltestelle ist nur ein paar Schritte vom Ausgang.
1. PASSAGIER	Danke, das ist ja nicht weit.

Auskunft

HERR KÖNIG	Wo kann denn nur der Chauffeur von der Schweizerischen Chemikalien sein?
MR BLAKE	Ich weiß nicht, ich sehe keinen Chauffeur.
HERR KÖNIG	Wir warten schon gute zehn Minuten. Ich will mal bei der Auskunft fragen.
LAUTSPRECHER	Herr König wird gebeten, zum Auskunftsbüro zu kommen. Ich wiederhole: Herr König wird gebeten, zum Auskunftsbüro zu kommen.
HERR KÖNIG	Haben Sie das gehört, Mr Blake? Ich soll zum Auskunftsbüro kommen. Kommen Sie doch mit!
MR BLAKE	Gern.
HERR KÖNIG	Da war eben eine Durchsage für mich; mein Name ist König.
ANGESTELLTER	Guten Tag, Herr König! Ich habe eine Nachricht für Sie von Herrn Huber. Herr Huber bedauert, es war ihm nicht möglich, Sie mit einem Wagen von hier abholen zu lassen. Herr Huber läßt Sie bitten, ein Taxi zum Hotel Elite zu nehmen. Ein Firmenchauffeur wird Sie um halb vier vom Hotel abholen.
HERR KÖNIG	Danke. Auf Wiedersehen!

Taxifahrt

HERR KÖNIG	Hier ist ein freies Taxi.
TAXICHAUFFEUR	Haben Sie kein großes Gepäck?

HERR KÖNIG	Nein, das ist alles.
TAXICHAUFFEUR	Wohin wünschen die Herren zu fahren?
HERR KÖNIG	Nach Zürich, zum Hotel Elite.
TAXICHAUFFEUR	Jawohl! Steigen Sie ein!
MR BLAKE	Ist es weit?
TAXICHAUFFEUR	Ungefähr 10 km. Bei diesem Verkehr dauert es vielleicht zwanzig Minuten.
HERR KÖNIG	Das ist nicht schlimm.
MR BLAKE	Das Wetter hier in Zürich ist viel besser als in London. Es ist zwar ein bißchen kühl, aber nicht schlecht für März.
TAXICHAUFFEUR	Für mich könnte es schöner sein; heute morgen war es sehr bewölkt.
MR BLAKE	Hier ist fast so viel Verkehr wie in London. Das hatte ich nicht erwartet.
TAXICHAUFFEUR	Ja, wir haben Verkehr genug, aber wir Schweizer sind gute und vorsichtige Fahrer.
MR BLAKE	Sie meinen, es gibt nicht viele Unfälle in der Schweiz?
TAXICHAUFFEUR	Doch. Vor allem während der Touristensaison. Da gibt es so viele Ausländer auf den Straßen, die fahren wie verrückt, vor allem die Belgier... Hotel Elite, sagten Sie? Sehr schön, eines der besten Hotels von Zürich. Wir sind schon da.
HERR KÖNIG	Was sind wir Ihnen schuldig?
TAXICHAUFFEUR	15 Franken, bitte.
HERR KÖNIG	Können Sie mir auf einen 50 Frankenschein herausgeben?
TAXICHAUFFEUR	Ja, natürlich. 15 und 5 macht 20 und 30 macht 50.
HERR KÖNIG	Hier, das ist für Sie.
TAXICHAUFFEUR	Danke vielmals, meine Herren. Und ich wünsche Ihnen einen angenehmen Aufenthalt in der Schweiz.

Questions

1. What is the announcement made over the loudspeaker?
2. Where is the baggage counter? 3. Where are the porters?
4. What does the passenger's suitcase look like?
5. How does one get to the bus stop?
6. Is the bus stop far from the exit? 7. Whom is Herr König waiting for?
8. How long have Herr König and Mr Blake been waiting?
9. Where does Herr König intend to inquire?
10. What is the loudspeaker announcement?
11. What is the message for Herr König at the information desk?
12. Where will the firm's chauffeur meet Herr König?
13. How do Herr König and Mr Blake get to the centre of Zürich?
14. About how long is the taxi ride from Kloten to Zürich?
15. What is the weather like? 16. Is there much traffic on the roads?
17. Who is responsible for most of the accidents?
18. Who are the worst offenders, in the driver's opinion?
19. What is the taxi fare to the hotel? 20. What does Herr König pay the driver with?

Hören Sie sich das Gespräch mehrmals an, dann spielen Sie die Rolle von Mr Johnson. Die Passagiere auf dem Weg nach Berlin sind wegen einer Panne in Köln aufgehalten. Ein Deutscher, ein Engländer und ein Schweizer unterhalten sich miteinander im Wartesaal.

DEUTSCHER Ich möchte nur wissen, wie lange wir hier noch warten müssen. Wir sitzen schon fast eine Stunde herum. Wie ärgerlich!

ENGLÄNDER Ja, für mich ist es auch ärgerlich. Ein Geschäftsfreund soll mich in Berlin vom Flughafen abholen.

DEUTSCHER Ja, klar, das ist es eben. Mich holt auch ein Geschäftskollege ab. Diese Zeitverschwendung!

ENGLÄNDER Ja! Ich möchte gern meinen Freund in Berlin anrufen, aber ich weiß die Telefonnummer nicht.

DEUTSCHER Seine Telefonnummer finden Sie im Telefonbuch.

ENGLÄNDER Glauben Sie, es gibt hier in Köln ein Berliner Telefonbuch?

DEUTSCHER Aber gewiß. Am Flughafen gibt es sicher Telefonbücher für ganz Deutschland.

ENGLÄNDER Nur gut, daß mein Geschäftsfreund nicht Schmidt oder Meier heißt.

DEUTSCHER Also, gehen Sie jetzt telefonieren?

ENGLÄNDER Ja, hoffentlich ist Herr Bock noch nicht auf dem Weg zum Flughafen.

DEUTSCHER Ja, ich hoffe, Sie können ihn noch erreichen.

SCHWEIZER Ist dieser Platz hier frei?

DEUTSCHER Ja, dieser Platz ist frei; der andere ist besetzt. Ich warte auf einen Engländer der eben telefonieren gegangen ist.

SCHWEIZER Wir waren doch im selben Flugzeug, nicht wahr?

DEUTSCHER Ja. Sie warten auch auf den Anschluß nach Berlin?

SCHWEIZER Jawohl. Hoffentlich dauert es nicht mehr lange.

DEUTSCHER Ah, da kommt der Engländer. Haben Sie Ihren Freund erreicht, Mr Johnson?

ENGLÄNDER Ja, Gott sei Dank.

DEUTSCHER Dieser Herr wartet auch auf die Maschine nach Berlin.

ENGLÄNDER Guten Tag! Ich bin Engländer. Mein Name ist Johnson.

SCHWEIZER Guten Tag! Karl Lehmann ist mein Name.

ENGLÄNDER Sind Sie Deutscher?

SCHWEIZER Nein, ich bin Schweizer. Aus Zürich. Kennen Sie vielleicht Zürich?

ENGLÄNDER Nein, leider nicht. Aber nächsten Monat werde ich geschäftlich in Zürich zu tun haben.

SCHWEIZER Dann werden Sie mein Heimatland bald kennenlernen. Dieser lange Aufenthalt hier in Köln ärgert mich wirklich. Hoffentlich bekomme ich in Berlin ein Zimmer. Ich habe nämlich keine Reservierung.

DEUTSCHER Ach, Sie finden sicher ein Zimmer im Flughafenhotel, oder auch in der Stadt. Es gibt genug Hotels und sie sind nicht alle voll.

SCHWEIZER Kennen Sie Berlin schon, Mr Johnson?

ENGLÄNDER Ja, ich kenne es ganz gut. Und Sie?

SCHWEIZER Nur ein wenig. Vor vielen Jahren war ich einmal privat in Berlin.

DEUTSCHER Sie sprechen gut Deutsch, Mr Johnson. Sind Sie schon lange in Deutschland?

ENGLÄNDER Ich bin jetzt schon sechs Monate hier. Unsere Firma hat Geschäftsverbindungen mit verschiedenen Firmen in Deutschland.

DEUTSCHER Kein Wunder, daß Sie so gut Deutsch sprechen. Sie haben es sicher auch in der Schule gelernt.

ENGLÄNDER	Ja, aber nur zwei Jahre. Aber wenn man in Deutschland ist, lernt man sehr schnell.
DEUTSCHER	Da kommt die Stewardeß. Hoffentlich bringt sie eine gute Nachricht.
STEWARDESS	Meine Herren, warten Sie auf den Flug nach Berlin?
ENGLÄNDER	Ja. Wie lange wird es noch dauern?
STEWARDESS	Noch zwei Stunden. Mit der Maschine ist leider etwas nicht in Ordnung und wir warten auf eine Ersatzmaschine.
ENGLÄNDER	Zwei Stunden! Und wir sind schon über eine Stunde hier in Köln!
STEWARDESS	Ja, es tut uns wirklich sehr leid. Vielleicht möchten Sie ins Flughafenrestaurant gehen und etwas essen. Auf Kosten der Fluggesellschaft, natürlich.
DEUTSCHER	Ja, das hilft wenigstens, die Zeit zu vertreiben.
SCHWEIZER	Gehen wir zusammen?
DEUTSCHER	Ja, gern. Sie kommen doch auch, Mr Johnson?
ENGLÄNDER	Ja, wenn Sie nichts dagegen haben ...
DEUTSCHER	Natürlich nicht. Wir freuen uns. Ich bin zwar nicht sehr hungrig, aber vielleicht gibt es etwas Gutes.
SCHWEIZER	Hier ist die Speisekarte. Was nehmen Sie, Mr Johnson? Kalte Platte oder etwas Warmes?
ENGLÄNDER	Ich nehme die kalte Platte. Ich habe nicht viel Hunger.
DEUTSCHER	Sie haben aber doch sicher Durst?
ENGLÄNDER	Ja, ich möchte ein Bier.
DEUTSCHER	Und Sie, Herr Lehmann?
SCHWEIZER	Ich hätte auch gern kalte Platte und eine Flasche Bier.
DEUTSCHER	Herr Ober! Dreimal kalte Platte und drei Flaschen Bier!
SCHWEIZER	Wie lange werden Sie sich in Berlin aufhalten, Mr Johnson?
ENGLÄNDER	Ungefähr eine Woche. Ich habe viel zu tun.
SCHWEIZER	Eine Woche ist nicht sehr lang. Wenn Sie soviel zu tun haben, werden Sie nicht viel von Berlin sehen. Hoffentlich bleibt das Wetter so schön. Nicht zu heiß und nicht zu kalt, das ist mir gerade recht.
ENGLÄNDER	Ich bin mit dem Wetter hier in Deutschland zufrieden.
DEUTSCHER	Ja, es ist sicher besser als bei Ihnen in England. Da regnet es doch immer.
ENGLÄNDER	Das darf man nicht sagen. So oft regnet es gar nicht.
DEUTSCHER	Wir können hier doch sitzenbleiben. Hier gibt es Zeitungen und Zeitschriften. Möchten Sie etwas lesen, Mr Johnson?
ENGLÄNDER	Nein, danke. Ich habe Kopfschmerzen.
SCHWEIZER	Möchten Sie eine Tablette?
ENGLÄNDER	Ja, bitte. Wenn Sie wirklich etwas gegen Kopfschmerzen haben. ...
SCHWEIZER	Ja, ich habe immer etwas gegen Kopfschmerzen bei mir.
ENGLÄNDER	Danke schön. Das ist nett von Ihnen.
SCHWEIZER	Wenn Sie nichts dagegen haben, gehe ich Zigaretten und Spirituosen kaufen. Gehen wir zusammen?
DEUTSCHER	Ja, gern. Sie kommen doch auch, Mr Johnson?
ENGLÄNDER	Nein, danke.
DEUTSCHER	Da kommt die Stewardeß. Hoffentlich bringt sie eine gute Nachricht.
STEWARDESS	Ich habe eine gute Nachricht für Sie. Die Ersatzmaschine wird in einer Stunde fertig sein. Wir können also in anderthalb Stunden abfliegen.

Deutschland ist ein großes Land, wo der Fremde viele verschiedene Landschaften finden kann. Berge, Ebenen und Hügel wechseln einander ab. Ein Teil des Landes liegt auch am Meer.

1. Dieser Teil liegt im Norden des Landes und heißt die Norddeutsche Tiefebene. Das Land ist flach hier und sehr fruchtbar. Es ist das wichtigste Agrargebiet Deutschlands. Viele Touristen kommen im Sommer hierher, denn es gibt viele Badeorte, die sehr beliebt sind. Auch die Inseln vor der Küste sind das Ferienziel von vielen Fremden.

2. Zwischen dem flachen Norden und dem gebirgigen Süden Deutschlands liegt das Mittelgebirge. Landschaftlich ist das Mittelgebirge viel schöner und interessanter als der flache Norden. Schöne Flüsse durchqueren das Land und hier findet man auch dichte Wälder. Der Schwarzwald ist wohl eines der beliebtesten Ziele vieler In- und Ausländer, die hierher auf Urlaub kommen und in der guten Luft ihre Erholung suchen.

3. Der Süden Deutschlands ist gebirgig. Die Alpen sind der wichtigste Gebirgszug. Sie sind ein bekanntes Wintersportgebiet, wo auch viele Skiläufer für die großen Wettkämpfe trainieren. Der höchste Berg hier ist die Zugspitze. Man erreicht ihren Gipfel mit einer Seilbahn. Doch nicht nur Wintersportler finden ihren Weg in diesen Teil Deutschlands. Auch im Sommer kann man hier kaum ein Hotelzimmer bekommen. Besonders die Gegend um Berchtesgaden ist sehr berühmt.

Fast jeder kennt den wichtigsten Fluß Deutschlands – den Rhein. Der Rhein ist ein internationaler Fluß. Er kommt aus der Schweiz, dann fließt er zwischen Frankreich und Deutschland und bildet so die Grenze zwischen diesen beiden Ländern, dann fließt er durch Deutschland und Holland. Bei dem holländischen Hafen Rotterdam mündet der lange Fluß in die Nordsee. Der deutsche Teil des Rheins ist besonders interessant und niemand wird eine Fahrt auf dem Rhein schnell vergessen können. So eine Fahrt ist unvergesslich.

Die Mosel und der Main sind Nebenflüsse des Rheins. Die Mosel entspringt in Frankreich und fließt durch sehr fruchtbares Land. Rheinweine und Moselweine sind allen, die gern Wein trinken, bekannt. Auch die Ruhr fließt in den Rhein. An ihren Ufern liegt das bedeutende Ruhrgebiet – das größte Industriegebiet Deutschlands.

Es gibt noch einen internationalen Fluß in Deutschland – die Donau. Der deutsche Teil der Donau ist nicht sehr lang. Sie fließt durch Österreich und durchfließt dann Ungarn und Rumänien. Die Donau mündet ins Schwarze Meer. Der österreichische Teil der Donau ist berühmt. An ihren Ufern wächst guter Wein und es gibt sogar einen Wiener Walzer, der die Donau besingt. Das ist der Walzer: „An der schönen blauen Donau". Wien, die Hauptstadt Österreichs, liegt an ihren Ufern. Viele Nebenflüsse der Donau entspringen in den Alpen.

Die Touristen kommen immer gerne nach Deutschland. Die Landschaft ist zu allen Jahreszeiten schön, im Frühling, im Sommer, im Herbst und im Winter. Viele kommen auch geschäftlich hierher und besuchen die Messen, und viele kommen im Sommer zu den berühmten Theaterfestspielen und Musikfestspielen. Wer Wagner liebt, muß einmal in seinem Leben nach Bayreuth kommen.

Questions

1. What can the foreigner find in Germany?
2. Can you name the kinds of landscape mentioned here?
3. Which part of Germany is flat?
4. What is the North German Plain most suitable for?
5. Why do tourists come to this part of the country?
6. Where is the German 'Mittelgebirge'?
7. Why is the 'Mittelgebirge' more attractive than the North German Plain?
8. Can you name a famous forest in this area?
9. What is the name of the main mountain range in South Germany?
10. Is winter the busiest season in this part of the country?
11. What is the name of the highest mountain in Germany?
12. How can one reach the summit of this mountain?
13. Which area in South Germany is especially famous?
14. What is the most important river in West Germany?
15. What connection does this river have with Switzerland?
16. Between which countries does it form the border?
17. Which countries does the Rhine flow through?
18. Where does it flow into the North Sea?
19. What attraction on this river is particularly popular with tourists?
20. Can you name two tributaries of the Rhine?
21. What famous product comes from the banks of the Rhine and the Mosel?
22. Where does the Mosel rise?
23. Which is the most important industrial area in Germany and what does it get its name from?
24. Is the Rhine the only 'international' river in Western Germany?
25. Which is the most famous part of the Danube?
26. Which countries does it flow through?
27. Into which sea does it flow?
28. Where do all the Danube's tributaries rise?
29. What is the name of the waltz that sings the praises of the Danube?
30. Give reasons why foreigners come to Germany at all seasons of the year.

64 Future tense

Ich werde	keine Zeit haben.
Wird er	in einer Stunde frei sein?
Wann wird sie	frei sein?
Wir werden	eine Woche dort
	verbringen.
Sie werden	um drei Uhr anrufen.
Sie (sie) werden	am Freitag abfahren.

65 Werden (to become, to be getting)

Ich werde krank.	*I'm taking ill.*
Es wird kalt.	*It's getting cold.*
Sie werden reich.	*They're getting rich.*

66 Verbs with inseparable prefixes

be-	Wir besprechen es mit Herrn Huber.
	Wir wollen es mit Herrn Huber besprechen.
er-	Er erklärt ihm alles auf dem Stand.
	Das können wir erledigen.
ge-	Es gefällt ihm nicht.
	Wie wird es ihm gefallen?
ver-	Sie verbringen eine Woche in Hamburg.
	Sie möchten eine Woche in Hamburg verbringen.

67 Sollen – modal verb

1 *English 'should' or 'shall'*	Soll ich das Zimmer gleich reservieren?
	Er soll den Chef gleich anrufen.
	Wir ⎫
	Sie ⎬ sollen das Programm jetzt festlegen.
	sie ⎭
2 *indirect command* *(to tell him to . . .)*	Sagen Sie ihm, er soll sofort zum Chef.
	Sagen Sie ihr, sie soll den Brief gleich tippen.
	Sagen Sie ihnen, sie sollen den Flug bestätigen.
3 *English 'supposed to'*	Wie soll ich das wissen?
	Sollen wir das verstehen?
	Er soll auf Urlaub sein.
	Er soll sehr krank sein.

68 Fernsehen
(*to watch television – separable verb, but Germans tend to avoid splitting when possible*)

| Heute abend werde ich fernsehen. |
| Heute abend möchte ich fernsehen. |
| Heute abend wollen wir fernsehen. |
| Abends sehe ich fern. |

69 recht sein, recht haben, unrecht haben

1 Wir kommen am Montag an. Ist Ihnen das recht?
Ja, natürlich, es ist mir sehr recht.

2 Sollen wir diesen Kühlschrank kaufen?
Nein, er kostet zu viel und ist nicht groß genug.
Ja, Sie haben recht. (*oder*) Ja, da haben Sie recht.
Nein, Sie haben unrecht. Er ist groß genug und ist nicht zu teuer.

70 Common expressions using 'haben' where English uses 'to be'

Habe ich nicht recht? Nein, Sie haben unrecht.
Ich habe Hunger. Ich möchte etwas essen.
Haben Sie Durst? Möchten Sie etwas trinken?
Ich fliege nicht gern. Ich habe immer Angst.

71 Reflexive verbs

		with separable verb sich festschnallen	*position of reflexive pronoun with modal verb*
1 *infinitive*	sich setzen		
2 *present tense*	ich setze mich er/sie/es setzt sich wir setzen uns Sie } sie } setzen sich	ich schnalle mich fest er/sie/es schnallt sich fest wir schnallen uns fest Sie } schnallen sich sie } fest	ich will mich setzen Sie können sich fest-schnallen
3 *negative*	ich setze mich nicht	ich schnalle mich nicht fest	er will sich nicht setzen er kann sich nicht fest-schnallen
4 *question*	setzen Sie sich? Wohin setzen Sie sich? Setzen sich die Passagiere?	schnallt er sich fest? wie schnalle ich mich fest? schnallen sich die Passagiere fest?	wollen Sie sich setzen? wollen sich die Passagiere setzen? können Sie sich fest-schnallen? sollen sich die Passagiere festschnallen?
5 *negative question*	setzen wir uns nicht?	schnallen sich die Passagiere nicht fest?	darf sie sich nicht setzen? dürfen sich die Passagiere nicht festschnallen?
6 *imperative*	setzen Sie sich! setzen Sie sich nicht!	schnallen Sie sich fest! schnallen Sie sich nicht fest!	

72 *Omission of subject in certain idiomatic expressions*

Ist Ihnen kalt? Soll ich das Fenster zumachen?
Mir ist warm. Ich brauche meine Jacke nicht.
Mir ist schlecht. Bringen Sie mir eine Tablette, bitte.

73 *Prepositions as part of verbal expression*
(*not to be confused with separable prefixes*)

warten auf + *acc.*	Er wartet auf seine Frau.
	{ auf den Brief.
	{ darauf.
fragen nach + *dat.*	Ich frage { nach dem Preis.
	{ danach.
	Ich muß nach dem Preis fragen.
bitten um + *acc.*	Sie bittet die Stewardeß um eine Tablette.
teilnehmen an + *dat.*	Er nimmt { an der Sitzung teil.
	{ daran teil.
aufnehmen auf + *acc.*	Ich nehme Konferenzen auf Band auf.
abhängen von + *dat.* ⎫	Es hängt { vom Wetter ab.
	{ davon ab.
ankommen auf + *acc.* ⎬	Es kommt { auf den Preis an.
	{ darauf an.
anrufen bei + *dat.*	Rufen Sie bei der Lufthansa an.
verstehen unter + *dat.*	Was verstehen Sie { unter persönlichen Sachen?
	{ darunter?
sich freuen auf + *acc.*	Wir freuen uns { auf Ihren Besuch nächste Woche.
	{ darauf.
sich unterhalten mit + *dat.*	Die Passagiere unterhalten sich mit ihren Reisegefährten.
es geht um + *acc.*	Es geht um das Programm für morgen.
	Darum geht es.

74 Expressions requiring 'zu' before the infinitive

| 1 | Das ist schwer zu sagen.
Wir haben viel zu tun.
Das brauchen Sie nicht
zu verzollen.
Wen wünschen Sie zu
sprechen? |

2 separation of infinitive phrase by comma	infinitive phrase
Ist es möglich,	einen Platz für morgen zu bekommen?
Es ist unmöglich (nicht möglich),	einen Platz zu bekommen.
Haben Sie Zeit,	die Flugscheine abzuholen?
Leider habe ich keine Zeit,	die Flugscheine abzuholen.
Man ist berechtigt,	200 Zigaretten zollfrei in die Schweiz zu bringen.
Ich darf nicht vergessen,	eine Zahnbürste zu kaufen.
Mr Blake bittet Herrn Schneider,	ihn ins Hotel zu bringen.
Die Stewardeß bittet die Passagiere,	sich gleich festzuschnallen.
Es ist nicht nötig,	den Koffer aufzumachen.

3 purpose

Wozu brauchen Sie einen Stadtplan?	
Wozu braucht man ein Telefonbuch?	
Wozu braucht er den Wagen?	
Ich brauche einen Stadtplan,	um den Weg zu finden.
Man braucht ein Telefonbuch,	um Telefonnummern zu finden.
Er braucht den Wagen,	um Mr Blake abzuholen.

75 Genitive case (articles, 'kein', possessive adjectives and nouns)

1 Masculine and neuter	Das ist der Direktor	des	Betriebs.
	Wo ist der Koffer	meines	Mannes?
	Hier ist der Schlüssel	Ihres	Zimmers.
	Hier ist der Schlüssel	seines	Büros.
	Das ist das Kleid	eines	Kindes.
2 masculine –en nouns	Was ist der Name	unseres	Kunden?
	Das ist das Gepäck	ihres.	Kollegen.
	Wo ist der Reisepaß	des	Studenten?
3 feminine	Er öffnet den Koffer	der	Dame.
	Dieter ist der Freund	unserer	Tochter.
	Er ist Direktor	einer	Firma.
4 plural	Hier sind die Preise	der	Bücher.
	Das sind die Sachen	unserer	Studentinnen.
	Ich zeige Ihnen ein Foto	meiner	Söhne.

76 Preposition 'während' followed by genitive

Während meines Aufenthaltes muß ich Luzern sehen.
Während der Landung ist Rauchen verboten.
Man muß sich während des Abflugs festschnallen.
Während seines Besuchs will er Zürich gut kennenlernen.

77 Declension of 'wer'

Wer ist dieser Herr?
Wen wollen Sie sprechen?
Wem soll ich helfen?
Wessen Hut ist das?
Ich weiß nicht, wessen Hut das ist.

78 Welcher, dieser, jeder

	nominative	accusative
masculine	Welcher Plan ist das?	Welchen Platz nehmen Sie?
feminine	Welche Dame sitzt hier?	Welche Maschine kauft er?
neuter	Welches Büro gehört ihm?	Welches Zimmer hat er?
plural	Welche Plätze sind frei?	Welche Blumen möchte sie?
masculine	Dieser Herr heißt Schmidt.	Diesen Wein trinke ich gern.
feminine	Diese Toilette ist besetzt.	Diese Tasche nehme ich mit.
neuter	Dieses Hotel ist neu.	Wir gehen in dieses Café.
plural	Diese Passagiere schlafen.	Ich nehme immer diese Tabletten.
masculine	Jeder Platz ist besetzt.	Er kennt jeden Mann in der Firma.
feminine	Jede Sekretärin braucht eine Schreibmaschine.	Er ruft jede Firma an.
neuter	Jedes Kind geht in die Schule.	Wir brauchen jedes Zimmer im Hotel.

	dative	genitive
masculine	Mit welchem Zug fahren Sie?	Das ist der Platz welches Passagiers?
feminine	Bei welcher Firma arbeiten Sie?	Das ist das Gepäck welcher Dame?
neuter	In welchem Restaurant ißt er?	Das ist das Buch welches Kindes?
plural	Zu welchen Freunden gehen Sie?	Das sind die Plätze welcher Gäste?
masculine	Ich bin mit diesem Apparat zufrieden.	Das ist der Name dieses Mannes.
feminine	Wir wollen etwas von dieser Stadt sehen.	Wo ist die Tasche dieser Dame?
neuter	Was ist unter diesem Zimmer?	Hier ist das Buch dieses Kindes.
plural	Ich schicke es diesen Herren.	Haben Sie die Pässe dieser Gäste?
masculine	Sie gibt jedem Herrn ein Programm	Ich habe die Nummer jedes Wagens.
feminine	Er kann zu jeder Zeit kommen.	Hier finden Sie den Namen jeder Straße.
neuter	Sie können es in jedem Reisebüro erledigen.	Sie hat den Schlüssel jedes Büros.

79 *Expressions of time*

		accusative	dative
1 Wann fahren Sie weg?		Nächste Woche. Nächsten Monat. Nächstes Jahr. Nächsten Montag.	Am Montag. Am ersten März. Am Nachmittag. Im Juli.
2 Wie lange bleiben Sie dort?		Eine Stunde. Anderthalb Stunden. Einen Tag. Den ganzen Tag. Eine Woche. Einen Monat. Ein Jahr. Bis nächsten Dienstag. Bis nächste Woche.	Bis zum vierten April. Bis zum dritten August.
3 Wann kommen Sie züruck?			In einer Stunde. In einem Tag. In einem Monat.

	pres. tense		dative case
4 Wie lange	sind Sie	schon hier?	Ich bin seit einer Woche hier.
Wie lange	arbeiten Sie	schon in Frankfurt?	Ich arbeite seit einem Monat in Frankfurt.
Seit wann	wohnen Sie	schon in Deutschland?	Ich wohne seit einem Jahr in Deutschland.

			or accusative case
			Ich bin schon eine Woche hier.
			Ich arbeite schon einen Monat in Frankfurt.
			Ich wohne schon ein Jahr in Deutschland.

80 **Die Tage**   **Die Monate**   **Die Jahreszeiten**

Die Tage	Die Monate		Die Jahreszeiten
Sonntag Montag Dienstag Mittwoch Donnerstag Freitag Samstag/Sonnabend (am Sonntag usw.)	Januar Februar März April Mai Juni	Juli August September Oktober November Dezember (im Januar usw.)	der Sommer der Herbst der Winter der Frühling (im Sommer usw.)

Feiertage

der fünfundzwanzigste Dezember	— Weihnachten (n)	– zu Weihnachten
im März oder im April	— Ostern (n)	– zu Ostern
im Mai oder im Juni	— Pfingsten (n)	– zu Pfingsten
im Mai oder Juni	— Himmelfahrt (f) (Ascension Day)	
im Juni	— Fronleichnam (m) (Corpus Christi)	
im März oder April	— Karfreitag (m) (Good Friday)	
der erste November	— Aller Heiligen (mpl) (All Saints)	

81 Prepositions 'über' and 'unter'

	accusative		dative
Er geht über	die Straße.	Sie fliegen	über den Wolken.
Sie sprechen über	das Wetter.	Die Maschine fliegt	über der Stadt.
Stellen Sie es unter	den Sitz.	Das Tonbandgerät ist	unter dem Sitz.

82 Adjective endings with articles, possessive adjectives and 'kein'

nom.	Der andere Koffer gehört mir.	Hier ist ein anderer Koffer.
acc.	Ich habe den anderen Koffer.	Ich habe einen anderen Koffer.
dat.	Es ist im anderen Koffer.	Es ist in einem anderen Koffer.
gen.	Das ist der Schlüssel des anderen Koffers.	Das ist der Schlüssel eines anderen Koffers.
nom.	Die neue Tasche gehört mir.	Hier ist meine neue Tasche.
acc.	Ich habe die neue Tasche.	Ich habe meine neue Tasche.
dat.	Es ist in der neuen Tasche.	Es ist in meiner neuen Tasche.
gen.	Das ist der Schlüssel der neuen Tasche.	Das ist der Schlüssel meiner neuen Tasche.
nom.	Das ist das alte Buch.	Das ist kein altes Buch.
acc.	Ich habe das alte Buch.	Ich habe sein altes Buch.
dat.	Es ist im alten Buch.	Es ist in Ihrem alten Buch.
gen.	Das ist der Titel des alten Buches.	Das ist der Titel ihres alten Buches.
nom.	Das sind die zollfreien Sachen.	Das sind zollfreie Sachen.
acc.	Ich habe die zollfreien Sachen.	Ich habe zollfreie Sachen.
dat.	Die Zigaretten sind unter den zollfreien Sachen.	Die Zigaretten sind unter zollfreien Sachen.
gen.	Das sind die Preise der zollfreien Sachen.	Das sind die Preise zollfreier Sachen.

83 Nominal adjectives

	masculine	feminine
nom.	der Angestellte/ein Angestellter	die Angestellte/eine Angestellte
acc.	den Angestellten/einen Angestellten	die Angestellte/eine Angestellte
dat.	dem Angestellten/einem Angestellten	der Angestellten/einer Angestellten
gen.	des Angestellten/eines Angestellten	der Angestellten/einer Angestellten

	plural	neuter
nom.	die Angestellten/Angestellte	das Beste/mein Bestes
acc.	die Angestellten/Angestellte	das Beste/mein Bestes
dat.	den Angestellten/Angestellten	dem Besten/meinem Besten
gen.	der Angestellten/Angestellter	des Besten/meines Besten

84 Prepositions always followed by accusative case

bis	Wir bleiben	bis nächsten Mittwoch.	
durch	Wir gehen	durch den Markt.	
	Wir können	durch eine Preisermäßigung	mehr verkaufen.
für	Danke schön	für den Stadtplan.	
gegen	Was haben Sie	gegen dieses Programm?	
	Haben Sie etwas	gegen diese Kopfschmerzen?	
	Der Direktor ist	gegen unseren Plan.	
ohne	Sie dürfen	ohne einen Flugschein	nicht an Bord gehen.
um	Es geht	um das Programm.	
	Sie müssen	um die Ecke (*corner*)	gehen.

85 'zu' (always followed by dative)

for	Wir haben einige Geschenke,	zum Beispiel	Bücher, Schallplatten . . .
for/to	Wir sind	zum Abendessen	bei Königs eingeladen.
for/to	Möchten Sie etwas	zum Lesen	mitnehmen?
at	Sie können	zu jeder Zeit	kommen.

86 Comparison of adjectives

	masculine	feminine	neuter	plural
	der gute Plan	die schöne Tasche	das große Buch	die langen Mäntel
comparative	der bessere Plan	die schönere Tasche	das größere Buch	die längeren Mäntel
superlative	der beste Plan	die schönste Tasche	das größte Buch	die längsten Mäntel
	ein guter Plan	eine schöne Tasche	ein **großes** Buch	
comparative	ein besserer Plan	eine schönere Tasche	ein größeres Buch	

87 Comparison of adverbs, adjectives used predicatively

	Maria sieht schön aus.	Hans schläft lang.
comparative	Gerda sieht schöner aus.	Kurt schläft länger.
superlative	Hedwig sieht am schönsten aus.	Peter schläft am längsten.
	Dieses Haus wird groß.	Dieter und Wolf arbeiten gut.
comparative	Dieses Haus wird größer.	Maria und Gerda arbeiten besser.
superlative	Dieses Haus wird am größten.	Peter und Hedwig arbeiten am besten.

88 Comparison of adjectives (cont.)

Gerda ist schöner als Maria.	Der zweite Flug ist länger als der erste.
Hedwig ist (nicht) so schön wie Maria.	Der dritte Flug ist (nicht) so lang wie der erste.

89 Noch

else	*yet*	*more*	*another*
Was noch?	noch nicht	noch einmal	noch ein Bier
Was will er noch sehen?		noch zwei Tage	noch einen Tee

90 Subordinating conjunctions

daß	Es gefällt ihm.
	Ich weiß, daß es ihm gefällt.
	Ich weiß, daß es ihm gefallen wird.
	Sie fährt heute weg.
	Ich bin sicher, daß sie heute wegfährt.
	Ich bin sicher, daß sie heute wegfahren muß.
wenn	Sie haben Zeit.
	Wir gehen, wenn Sie Zeit haben.
	Wenn Sie Zeit haben, gehen wir.
	Sie kommen um 11 Uhr an.
	Wir holen Sie ab, wenn Sie um 11 Uhr ankommen.
	Wenn Sie um 11 Uhr ankommen wollen, holen wir Sie ab.

91 Indirect questions

	direct questions	*indirect questions*
was?	Was hat er im Koffer?	Er fragt, was er im Koffer hat.
wo?	Wo wohnt er?	Ich weiß nicht, wo er wohnt.
wie?	Wie kann er das machen?	Ich bin nicht sicher, wie er das machen kann.
wann?	Wann kommt der Zug an?	Ich frage den Beamten, wann der Zug ankommt.
wann?	Wann wird er frei sein?	Ich weiß nicht, wann er frei sein wird.
warum?	Warum darf er hier nicht parken?	Fragen Sie, warum er hier nicht parken darf.
wieviel?	Wieviele Zigaretten darf ich mitnehmen?	Die Stewardeß sagt Ihnen, wieviele Zigaretten Sie mitnehmen dürfen.
welcher?	Welcher Koffer gehört ihm?	Der Zollbeamte fragt, welcher Koffer ihm gehört.
ob	Serviert sie uns eine Erfrischung?	Fragen Sie, ob sie uns eine Erfrischung serviert.
ob	Kann er die Flugscheine hier lösen?	Er fragt, ob er die Flugscheine hier lösen kann.

92 Formation of noun plurals

add −en or −n most feminine nouns	no change	add ¨	add −e
die Zeitung die Tasche die Sekretärin(nen) der Herr der Direktor der Franzose der Kollege der Name der Kunde der Student der Schmerz der Junge das Bett das Hemd	das Zimmer das Päckchen das Mädchen das Fenster das Theater der Wagen der Schlüssel der Leiter der Vertreter der Artikel der Koffer der Aschenbecher	der Mantel der Vater der Bruder der Hafen die Tochter die Mutter	der Tag der Apparat der Schuh der Preis das Werk das Geschäft das Gerät das Flugzeug das Getränk das Paket

add ¨e	add −er	add ¨er	add −s
der Gast der Kühlschrank der Platz der Hut der Reisepaß der Anzug der Flug der Gang der Plan die Hand die Nacht die Stadt	das Kleid das Kind	das Buch das Band das Glas der Mann	das Auto das Kino das Café das Hotel das Büro das Restaurant der Park

IN DER STADT

Dialog

Mr Blake is looking for a post-office and is directed by a passer-by to the main post-office in the Zeil, going via the Hauptwache, hub of the city traffic and commerce. As it is only ten minutes' walk, there is no need to take a tram.

1.	PASSANT	Sind Sie fremd hier? Kann ich Ihnen helfen?
2.	MR BLAKE	Ach, entschuldigen Sie bitte, gibt es ein Postamt hier in der Nähe?
3.	PASSANT	Das nächste Postamt ist das Hauptpostamt in der Zeil, glaube ich. Das ist die fünfte Straße rechts, nicht weit von der Hauptwache. Wissen Sie, wo das ist?
4.	MR BLAKE	Nein, ich kenne mich hier nicht aus. Wie komme ich am besten dorthin?
5.	PASSANT	Gehen Sie geradeaus. Sie können sich nicht verirren. Sehen Sie die Verkehrsampeln dort?
6.	MR BLAKE	Ja, an der Straßenecke.
7.	PASSANT	Das ist die Berliner Straße. Gehen Sie über die Berliner Straße und dann immer geradeaus bis zur Hauptwache.
8.	MR BLAKE	Also, immer geradeaus bis zur Hauptwache. Und dann?
9.	PASSANT	Dann gehen Sie nach rechts. Das Postamt ist auf der linken Seite. Sie müssen also über die Straße gehen.
10.	MR BLAKE	Wie weit ist es? Soll ich mit der Straßenbahn fahren?
11.	PASSANT	Nein, es ist nicht weit. Nur etwa zehn Minuten zu laufen.
12.	MR BLAKE	Danke vielmals für die Auskunft.

Mr Blake wants to take a 23 tram to the main line station. He needs some help from a lady at the stop in checking the route. When he asks the conductor to let him know when to get off, he is told that all stops are called out (through a loudspeaker).

(Eine Stunde später)

13.	MR BLAKE	Entschuldigen Sie bitte, ist das die Haltestelle für die 23?
14.	PASSANTIN	Ja. Aber Sie haben Pech. Die 23 ist eben weg.
15.	MR BLAKE	Sie fährt zum Hauptbahnhof, nicht wahr?
16.	PASSANTIN	Ich bin nicht sicher. Sehen Sie mal auf dem Fahrplan nach!
17.	MR BLAKE	Ich finde mich nicht zurecht. Ich bin fremd hier.
18.	PASSANTIN	Warten Sie mal, ich helfe Ihnen. Ja, die fährt zum Hauptbahnhof, das ist richtig.
19.	MR BLAKE	Wann fährt die nächste?
20.	PASSANTIN	Um 11 Uhr 28. Da kommt sie schon ...

(Mr Blake steigt ein)

21.	MR BLAKE	Einmal Hauptbahnhof, bitte.
22.	SCHAFFNER	60 Pf.
23.	MR BLAKE	Können Sie mir bitte sagen, wo ich aussteigen muß?
24.	SCHAFFNER	Wir rufen alle Haltestellen aus. Eschenheimer Tor! Vorne aussteigen, bitte.

Did you know?

Most trams nowadays have no conductor. Tickets are obtained from 'Automaten' – dispensing machines at tram stops – and inserted for stamping by the passenger once on the tram. Inspection is frequent and fines for attempted free travel are severe.

1. **Common expressions used in giving directions**

am besten means 'in the best way' and is used idiomatically:

> Wie komme ich am besten dorthin? *What is the best way to get there?*
> Am besten gehen Sie hier rechts. *You'd be best to go right here.*

You can form other phrases like this very easily, using **am** plus an adverb with the suffix **sten**, e.g.

> Wie komme ich am schnellsten zur Haupt- *What's the quickest way to the Haupt-*
> wache? *wache?*

dorthin means 'to that place'; **dort**: 'there' or 'in that place'

hin as a suffix or a separable prefix to a verb (hingehen) indicates motion.

wo? *where?* **wohin**? *where to?*

entlang *along*, is usually placed after the noun, which is always in the accusative case.

> Er geht **den** hohen Weg **entlang.**

> **gegenüber** *opposite* (These prepositions describing location require the
> **neben** *next to, beside* dative case although **neben** requires the accusa-
> tive case when movement is involved.)
>
> Die Kirche ist **gegenüber dem** Postamt.
> Das Hotel ist **neben der** Kirche.

nächst is used here as an adjective meaning nearest or next in a series:

> Das **nächste** Postamt ist in der Zeil.
> Die **nächste** Straßenbahn fährt in fünf Minuten.

nach has a variety of meanings:

a. nach Deutschland, nach Frankfurt, nach Hause, nach links, nach rechts, nach oben, nach unten – all indicate motion towards a place or a certain direction.

b. nach (meaning after)
nach dem Frühstück, nach der Landung, nach der Sitzung

c. nach as a separable prefix (*nachsehen*)
Sehen Sie auf dem Fahrplan nach!

d. nach as part of the verb phrase:
Fragen Sie nach dem Weg! *Ask (about) the way!*

2. **Adjectives [continued]**

Revise Unit 12, page 129.

After the definite article (der, das, die) or any word which follows the same pattern (e.g. dieser, welcher?), adjectives end either in **e** or **en**. You have seen (Section 2, Unit 12) that the ending is **e** in the nominative singular in all genders. *Die* und *das* do not change in the accusative, and neither does the adjective, so the ending in those cases is also **e**. In all other cases in the singular and plural, the ending is **en**. These are known as 'weak' adjective endings.

	accusative
masculine	Haben Sie den neuen Fahrplan?
neuter	Ich gehe in das nächste Postamt.
feminine	Nehmen Sie diese kleine Straße links.
	dative
masculine	Ich kaufe immer im neuen Kaufhof ein.
neuter	Wir essen in diesem kleinen Restaurant.
feminine	Das Hotel ist auf der linken Seite.
	genitive

masculine	Was ist die Nummer des neuen Kaufhofs?
neuter	Das ist der Parkplatz des neuen Hotels.
feminine	Wissen Sie den Namen der neuen Sekretärin?
plural	
nominative	Die neuen Straßenbahnen sind fantastisch.
accusative	Ich bringe Ihnen die neuen Fahrpläne.
dative	In diesen modernen Hotels sind viele Zimmer mit Bädern.
genitive	Haben Sie eine Liste der besten Restaurants?

Fragen

1. Ist Mr Blake fremd in Frankfurt?
2. Kennt Mr Blake Frankfurt?
3. Wer will Mr Blake helfen?
4. Fragt Mr Blake, ob es einen Bahnhof in der Nähe gibt?
5. Wen fragt Mr Blake, wo es ein Postamt gibt?
6. Wo ist das nächste Postamt?
7. Es ist doch nicht das Hauptpostamt, oder ... ?
8. Ist die Zeil die dritte Straße rechts?
9. Ist die Zeil die fünfte Straße links?
10. Welche Straße ist die Zeil?
11. Die Zeil ist weit von der Hauptwache, nicht wahr?
12. Wo ist die Zeil?
13. Weiß Mr Blake, wo die Hauptwache ist?
14. Warum weiß Mr Blake nicht, wo die Hauptwache ist?
15. Was fragt Mr Blake den Passanten?
16. Geht Mr Blake zuerst nach links, nach rechts oder geradeaus?
17. Kann man sich leicht verirren?
18. Ist die Hauptwache schwer zu finden?
19. Sieht Mr Blake die Verkehrsampeln?
20. Wo sind die Verkehrsampeln?
21. Über welche Straße muß Mr Blake gehen?
22. Wie geht er von der Berliner Straße zur Hauptwache?
23. Und dann?
24. Auf welcher Seite ist das Postamt?
25. Muß Mr Blake nicht über die Straße gehen?

26. Ist es weit?
27. Warum fährt Mr Blake nicht mit der Straßenbahn?
28. Wieviele Minuten geht man zum Postamt?
29. Wofür dankt Mr Blake?
30. Wem dankt Mr Blake für die Auskunft?
31. Sucht Mr Blake die Haltestelle für die 13?
32. Was sucht er denn?
33. Warum hat Mr Blake Pech?
34. Wohin möchte Mr Blake fahren?
35. Weiß die Passantin, ob die 23 zum Hauptbahnhof fährt?
36. Wo soll Mr Blake nachsehen?
37. Was soll er tun?
38. Findet er sich zurecht?
39. Warum findet er sich nicht zurecht?
40. Wer hilft ihm?
41. Die 23 fährt zum Hauptbahnhof, nicht wahr?
42. Wann fährt die nächste?
43. Muß Mr Blake lange warten?
44. Was fragt der Schaffner?
45. Ist jemand zugestiegen?
46. Was macht Mr Blake jetzt?
47. Was sagt Mr Blake?
48. Was bezahlt Mr Blake?
49. Was soll der Schaffner Mr Blake sagen?
50. Was macht der Schaffner?
51. Wie heißt die nächste Haltestelle?
52. Muß man vorne oder hinten aussteigen?

Erweiterung

Der Plan ist von der Hauptwache und ihrer Umgebung.

An der Hauptwache

1. Mr Blake kommt aus dem Postamt und geht nach rechts.
   Er kommt bald wieder zur Hauptwache.
2. An der Straßenecke ist der Kaufhof. Er geht in den Kaufhof, um Geschenke zu kaufen.
   Er kommt aus dem Kaufhof
3. und geht bei den Verkehrsampeln über die Straße.
4. Er geht ins Tabakgeschäft und kauft Benzin für sein Feuerzeug.
5. Dann geht er noch einmal über die Straße
6. zum Café an der Hauptwache. Er geht ins Café und trinkt eine Tasse Kaffee.
   Er kommt aus dem Café,
7. sieht einen Briefkasten zu seiner Linken und wirft ein paar Karten ein.
8. Dem Café gegenüber ist die Katharinenkirche. Er entschließt sich, sie zu besichtigen.
9. Um zehn nach elf kommt er aus der Kirche und geht nach rechts.
   Er hat Zeit, einen Spaziergang zu machen.

Fragen

1. Wo ist das Postamt?
   In welcher Richtung geht Mr Blake?
2. Wo ist der Kaufhof?
   Wohin geht Mr Blake?
   Wozu geht er in den Kaufhof?
3. Wo geht er über die Straße?
   Wo sind die Verkehrsampeln?
4. Wohin geht Mr Blake?
   Wo ist das Tabakgeschäft?
   Was kauft Mr Blake im Tabakgeschäft?
5. Wohin geht er dann?

6. In welches Café geht er?
   Was macht er im Café?
7. Was sieht er, wenn er aus dem Café kommt?
   Wo ist der Briefkasten?
   Was macht er dann?
8. Wo ist die Katharinenkirche?
   Was entschließt sich Mr Blake zu tun?
   Um wieviel Uhr kommt er aus der Kirche?
9. In welcher Richtung geht er, wenn er aus der Kirche kommt?
   Was will er jetzt tun?
   Kann er jetzt einen Spaziergang machen?

1 Ich bin fremd hier.
So, kann ich Ihnen helfen?
Er ist fremd hier.
So, kann ich ihm helfen?
Sie ist fremd hier.
Herr Blake und Herr Jones sind fremd hier.
Wir sind fremd hier.
Unser Freund ist fremd hier.
Die Sekretärinnen sind fremd hier.
Meine Tochter ist fremd hier.

2 Gibt es ein Postamt hier in der Nähe?
Ja, das nächste Postamt ist nicht weit von hier.
Gibt es eine Schule hier in der Nähe?
Ja, die nächste Schule ist nicht weit von hier.
Gibt es einen Flughafen hier in der Nähe?
Gibt es eine Bank hier in der Nähe?
Gibt es ein Hotel hier in der Nähe?
Gibt es einen Bahnhof hier in der Nähe?
Gibt es ein Theater hier in der Nähe?
Gibt es einen Betrieb hier in der Nähe?

3 Ist das Hotel in der Nähe des Bahnhofs?
Ja, es ist nicht weit vom Bahnhof.
Ist die Messe in der Nähe der Endstation?
Ja, sie ist nicht weit von der Endstation.
Ist der Betrieb in der Nähe des Büros?
Ist die Kirche in der Nähe des Hotels?
Ist das Büro in der Nähe seiner Wohnung?
Ist das Hotel in der Nähe des Flughafens?
Ist das Haus in der Nähe der Universität?
Ist das Restaurant in der Nähe des Betriebs?

4 Wissen Sie, wo das Rathaus ist?
Nein, ich kenne mich hier nicht aus.
Weiß Herr Huber, wo der Bahnhof ist?
Nein, er kennt sich hier nicht aus.
Wissen die Herren, wo unser Betrieb ist?
Weiß die Sekretärin, wo die Haltestelle ist?
Meine Herren, wissen Sie, wo die Handelskammer ist?
Weiß der Passagier, wo der Wartesaal ist?
Wissen Herr König und Herr Schneider, wo der Flughafen ist?
Weiß das Fräulein, wo die Toilette ist?

5 Wo muß ich aussteigen?
Können Sie mir bitte sagen, wo ich aussteigen muß?
Wo darf ich parken?
Können Sie mir bitte sagen, wo ich parken darf?
Wo kann ich Blumen kaufen?
Wo soll ich arbeiten?
Wo kann ich billig essen?
Wo darf ich eine Zigarette rauchen?
Wo muß ich auf Herrn König warten?
Wo kann ich meine Reiseschecks einwechseln?

6 Der Chauffeur muß zum Flughafen.
So, und wie kommt er am besten dorthin?
Sie müssen jetzt ins Büro, Mr Blake.
So, und wie komme ich am besten dorthin?
Meine Herren, Sie müssen gleich auf die Bank.
Die Sekretärin muß gleich in den Betrieb.
Ich muß gleich zum Bahnhof.
Frau König muß gleich in die Stadt.
Unser Direktor muß sofort in die Schweiz.
Herr und Frau Dietz müssen sofort nach Hause.

7 Der Fremde findet sich nicht zurecht.
Hilft ihm denn niemand?
Die neue Sekretärin findet sich nicht zurecht.
Hilft ihr denn niemand?
Unsere Gäste finden sich nicht zurecht.
Dieser Tourist findet sich nicht zurecht.
Die neue Studentin findet sich nicht zurecht.
Ich finde mich nicht zurecht.
Wir finden uns nicht zurecht.
Meine Eltern finden sich nicht zurecht.

8 Das Postamt liegt in der Nähe des Büros.
Wenn man aus dem Postamt kommt, befindet sich das Büro gleich in der Nähe.
Die Kirche liegt in der Nähe des Paulsplatzes.
Wenn man aus der Kirche kommt, befindet sich der Paulsplatz gleich in der Nähe.
Das Theater liegt in der Nähe des Hotels.
Der Kaufhof liegt in der Nähe der Hauptwache.
Die Bank liegt in der Nähe der Universität.
Der Bahnhof liegt in der Nähe des Restaurants.
Das Tabakgeschäft liegt in der Nähe des Kinos.
Die Handelskammer liegt in der Nähe des Rathauses.

9 Wie macht man das?
Sagen Sie mir bitte, wie man das macht.
Wie heißt Ihre Tochter?
Sagen Sie mir bitte, wie Ihre Tochter heißt.
Wie schreibt man Ihren Namen?
Wie fühlen Sie sich jetzt?
Wie kann ich mich heute noch ausruhen?
Wie komme ich am besten zur Hauptwache?
Wie verbringt man in England den Sonntag?
Wie kann ich am dritten März schon wieder in Zürich sein?

10 Fräulein Becker ist unsere Chefsekretärin.
Geben Sie ihr die Briefe.
Geben Sie Fräulein Becker, unserer Chef-
sekretärin, die Briefe.
Mittwoch ist der vierte April. An dem Tag
kann ich nicht kommen.
Am Mittwoch, dem vierten April, kann ich
nicht kommen.
Herr Dietz ist unser Chefingenieur.
Gehen Sie mit ihm in den Betrieb.
Der Römer ist das alte Rathaus. Der Dom
steht in der Nähe davon.
Der Exportleiter ist ein Freund von mir. Ich
fliege mit ihm nach London.
Die Hauptwache ist das Verkehrszentrum
Frankfurts. Wir sind jetzt dort.
Diese Tür ist der Haupteingang des Hotels.
Ich treffe Sie davor.
Die Gäste sind auch unsere Kunden.
Zeigen Sie ihnen unser Programm.

11 Warum geht Mr Blake in die Kirche?
Er entschließt sich, sie zu besichtigen.
Warum geht Frau Schmidt in den Kaufhof?
Sie entschließt sich, Geschenke zu kaufen.
Warum gehen die Herren den Kai entlang?
Warum geht Mr Blake ins Café?
Warum geht Mr Blake ins Tabakgeschäft?
Warum fragt Mr Blake, wie er zum Römer
kommt?
Warum setzt sich Mr Blake auf eine Bank?
Warum fragt Mr Blake, wie er zum Haupt-
bahnhof fährt?

Frankfurt am Main – Die Stadtmitte

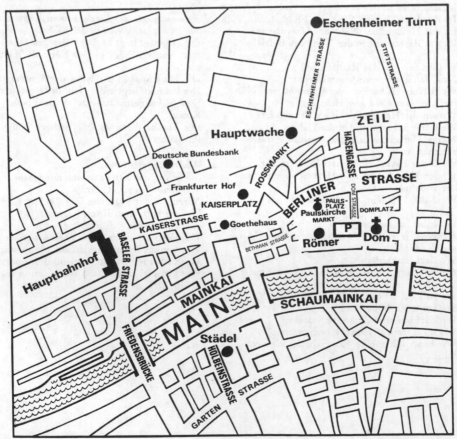

A *Anhand des Planes beantworten Sie die Fragen. Geben Sie so klare Anweisungen wie Sie können.*

1. Wo ist die Hauptwache?
2. Wo ist die Katharinenkirche?
3. Wo ist der Roßmarkt?
4. Wo ist der Eschenheimer Turm?
5. Wo ist das Goethehaus?
6. Wo ist der Domplatz?
7. Wo ist die Deutsche Bundesbank?
8. Wo ist der Hauptbahnhof?

B *Unter Zuhilfenahme des Planes führen Sie Gespräche in Paaren. Der erste Student fragt nach dem Weg, und der zweite gibt genaue Anweisungen, die der erste wiederholt. Vergessen Sie nicht zu fragen, wie weit es ist, und ob Sie mit der Straßenbahn fahren sollen. Diese Übung können Sie auch mit Sehenswürdigkeiten in Ihrer eigenen Stadt machen.*

1. Von der Zeil zum Dom.
2. Vom Dom zum Römerberg.
3. Vom Römer zur Paulskirche.
4. Vom Hauptbahnhof zum Städel.
5. Vom Hauptbahnhof zum Römer.
6. Vom Städel zur Hauptwache.
7. Von der Deutschen Bundesbank zum Kaiserplatz.
8. Vom Goethehaus zum Eschenheimer Turm.

C *Mr Blake macht einen Rundgang durch die Stadt. Anhand des Planes und dieser Wahrzeichen beschreiben Sie genau, wo er hingeht und geben Sie die Namen der Straßen und der Sehenswürdigkeiten an, an denen er vorbeikommt.*

Hauptbahnhof – Kaiserstraße – Roßmarkt – Hauptwache – Eschenheimer Straße – Eschenheimer Turm – Stiftstraße – Zeil – Hasengasse – Domstraße – Domplatz – Markt – Römer – Paulsplatz – Berliner Straße – Bethmannstraße – Kaiserplatz – Kaiserstraße – Hauptbahnhof.

Schriftliche Aufgaben

1. Select from the right-hand column the most appropriate endings for the following unfinished sentences:

1 Fräulein Kretschmer kennt sich	in der Brockesstraße besuchen.
2 Man kann sich dort	nach dem Weg fragen.
3 Sie muß ziemlich oft	bis zum Hamburger Rathaus.
4 Zuerst sucht sie das Hauptpostamt,	wo sie eine Tasse Kaffee trinkt.
5 Dann möchte sie das Museum für Kunst	sehr leicht verirren.
	wo es viele Geschäfte gibt.
6 Nach einer Stunde im Museum geht sie in ein Café,	in Hamburg nicht aus.
	wo sie ein paar Karten einsteckt.
7 Im Café fragt sie	und fährt zum Hotel zurück.
8 Man schickt sie in die Mönckeberg-straße,	nach dem Geschäftszentrum.
	und entschließt sich, sie zu besichtigen.
9 In der Mönckebergstraße sieht sie die Petrikirche	
10 Dann geht sie die Mönckebergstraße entlang	
11 Dort steigt sie in die Straßenbahn ein	

2. When Frau Moser phones Mr Blake to tell him how to get to a party which they are giving, Mr Blake is not in and a secretary takes the details. Write out the message, using the following outline as a guide:

Mosers' address:	Hanau, Hochstädter Landstraße 21 (Hanau – ca. 20 km from Frankfurt)
Best route from Frankfurt to Hanau:	train from main station trains leave every 20 mins.
Hanau station to Mosers:	No. 2 bus to Freiheitsplatz No. 3 bus to Hochstädter Landstraße (ask conductor/driver) stop after Beethovenplatz

AUF DER POST

Dialog

Mr Blake is in the post-office, buying stamps. He finds there are two different rates for postcards. He is directed to a different counter to post his parcel.

1.	DER BEAMTE	Was kann ich für Sie tun?
2.	MR BLAKE	Zwei Briefmarken zu 40 Pf. Was ist das Porto für Karten ins Ausland?
3.	DER BEAMTE	20 Pf.
4.	MR BLAKE	Also, noch zwei 20 Pf. Marken, bitte. Nein – nicht drei! Zwei habe ich gesagt.
5.	DER BEAMTE	Entschuldigung! Ich habe nicht richtig gehört. Zwo zu zwanzig ist vierzig und zwo zu vierzig ist achtzig. Das macht zusammen 1.20 DM, bitte. Der Briefkasten ist da drüben. Sonst noch etwas?
6.	MR BLAKE	Ja, ich möchte auch dieses Paket ...
7.	DER BEAMTE	Ja, Pakete am nächsten Schalter, bitte.

His parcel is going to England and he has to fill in a customs declaration. He gratefully accepts the clerk's offer of help.

8.	MR BLAKE	Ich möchte dieses Paket nach England schicken.
9.	DER BEAMTE	Da müssen Sie eine Zollerklärung ausfüllen. Hier ist ein Formular.
10.	MR BLAKE	Ach Gott, das sieht aber kompliziert aus!
11.	DER BEAMTE	Für einen Ausländer ist es vielleicht nicht ganz einfach. Kann ich Ihnen irgendwie helfen?
12.	MR BLAKE	Ja, bitte; ich wäre sehr dankbar. Wieviel wiegt das Paket, bitte?
13.	DER BEAMTE	Genau 1.20 kg .... Fertig?
14.	MR BLAKE	Ja, hoffentlich habe ich es richtig gemacht.
15.	DER BEAMTE	Ja, es ist schon richtig. 3.40 DM, bitte.

He presents his completed telegram form at another counter. The clerk complains that it is not clearly written.

16.	MR BLAKE	Kann ich hier ein Telegramm aufgeben?
17.	DER BEAMTE	Haben Sie das Formular schon ausgefüllt?
18.	MR BLAKE	Ja, hier ist mein Telegrammformular. Ist es in Ordnung?
19.	DER BEAMTE	Sie haben nicht sehr deutlich geschrieben. Dieses Wort kann ich gar nicht lesen.
20.	MR BLAKE	Verzeihung! Ich schreibe es noch einmal. Ist es nun gut so?
21.	DER BEAMTE	Ja. Das sind 15 Wörter. 2.20 DM, bitte.
22.	MR BLAKE	Wann wird der Empfänger das Telegramm haben?
23.	DER BEAMTE	Es braucht von hier nach London etwa drei Stunden.
24.	MR BLAKE	Danke schön.

Grammar Summary

1. The perfect tense

a. *Formation*

The perfect tense is a very frequently used past tense in spoken German. Like the perfect tense in English, it consists of two parts – some form of **haben** (although there are exceptions), plus what is known as the *past participle* of the verb in question:

Ich **habe** ein Telegramm **geschickt**.	*I (have) sent a telegram.*
Ich **habe** einen Plan **gemacht**.	*I('ve) made a plan.*
Haben Sie mich nicht **gehört**?	*Haven't you heard me?*
	Didn't you hear me?
Haben Sie das Formular **ausgefüllt**?	*Have you filled in the form?*
	Did you fill in the form?

It is, as you see, a very easy tense to form with one class of verbs (referred to as weak verbs). The German past participle is formed by replacing the **en** of the infinitive by **t** and adding the prefix **ge**, thus:

    schicken – (schick) – **ge**schick**t**
    machen – (mach) – **ge**mach**t**
    hören – (hör) – **ge**hör**t**

If the verb is separable, insert the **ge** after the separable prefix:

    ausfüllen – (ausfüll) – aus**ge**füll**t**

In the Expansion section (page 170), you will find that verbs with an infinitive ending in **-ieren** (e.g. telephonieren, reservieren) and verbs with prefixes which are inseparable from the verb stem (e.g. bezahlen, erklären) have no **ge** in the past participle:

    Er hat mit Herrn Schneider telephoniert.

    Wer hat das Bier bezahlt?

The past participles of verbs belonging to the class called 'strong' verbs are formed differently and will be introduced later. There is, however, one example in the dialogue, *geschrieben*, just to show you that there are two types, as in English. Compare:

to play – played	spielen	– **ge**spiel**t**
to write – written	schreiben	– **ge**schr**ieben**

There are more examples of the perfect tense of weak verbs in the grammar section of Unit 16 (page 190).

b. *Word order*

You are sure to have noticed a vital point about the word order in the sentences above, namely that the past participle is placed at the end.

c. *Usage*

In speech, when you want to refer to events in the past, you can nearly always use the perfect tense, although German usage varies according to region. Note that if an English version does not contain has/have, it can still be rendered by the perfect tense in German:

Ich habe Karten gekauft:	*I've bought tickets.*
	I bought tickets.

d. *Question forms*

	What have you done?
Was haben Sie gemacht?	*What did you do?*
	What have you been doing?

2. Imperfect tense of sein, haben and modal verbs

In the case of these very common verbs, the imperfect tense is more frequent than the perfect. The imperfect corresponds to the simple past tense in English, i.e. no auxiliary verb (see Unit 16, page 000).

	sein	haben	wollen	müssen	können
ich, er, sie, es	war	hatte	wollte	mußte	konnte
wir, Sie, sie	waren	hatten	wollten	mußten	konnten

Fragen

1. Wo ist Mr Blake?
2. Was fragt ihn der Postbeamte?
3. Was will er kaufen?
4. Er will keine Briefmarken zu 40 Pf, oder?
5. Er will zwei Briefmarken zu 15 Pf., nicht?
6. Was möchte Mr Blake wissen?
7. Wieviele 20 Pf. Marken will Mr Blake kaufen?
8. Wieviele will ihm der Beamte geben?
9. Mr Blake hat drei gesagt, nicht wahr?
10. Wieviele hat er gemeint?
11. Warum wollte der Beamte Mr Blake drei Marken zu 20 Pf. geben?
12. Was kosten die vier Marken zusammen?
13. Was zeigt der Beamte Mr Blake?
14. Was fragt er ihn?
15. Möchte er auf der Post sonst noch etwas tun?
16. Wo kann er das tun?
17. Wohin möchte Mr Blake sein Paket schicken?
18. Was muß er ausfüllen?
19. Was macht der Beamte?
20. Was muß Mr Blake damit tun?
21. Was meint Mr Blake dazu?
22. Was will Mr Blake vom Beamten wissen?
23. Und wieviel wiegt es?
24. Was hofft Mr Blake?
25. Er hat es aber falsch gemacht, nicht?
26. Wieviel Geld will der Beamte von Mr Blake?
27. 3.40 DM ist der Preis der Briefmarken für die Karten, nicht wahr?
28. Was kostet das Paket Mr Blake?
29. Was will Mr Blake an diesem Schalter aufgeben?
30. Was fragt er den Beamten?
31. Was muß man tun, wenn man ein Telegramm schicken will?
32. Was will der Beamte wissen?
33. Was gibt Mr Blake dem Beamten?
34. Mr Blake fragt dann, wieviel das Telegramm kostet, nicht wahr?
35. Und ist es ganz in Ordnung?
36. Wie hat Mr Blake geschrieben?
37. Was kann der Beamte nicht tun?
38. Wieviele Wörter kann der Beamte nicht lesen?
39. Warum kann der Beamte nicht alles leicht lesen?
40. Was macht Mr Blake nun?
41. Ist der Beamte jetzt damit zufrieden?
42. Auf dem Formular sind 18 Wörter, nicht wahr?
43. Wieviel kostet das Telegramm?
44. Kostet das Telegramm mehr oder weniger als das Paket nach England?
45. Was will Mr Blake jetzt wissen?
46. Wohin schickt Mr Blake das Telegramm?
47. Wie lange braucht es dorthin?
48. Wem dankt Mr Blake?

Erweiterung Auf der Post

A Mr Blake

1. Mr Blake war heute im Postamt.
2. Er wollte Briefmarken kaufen.
3. Er hat zwo Briefmarken zu 40 Pf. und zwo Sondermarken zu 20 Pf. gekauft.
4. Er hat 1.20 DM bezahlt.
5. Dann hat er eine Karte an seine Tochter eingesteckt.
6. Um halb elf hat er mit Herrn Schneider telephoniert.

B Fräulein Schwarz

1. Fräulein Schwarz war gestern im Postamt.
2. Sie mußte ihrem Chef ein Telegramm schicken.
3. Sie hat ein Formular vom Tisch geholt und hat es ausgefüllt.
4. Sechzehn Wörter – das hat sie 2.30 DM gekostet.
5. Der Beamte konnte ein Wort nicht lesen.
6. Deshalb hat sie es buchstabiert.

C Herr und Frau Klein

1. Herr und Frau Klein waren vorige Woche im Postamt.
2. Sie wollten ihrem Sohn in Amerika ein Paket, ein Buch und einen Luftpostbrief schicken.
3. Der Postbeamte hat ihnen das Zollformular erklärt.
4. Sie haben das Buch als Drucksache geschickt; das ist billiger.
5. Das Porto für Luftpostbriefe hängt vom Gewicht ab.
   (Für diesen haben sie 1 DM bezahlt.)
6. Zuletzt hat Herr Klein einen Giroscheck eingezahlt.

Fragen

1. Wann war Mr Blake im Postamt?
2. Wann war Fräulein Schwarz im Postamt?
3. Wann waren Herr und Frau Klein im Postamt?
4. Was wollte Mr Blake tun?
5. Was mußte Fräulein Schwarz tun?
6. Was wollten Herr und Frau Klein tun?
7. Was für Briefmarken hat Mr Blake gekauft?
8. Woher hat Fräulein Schwarz das Formular geholt und was hat sie damit gemacht?
9. Was hat der Postbeamte Herrn und Frau Klein erklärt?
10. Was hat Mr Blake für seine Briefmarken bezahlt?
11. Wieviele Wörter waren auf Fräulein Schwarzens Telegramm?
12. Haben Herr und Frau Klein das Buch per Luftpost geschickt?
13. Was hat Mr Blake mit der Karte an seine Tochter gemacht?
14. Das Telegramm hat Fräulein Schwarz 3 DM gekostet, nicht wahr?
15. Was ist das Porto für Luftpostbriefe?
16. Was hat Mr Blake um halb elf gemacht?
17. Was mußte Fräulein Schwarz tun, als der Beamte ein Wort nicht lesen konnte?
18. Was hat Herr Klein zuletzt gemacht?

1   die Briefmarken
Was ist der Preis der Briefmarken?
der Koffer
Was ist der Preis des Koffers?
die Strümpfe
der Mantel
die Sportartikel
die Socken
der Kamm
die Zigaretten

2   Das Kleid da drüben ist sehr lang.
Ja, aber das hier ist noch länger als das da drüben.
Die Mäntel da drüben sind sehr teuer.
Ja, aber die hier sind noch teuer als die da drüben.
Die Schreibmaschine da drüben ist sehr billig.
Der Wagen da drüben ist sehr gut.
Das Haus da drüben ist sehr schön.
Der Student da drüben ist sehr schlecht.
Die Schuhe da drüben sind sehr modern.
Das Buch da drüben ist sehr interessant.

3   Ich habe das Formular schon ausgefüllt.
Bitte, füllen Sie es noch einmal aus.
Ich habe Ihnen das Formular schon erklärt.
Bitte, erklären Sie es mir noch einmal.
Ich habe die Wörter schon buchstabiert.
Ich habe die Anschrift schon geschrieben.
Ich habe es ihm schon gesagt.
Ich habe Ihnen den Brief kasten schon gezeigt.
Ich habe das Laboratorium schon besichtigt.
Ich habe diesen Koffer schon kontrolliert.

4   Mr Blake kauft heute Briefmarken.
Er hat auch gestern Briefmarken gekauft.
Meine Sekretärin holt heute Geld von der Bank.
Sie hat auch gestern Geld von der Bank geholt.
Dieser Mantel kostet heute nur 100 DM.
Herr König schickt heute ein Paket an seinen Sohn.
Frau Schneider macht heute einen Spaziergang in der Stadt.
Herr Huber hat heute Kopfschmerzen.
Mein Chauffeur parkt heute vor dem Hauptbahnhof.
Der Chef frühstückt heute um 7.00 Uhr.

5   Sie müssen noch dieses Formular ausfüllen, Herr Schmidt.
Habe ich es denn noch nicht ausgefüllt?
Mr Blake und Herr Schneider müssen sich beim Portier anmelden.
Haben sie sich denn noch nicht beim Portier angemeldet?
Die Sekretärin muß noch unser Programm festlegen.
Wir müssen uns noch ausruhen, Frau Schneider.
Die Passagiere müssen sich noch festschnallen.
Fräulein Ackermann, Sie müssen noch meinen Brief einstecken.
Der Chauffeur muß noch Herrn König von der Messe abholen.

6   Wann werden Sie Herrn Schmidt das Programm erklären?
Ich habe es ihm schon erklärt.
Wann werden Sie mit Ihrer Frau telefonieren?
Ich habe schon mit ihr telefoniert.
Wann werden Sie den Chauffeur bezahlen?
Wann werden Herr Huber und Herr König das Laboratorium besichtigen?
Wann wird die Sekretärin die Briefe erledigen?
Wann wird Herr Schmidt unsere Plätze reservieren?
Wann wird der Zollbeamte meinen Koffer kontrollieren?

7   Herr König hat es vorige Woche gekauft.
Wann hat es Herr König gekauft?
Mr Blake hat sie im Lufthansabüro reserviert.
Wo hat sie Mr Blake reserviert?
Die Passagiere haben sich vor dem Abflug festgeschnallt.
Der Direktor hat ihn um 3 Uhr abgeholt.
Mr Blake hat sich in Frankfurt verirrt.
Der Polizist hat ihn an der Kreuzung gesucht.
Die Sekretärin hat sie in ihrem Büro erledigt.
Herr Huber hat sich nach der Konferenz beeilt.

8   Legt Herr Huber heute unser Programm fest?
Ich glaube, daß er es schon gestern festgelegt hat.
Entschuldigt sich der Chefingenieur heute beim Direktor?
Ich glaube, daß er sich schon gestern bei ihm entschuldigt hat.
Bestätigt die Sekretärin heute Ihren Flug nach Zürich?
Besichtigen Herr König und Mr Blake heute das Laboratorium?
Erledigt die Sekretärin heute meine Briefe?
Stellt Herr Huber heute dem Direktor seine Frau vor?
Wechselt Mr Blake heute seine Reiseschecks?
Meldet sich der Chauffeur heute bei Herrn Schmidt an?

9 Hat der Chauffeur Mr Blake schon abgeholt?
Ich weiß nicht, ob er ihn schon abgeholt hat.
Wann haben Herr König und Mr Blake unser
Laboratorium besichtigt?
Ich weiß nicht, wann sie es besichtigt haben.
Wann hat die Sekretärin mit dem Direktor
telephoniert?
Hat Mr Blake das Telegrammformular schon
ausgefüllt?
Haben sich die Passagiere schon fest-
geschnallt?
Hat Fräulein Ackermann die Post schon ein-
gesteckt?
Haben sich Herr und Frau Huber schon
verirrt?
Wann hat Herr Schmidt dieses Fenster auf-
gemacht?

10 Hat Herr König das Laboratorium schon
besichtigt?
Ich weiß nicht; er wollte es gestern besichtigen.
Haben Herr und Frau Klein ihrem Sohn das
Paket schon geschickt?
*Ich weiß nicht; sie wollten es ihm gestern
schicken.*
Hat Herr Huber unser Programm schon fest-
gelegt?
Haben Mr und Mrs Blake ihre Rechnung
schon bezahlt?
Haben Herr und Frau Schmidt ihren Flug
nach London schon reserviert?
Haben die Gäste ihre Reiseschecks schon
eingelöst?

11 Herr König und Herr Huber haben den
Betrieb besichtigt, nicht wahr?
Nein, leider konnten sie ihn nicht besichtigen.
Der Direktor hat der Sekretärin die Briefe
diktiert, nicht wahr?
Nein, leider konnte er sie ihr nicht diktieren.
Der Chauffeur hat Herrn Huber vom Bahn-
hof abgeholt, nicht wahr?
Die Gäste haben sich ausgeruht, nicht wahr?
Der Exportleiter und der Chefingenieur
haben unser Programm festgelegt, nicht
wahr?
Der Beamte hat Ihnen dieses Formular er-
klärt, nicht wahr?
Der Gast aus England hat seine Rechnung
bezahlt, nicht wahr?
Herr und Frau Schmidt haben ihren Rück-
flug nach Frankfurt bestätigt, nicht wahr?

12 Haben Sie auf die Schreibmaschine gewartet?
Nein, ich habe nicht darauf gewartet!
Haben Sie auf Herrn Schneider gewartet?
Nein, ich habe nicht auf ihn gewartet!
Haben Sie mit diesem Tonbandgerät ge-
arbeitet?
Haben Sie von diesem Wort gehört?
Haben Sie mit meiner Sekretärin gearbeitet?
Haben Sie sich für den Abflug festgeschnallt?
Haben Sie von Herrn Huber gehört?

Konversation

A *Sie sind in einem Café und Sie wollen Herrn Schneider anrufen, um eine Verabredung zum Mittagessen zu bestätigen. Sie wissen aber nicht, ob Sie vom Café telefonieren können. Sie rufen den Kellner.*

MR BLAKE

KELLNER   Selbstverständlich. Die Telefonzelle ist da drüben.

MR BLAKE

KELLNER   Ach so! Sie sind fremd hier? Keine Sorge, ich helfe Ihnen. Haben Sie Kleingeld?

MR BLAKE

KELLNER   Ein Ortsgespräch kostet 20 Pf. Es ist ja ein Ortsgespräch, oder?

MR BLAKE

KELLNER   Da brauchen Sie zwei Zehnpfennigstücke.

MR BLAKE

KELLNER   Wissen Sie die Nummer, oder müssen Sie im Telefonbuch nachsehen?

MR BLAKE

KELLNER   Werfen Sie die Münzen ein. Jetzt nehmen Sie den Hörer ab, jetzt wählen Sie die Nummer – 65 02 83

MR BLAKE

STIMME   Firma Breuer. Guten Tag!

MR BLAKE

STIMME   Kleinen Moment, bitte. Ich verbinde Sie mit der Verkaufsabteilung.

MR BLAKE

SEKRETÄRIN   Verkaufsabteilung, guten Tag!

MR BLAKE

SEKRETÄRIN   Oh, Mr Blake. Es tut mir sehr leid. Das ist im Moment schwierig. Er erwartet jeden Augenblick ein wichtiges Ferngespräch aus Zürich. Können Sie später noch einmal anrufen oder kann ich etwas ausrichten?

MR BLAKE

SEKRETÄRIN   Sie treffen ihn um eins im Restaurant. Ich sage es ihm, Mr Blake. Ist das alles, oder gibt es sonst noch etwas?

MR BLAKE

SEKRETÄRIN   Auf Wiederhören, Mr Blake.

MR BLAKE

KELLNER   Jetzt hängen Sie den Hörer wieder ein, und das ist alles. Sehen Sie, es ist ganz einfach.

MR BLAKE

KELLNER   Bitte schön. Nichts zu danken.

B *Sie sind Mr Blake in Frankfurt und Sie wollen ein gewöhnliches Telegramm nach Hamburg telefonisch aufgeben. Auf Seiten 176 und 177 sehen Sie ein deutsches Telegrammformular mit dem Text des Telegramms und den Anschriften des Absenders und des Empfängers darauf. Beantworten Sie die Fragen des Telefonfräuleins.*

TELEFONFRÄULEIN   Telegrammannahme, guten Tag!

MR BLAKE

TELEFONFRÄULEIN   Ihr Name und Ihre Telefonnummer, bitte.

MR BLAKE

TELEFONFRÄULEIN   Buchstabieren Sie den Namen, bitte.

MR BLAKE

TELEFONFRÄULEIN   Was ist der Name des Empfängers, bitte?

MR BLAKE

TELEFONFRÄULEIN   Der Bestimmungsort ist Basel, nicht?

MR BLAKE

TELEFONFRÄULEIN   Hamburg. Und die Anschrift in Hamburg?

MR BLAKE

TELEFONFRÄULEIN   Wie lautet der Text?

MR BLAKE

TELEFONFRÄULEIN   Wollen Sie das als Brieftelegramm oder als gewöhnliches Telegramm? Ein Brieftelegramm kommt mit der gewöhnlichen Post.

MR BLAKE

TELEFONFRÄULEIN   Ich wiederhole: Ankomme Samstag 6. Dietz verhindert. Bitte um Zimmerbestellung 6. bis 13. Brückmann benachrichtigen. Verabredung absagen. Rückdrahtet alles in Ordnung. Blake. Gewöhnlich. Stimmt das?

MR BLAKE

Übersetzung des Telegramms

ARRIVING SATURDAY 6TH. DIETZ DETAINED. REQUEST HOTEL BOOKING 6TH to 13TH. INFORM BRÜCKMANN. CANCEL APPOINTMENT. WIRE BACK IF EVERYTHING O.K. BLAKE

Telegramm

.... (Art)

aus ....

Deutsche Bundespost

Verzögerungsvermerk

| (Bezeichnung der Aufgabe-TSt) | | (Aufgabe-Nr.) | (Wortzahl) | (Aufgabetag) | (Uhrzeit) |

Via
(Leitweg)

(Vom Absender auszufüllen)

(Gebührenpflichtige Dienstvermerke)

Datum — **Uhrzeit**

Empfangen
Platz — **Namenszeichen**

(Name des Empfängers)

KELLERMANN

Empfangen von ....

(Straße, Hausnummer usw.)

FRIEDRICHSTRASSE 14

Datum — **Uhrzeit**

Gesendet
Platz — **Namenszeichen**

Leitvermerk

(Bestimmungsort—Bestimmungs-TSt)

HAMBURG

ANKOMME SAMSTAG 6. DIETZ VERHINDERT. BITTE UM
ZIMMERBESTELLUNG 6. BIS 13. BRÜCKMANN
BENACHRICHTIGEN. VERABREDUNG ABSAGEN.
RÜCKDRAHTET ALLES IN ORDNUNG

BLAKE

| | | (Absenderangaben umseitig) |

Hinweise des Annahmebeamten
(Ungenügende Anschrift, LT usw.)

AUF DIENSTSCHLUSS HINGEWIESEN

Wortgebühren .... DM .... Pf   Wörter geändert ....

Sonst. Gebühren .... DM .... Pf   Wörter gestrichen ....

Zusammen .... DM .... Pf   Wörter hinzugesetzt ....

Angenommen ....

IC 18

Die Deutsche Bundespost übernimmt für den Telegraphendienst keine Gewähr und haftet für keinerlei Schäden, die z. B. durch Unterlassung, Verlust, Verzögerung oder Fehler bei der Annahme, Übermittlung und Zustellung der Telegramme entstehen.

Bei der Aufgabe von Telegrammen ist folgendes zu beachten:

Gut leserlich schreiben,
möglichst Blockschrift anwenden
oder mit Schreibmaschine schreiben.

Den Empfänger in der Anschrift so genau bezeichnen, daß die Zustellung des Telegramms ohne weiteres möglich ist.

Straße und Hausnummer nicht vergessen.

Wenn die Nummer des Fernsprech- oder Fernschreibanschlusses in der Anschrift angegeben wird, kann das Telegramm schneller zugestellt werden.

Beispiele für Anschriften in Telegrammen:

Empfänger hat Fernsprechanschluß
=TF 711187=Hannemann Hamburg

Empfänger hat Telexanschluß
=TLX 523647=Huber München

Die Anschlußbezeichnungen sind in der Anschrift zwischen Doppelstriche zu setzen. Sie zählen ohne Rücksicht auf ihre Länge als 1 Gebührenwort.

Nachts zuzustellende Telegramme:

Hat das Bestimmungsamt Dienst,
so werden die nach 22 Uhr eingehenden Telegramme nur zugestellt, wenn sie in der Anschrift den Vermerk=nachts= oder=dringend=tragen.

Hat das Bestimmungsamt keinen Dienst mehr,
so kann das Telegramm nach einem anderen vom Absender zu bestimmenden Amt mit ununterbrochenem Dienst geleitet und von dort dem Empfänger durch Boten zugestellt werden.
Für diese Zustellung kann die Deutsche Bundespost aber keine Gewähr übernehmen.

Ich erkläre, daß der Text des umseitigen Brieftelegramms ganz in offener

deutscher Sprache abgefaßt ist.

R. W. Blake
(Unterschrift des Absenders)

Absenderangaben (werden nicht mittelegraphiert)

Name des Absenders: *BLAKE* Wohnort:: *FRANKFURT/M3*

Straße, Hausnr.:: *HOTEL EUROPA* Ortsnetz:: Rufnr.:: *33 24 56*

Verlangen Sie für Glückwunsch- und Beileidstelegramme Schmuckblattausfertigung (Sondergebühr 1,—DM)

1. Arrange the following sentences in the most appropriate order:

> 1 Das Telegramm hat sie an einen Geschäftsfreund ihres Chefs geschickt.
> 2 Mit dem Geld hat sie dann auf der Post zwei Briefmarken gekauft und ein Telegramm aufgegeben.
> 3 Sie hat also 11.10 DM bezahlt und konnte Herrn König 8.90 DM zurückgeben.
> 4 Fräulein Becker mußte gestern für Herrn König auf die Post gehen.
> 5 Die andere hat sie für eine Postkarte gebraucht (40 Pf.).
> 6 Zuerst mußte sie aber auf die Bank, um einen Scheck über 20 DM einzulösen.
> 7 Die 18 Wörter auf dem Telegramm haben 9.00 DM gekostet.
> 8 Die eine Briefmarke war für einen Luftpostbrief nach Kanada (1.70 DM).

2. Mr Blake decides to accept an open invitation from a business acquaintance to stay at his home in Berlin. As he has little experience of writing telegrams in German, he drafts a note which a secretary then converts into the telegram below. You compose the note which Mr Blake gave the secretary.

> ANKOMME FREITAG 19 UHR 22 TEGEL* MIT MRS BLAKE.BITTE ABHOLEN. SCHON SONNTAG 16 UHR 32 ZURUECK. GGF.†
> AUSFLUEGE POTSDAM UND OSTBERLIN BUCHEN. ESSEN IN RESTAURANTS! NOETIGENFALLS ANRUFEN 27 35 01.
> ROBERT BLAKE

* Tegel ist der Zivilflughafen für Westberlin.
† Ggf. = gegebenenfalls, wenn möglich.

Eine Einladung An Invitation

There are two listening passages, a reading passage and a grammar summary in this unit. This time there is no exercise in which you are asked to play a rôle, but the questions on the listening passages, especially the second one, demand careful listening for detail.

The first listening passage is a slightly emotional discussion between Herr and Frau Dietz about inviting the Blakes for dinner. Mrs Blake has now arrived in Frankfurt and will stay until her husband returns to London for good in three or four months. Frau Dietz raises several objections, but in the end they settle the date. Throughout this dialogue, you will notice a pronoun and verb form which you have not heard before. This familiar verb form, as it is called, is used only between people who have a very close relationship with one another, as for instance, members of the family, between all adults and all children until the children are about 14 or 15 years old and thirdly, in a derogatory sense, when one person wishes to indicate a certain disrespect for another. Being sometimes of rather subtle significance, its use has been avoided until now, as it can give offence when used loosely. Practically the only occasion when an English businessman would be required to use it would be in speaking to the children of a business colleague when invited to his home, which can happen quite frequently and would lead to embarrassment if the Englishman were not equipped to deal with the situation. In this unit you are given a foretaste of it, before having to learn the form actively later in the course. The more carefully you listen for these forms now, the easier your task will be later. The pronouns *du*, *dir* and *dich* are normally written with a small 'd', but in letters they are written with a capital, i.e. *Du*, *Dir* and *Dich*.

The second listening passage is the conversation at the dinner-party planned in the first one. Here again, we are trying to prepare you for the major grammatical feature in the next active units– the perfect tense of verbs other than the weak ones (which you learned in Unit 15). This is not easy, and will be mastered only gradually, but there is some consolation in the fact that you are used to this in English, whether you are aware of it or not. One says 'I walk' and 'I have walked', but 'I sing' and 'I have sung'.

The reading passage deals with Mrs Blake's first day in Frankfurt, about which you will already have heard something in the second listening passage. Although she does not attempt anything very ambitious, she runs into some difficulty in the simplest things, which, of course, provides the opportunity of supplying you with some basic information which you are bound to need. The passage also includes a few aspects of living and working in Germany which differ from English ways and which an English visitor would encounter almost immediately on arrival in Germany.

You may find the grammar summary somewhat repetitive, but in a course of this type one cannot always deal exhaustively with an aspect of grammar neatly collected and disposed of (in grammar book style) in one frame, as the structures have to be studied as they arise in natural speech, and although every attempt has been made to do so, connected patterns cannot always be completely covered in one or two units. In any event, some revision of this type will be all to the good, as memory is seldom perfect.

Die Planung einer Einladung

HERR DIETZ	Wir müssen Blakes einmal zu uns einladen, weißt du? Mr Blake war schon so oft bei Königs und Schneiders und noch nie bei uns.
FRAU DIETZ	Schon wieder ein Abendessen? Wir hatten doch die Königs erst vorige Woche bei uns. Du weißt ja, ich bin nicht sehr für große Gesellschaften, aber wenn du meinst ...
HERR DIETZ	Habe ich etwas von einer großen Gesellschaft gesagt? Ein kleines Abendessen habe ich im Sinn, nur Herrn Blake und seine Frau. Kennst du Mr Blake?
FRAU DIETZ	Nein, ich kenne ihn nicht.
HERR DIETZ	Er und seine Frau sind sehr nett, sie werden dir gefallen. Sie sind fremd hier und kennen nur wenige Leute.
FRAU DIETZ	Aber du weißt doch, daß ich nur wenig Englisch spreche. Wie soll ich mich denn mit den Gästen unterhalten?
HERR DIETZ	Mach dir darüber keine Sorgen! Du wirst sehen, Mr Blake spricht sehr gut Deutsch und auch seine Frau kann sich verständlich machen.
FRAU DIETZ	Was hältst du davon, wenn wir noch jemanden dazu einladen, vielleicht deinen Bruder und seine Frau?
HERR DIETZ	Du weißt doch, daß mein Bruder momentan in Frankreich ist.
FRAU DIETZ	Ach, entschuldige, das habe ich vergessen. Wann willst du denn diese kleine Gesellschaft geben? Du fährst doch morgen auf drei Tage nach Paris.
HERR DIETZ	So bald wie möglich. Was hältst du von Samstag in einer Woche?
FRAU DIETZ	Samstag in einer Woche? Das geht nicht. Da hast du deinen Kegelabend.
HERR DIETZ	Das macht nichts, den kann ich einmal versäumen.
FRAU DIETZ	So? Immer, wenn ich dich bitte, mit mir ins Kino zu gehen, kannst du ihn nie versäumen.
HERR DIETZ	Sag das doch nicht, das ist doch nicht wahr. Also, bist du mit dem Datum einverstanden?
FRAU DIETZ	Ja, Samstag ist mir immer lieber als ein Abend mitten in der Woche.
HERR DIETZ	Ja, mir auch. Ich muß früh ins Büro und auch du mußt wegen der Kinder früh aufstehen.
FRAU DIETZ	Ach, die Kinder. Sollen wir ihnen erlauben, bei dem Abendessen dabeizusein? Was meinst du?
HERR DIETZ	Ich glaube, sie sind dafür noch zu jung. Vielleicht gelingt es dir, meine Schwester zu überreden, sie für eine Nacht zu sich zu nehmen.
FRAU DIETZ	Das ist eine gute Idee von dir. – Was soll ich kochen? Kannst du mir einen Vorschlag machen?
HERR DIETZ	Koche etwas Einfaches. Die Blakes essen so oft im Restaurant, daß sie sich sicher nach richtiger Hausmannskost sehnen. Ich überlasse die Wahl dir, dir wird schon etwas einfallen.
FRAU DIETZ	Ja, mir fällt sicher etwas ein. Was soll ich denn anziehen?
HERR DIETZ	Meine Güte, du hast doch den ganzen Schrank voller Kleider. Zieh dein schwarzes Kleid an.
FRAU DIETZ	Findest du das noch hübsch? Das ist doch schon so alt.
HERR DIETZ	Es ist noch immer sehr hübsch, du kannst mir glauben. Wenn du willst, kannst du dir ein Paar neue Schuhe kaufen.

FRAU DIETZ	Danke vielmals, das ist sehr großzügig von dir. Wirst du die Blakes einladen oder soll ich das tun?
HERR DIETZ	Ich werde es Mr Blake sagen, wenn ich ihn im Büro treffe. Es wäre aber nett, wenn du Mrs Blake anrufen könntest.
FRAU DIETZ	Kannst du mir die Nummer geben?
HERR DIETZ	Laß mich einmal nachschauen. Ja, da habe ich sie: 66–22–31.
FRAU DIETZ	Danke, ich rufe morgen an. Wann, glaubst du, ist die beste Zeit?
HERR DIETZ	So um zehn Uhr früh, glaube ich.
FRAU DIETZ	Gut. Und vergiß nicht, es Mr Blake zu sagen.
HERR DIETZ	Sicher nicht. Und jetzt stell den Fernsehapparat an, bitte. Um neun Uhr gibt es ein interessantes Programm.

Questions

1. Why do Herr and Frau Dietz have to invite the Blakes?
2. Who were their guests only last week?
3. Does Frau Dietz like big parties?
4. Do the Blakes know a lot of people?
5. Why can't Herr Dietz's brother come to the dinner?
6. What is Frau Dietz worried about?
7. How long is Herr Dietz going to stay in Paris?
8. Why does Frau Dietz have to get up early during the week?
9. What happens usually on a Saturday evening?
10. Can the children join their parents for the dinner?
11. Where might they stay for the night?
12. What is Frau Dietz going to cook?
13. Why would Mr and Mrs Blake not like an elaborate meal?
14. Why doesn't Frau Dietz like her black dress any more?
15. What does Herr Dietz think about it?
16. What may she buy for the occasion?
17. When is Mr Blake going to be given this invitation?
18. What is Frau Dietz going to do about it?

Besuch bei Familie Dietz

HERR DIETZ	Liebling, darf ich dir unseren Mr Blake vorstellen?
FRAU DIETZ	Guten Abend, Mr Blake! Wie nett, daß Sie einmal zu uns kommen!
MR BLAKE	Es freut mich sehr, Sie kennenzulernen, Frau Dietz.
HERR DIETZ	Die Damen haben sich schon am Telefon kennengelernt, nicht wahr?
FRAU DIETZ	Ja, ich habe Mrs Blake angerufen aber noch nicht gesehen. Es ist wirklich eine Freude, Sie beide endlich bei uns zu empfangen.
MRS BLAKE	Ich habe Ihnen ein paar Blumen mitgebracht, Frau Dietz.
FRAU DIETZ	Das war wirklich nicht nötig, aber es ist sehr nett von Ihnen. Ich hole gleich eine Vase und dann trinken wir einen Apéritif vor dem Essen.
HERR DIETZ	Ja, ich habe extra für Sie daran gedacht. Ich weiß, es ist bei Ihnen Sitte, ein Glas Sherry oder Martini oder einen Cocktail vor dem Essen zu trinken. Was darf ich Ihnen anbieten, Mrs Blake?
MRS BLAKE	Ich nehme gern einen Martini, bitte.
MR BLAKE	Für mich auch, bitte.
HERR DIETZ	So! Sie sind wieder gut in Frankfurt angekommen, Mr Blake. Wie war denn diesmal die Reise?
MR BLAKE	Die Reise nach London war ganz angenehm, aber die Rückreise war kein reines Vergnügen.
MRS BLAKE	Ja, wir sind mit dem Wagen gefahren und das war sehr anstrengend.
MR BLAKE	Ja, wir wollten den Wagen hier haben, sonst wäre es auch gar nicht nötig gewesen, meine Frau von London abzuholen. Sie hätte nach Frankfurt fliegen können und ich hätte sie bloß vom Flughafen abgeholt.
FRAU DIETZ	Ja, aber es ist sehr praktisch, den Wagen hier zu haben. Es paßt mir ganz und gar nicht, immer zu Fuß gehen zu müssen, wenn mein Mann mit dem Wagen verreist ist.
MRS BLAKE	Wo sind denn Ihre Kinder, Frau Dietz?
FRAU DIETZ	Sie sind für eine Nacht zu meiner Schwägerin gegangen, Gott sei Dank! Haben Sie schon von Ihren Kindern gehört?
MR BLAKE	Ja, wir haben einen kurzen Brief bekommen. Sie sind im Internat und sie scheinen bisher dort ganz glücklich zu sein. Hoffentlich wird es so bleiben. Sie sind neulich in Paris gewesen, Herr Dietz. Wie hat es Ihnen gefallen?
HERR DIETZ	Paris ist im Frühling immer schön. Aber wenn man geschäftlich dort ist, hat man nicht viel Zeit, sich zu amüsieren. Komischerweise war mein Bruder zu der Zeit auch dort und wir haben uns getroffen. Er wohnt übrigens nicht weit von Frankfurt aber er ist so oft auf Reisen, daß wir uns selten sehen. Wie hat Ihnen Ihr Aufenthalt in Zürich gefallen?
MR BLAKE	Ich habe alles sehr interessant gefunden. Herr Huber ist sehr nett gewesen. Er hat uns schöne Zimmer in einem erstklassigen Hotel reserviert und hat uns ein sehr interessantes Programm aufgestellt. Ich wünschte nur, wir hätten Zeit gehabt, etwas mehr von Zürich zu sehen.
FRAU DIETZ	Aber Sie werden sicher noch Gelegenheit haben, die Sehenswürdigkeiten von Zürich zu betrachten. So, jetzt wollen wir aber zu Tisch gehen, sonst wird das Essen nicht mehr gut sein. Mrs Blake, würden Sie sich bitte hierher setzen, und Sie hierhin, Mr Blake. Helmut, du kannst die Weinflasche aufmachen, bitte.
HERR DIETZ	Sie sind jetzt schon ziemlich lange in Frankfurt, Mr Blake. Finden Sie sich schon zurecht hier?

MR BLAKE	Ja, ich habe mich schon gut hier eingelebt und kenne mich jetzt viel besser aus. Ich muß sagen, ich bin froh, daß ich nun auch den Wagen hier habe. Man ist unabhängiger. Ich muß nur sehr vorsichtig sein, denn ich bin nicht gewohnt, rechts zu fahren.
FRAU DIETZ	Und wie gefällt es Ihnen hier, Mrs Blake?
MRS BLAKE	Es gefällt mir ganz gut. Ich habe nur noch nicht viel Zeit gehabt, mich an den etwas anderen Lebensstil zu gewöhnen. Ich komme den Leuten wohl sehr dumm vor. Ich habe nicht einmal gewußt, wie ein deutscher Briefkasten aussieht oder wie man von einer Telefonzelle aus ein Ortsgespräch macht.
HERR DIETZ	Ach, diese Dinge braucht man nur einmal zu machen, dann weiß man Bescheid. Machen Sie sich keine Sorgen, Sie werden sicher sehr schnell lernen. Wann beziehen Sie Ihre Wohnung?
MR BLAKE	Das ist ein wunder Punkt. Wir haben noch keine passende Wohnung gefunden. Das ist ja meistens ein Problem.
FRAU DIETZ	Es ist in allen Großstädten gleich. Schöne Wohnungen sind nicht nur schwer zu finden, sondern auch wahnsinnig teuer.
HERR DIETZ	Muß die Wohnung in der Nähe vom Büro sein?
MR BLAKE	Lieber nicht! Das wäre ein bißchen zu weit vom Stadtzentrum.
MRS BLAKE	Aber wir wollen auch nicht direkt im Stadtzentrum sein. Ich wohne lieber in einer ruhigen Gegend.
FRAU DIETZ	Wollen Sie eine große oder eine kleine Wohnung?
MRS BLAKE	Nicht zu groß. Hier habe ich keine – wie nennt man eine Frau, die das Haus oder die Wohnung sauber macht?
FRAU DIETZ	Meinen Sie eine Putzfrau?
MRS BLAKE	Ja. Hier habe ich keine Putzfrau und ich will nicht die ganze Zeit mit Saubermachen verbringen. Ein Wohnzimmer und zwei Schlafzimmer, ein großes und ein kleines – das wäre ideal. Aber ich wäre auch mit einem Schlafzimmer zufrieden.
FRAU DIETZ	Die Wohnung muß auch natürlich möbliert sein und das ist eine andere Schwierigkeit. Man vermietet nur selten möbliert hier. Aber hoffentlich finden Sie bald etwas Passendes.
MR BLAKE	Alle Kollegen sind so freundlich gewesen. Wir haben so viele nette Einladungen bekommen und können uns für diese Gastfreundschaft nicht revanchieren.
HERR DIETZ	Machen Sie sich darum keine Sorgen. Wir haben alle volles Verständnis. Und wenn Sie eine Wohnung gefunden haben, können Sie jeden Abend eine Gesellschaft geben und die verlorene Zeit nachholen.
FRAU DIETZ	Helmut, sei doch nicht so unverschämt! Deinen Sinn für Humor versteht nicht jeder. Sie müssen ihn entschuldigen, Mrs Blake. Noch ein Glas Wein?
MRS BLAKE	Danke. Ich habe schon genug getrunken.
FRAU DIETZ	Mr Blake?
MR BLAKE	Ja, bitte. Ich trinke gern noch ein Gläschen. Ans Weintrinken gewöhne ich mich sehr schnell.

Questions

1. How did Mrs Blake and Frau Dietz first make each other's acquaintance?
2. What has Mrs Blake brought for Frau Dietz?
3. What does Frau Dietz say they will do before dinner?
4. Why has Herr Dietz had to make special preparations for this?
5. Where has Mr Blake been recently?
6. What were the two journeys like?
7. How was the return journey made?
8. What was the purpose of the journey?
9. What could Mrs Blake have done as an alternative?
10. What does Frau Dietz dislike having to do when her husband is away?
11. Where are the Dietzes' children?
12. Where are the Blakes' children?
13. What news is there from them?
14. Where has Herr Dietz been recently?
15. What does he have to say that is favourable about the visit?
16. And unfavourable?
17. Where does Herr Dietz's brother live?
18. Why don't they see more of each other?
19. How did Mr Blake enjoy his trip to Zürich?
20. What was his one complaint?
21. How is Mr Blake settling down in Frankfurt?
22. Why does he feel more independent now?
23. What does he say about driving in Germany?
24. How is Mrs Blake adapting herself to German ways?
25. What examples does she give of ways in which she thinks she must seem a fool to people?
26. Have the Blakes found a suitable flat yet?
27. What does Frau Dietz have to say about the housing problem?
28. Describe with as much detail as you can what kind of flat the Blakes want and where they would like it to be situated.
29. What other reason does Mr Blake mention for wishing to find a flat as soon as possible?
30. What does Herr Dietz say they can do when they have found one?
31. What is his wife's reaction to this comment?
32. What German custom is Mr Blake taking to very quickly?

Mr und Mrs Blake sind in Frankfurt angekommen. Die Reise von England hierher war sehr anstrengend, weil sie nicht mit dem Flugzeug gekommen sind. Sie sind mit dem Wagen gefahren, weil sie ihn nicht in England lassen wollten. Deshalb dauerte die Fahrt sehr lange. Mrs Blake ist nun allein im Hotelzimmer. Sie sind noch im Hotel, weil sie noch keine passende Wohnung gefunden haben. Mr Blake hat heute sehr früh aufstehen müssen. Er war sehr überrascht, als man ihm sagte, daß die Arbeit in Deutschland eine Stunde früher beginnt als in England. Man kann zwar früher nach Hause gehen, aber das ist kein Trost, wenn man nicht gewohnt ist, früh aufzustehen.

Mr und Mrs Blake haben sich ihr Frühstück auf ihr Zimmer bestellt, und sie haben festgestellt, daß der Tee in Deutschland anders schmeckt als in England. Der Kellner hat sich sehr gewundert, daß man Schinken und Spiegeleier zum Frühstück essen kann.

Mrs Blake ist nun fertig und will spazierengehen. Sie hat etwas Angst, denn sie kann nicht sehr gut Deutsch, und das bißchen, das sie am Radio gelernt hat, hat sie fast vergessen. „Mach dir keine Sorgen, das lernst du schnell wieder", hat ihr Mann gesagt. Aber sie hat es ihm nicht ganz geglaubt.

Um neun Uhr geht Mrs Blake aus dem Hotel, und wie sie ihren Mann um zwölf Uhr zum Mittagessen trifft, ist sie total erschöpft. Warum ist sie nach drei Stunden total erschöpft? Während des Mittagessens erzählt sie es ihrem Mann.

Auf dem Hotelzimmer hat sie zuerst noch schnell eine Karte an ihre Kinder geschrieben, und dann wollte sie Briefmarken kaufen. An das deutsche Wort „Post" hat sie sich erinnert und auch an das Wort „Briefmarken". Eine Stunde lang hat sie nach einem Postamt gesucht. Endlich hat sie eines gefunden. Der Beamte am Schalter hat ihr gesagt, daß man in Deutschland manchmal auch in Schreibwarenhandlungen Briefmarken kaufen kann, aber nur wenn man dort Ansichtskarten gekauft hat. Mr Blake hat es sehr komisch gefunden, daß seine Frau eine Stunde lang durch Frankfurt gegangen ist, nur um ein paar Briefmarken zu kaufen. Aber sie hat nicht lachen können. Direkt gegenüber von ihrem Hotel ist eine große Schreibwarenhandlung.

Auch nach einem Briefkasten hat sie suchen müssen – denn sie hat nicht gewußt, daß die Briefkästen in Deutschland gelb sind und an Häuserwänden angebracht sind. "Warum hast du mir nicht gesagt, wie Briefkästen hier aussehen?" hat sie ihren Mann gefragt. Und der hat geantwortet: „Entschuldige, ich habe nicht daran gedacht."

Dann hat sich Mrs Blake in ein Kaffeehaus gesetzt und eine große Tasse Kaffee getrunken. Sie hat gefunden, daß der Kaffee in Deutschland viel besser schmeckt als der Tee, und sie hat sich entschlossen, von heute an nur noch Kaffee zum Frühstück zu trinken.

Auch in diesem Kaffeehaus hat sie lange warten müssen. Immer wieder hat sie gerufen: „Bitte, zahlen!" und der Kellner ist nie gekommen. Sie ist sehr ungeduldig geworden und ist aufgestanden. Dann hat sie endlich zahlen können.

Dann hat sie gesehen, daß es schon halb zwölf war. Sie mußte ihren Mann anrufen. Sie hat nach kurzer Zeit eine Telefonzelle gefunden, aber die ist nicht frei gewesen. Eine alte Dame war darin. Endlich hat sie die Zelle verlassen und Mrs Blake hat hineingehen können – und hat die Gebrauchsanweisungen nicht verstehen können! . . .

Da hat sie eine sehr gute Idee gehabt. Sie ist wieder in ein Kaffeehaus gegangen und hat einen Kellner gebeten, ihr zu zeigen, wie man in einer Telefonzelle telefoniert. Er war sehr freundlich und hat ihr alles genau erklärt. Aber Mrs Blake hat die falsche Nummer gehabt. Mr Blake hat nicht gewußt, daß man sie geändert hat. Zweimal hat sie gewählt und beide Male hat sie die Antwort bekommen: „Bedaure, Sie sind falsch verbunden!" Der Kellner hat ihr ein Telefonbuch gebracht und die richtige Nummer für sie herausgesucht. Mr Blake ist nicht frei gewesen, aber eine Sekretärin hat ihm ausgerichtet, daß seine Frau um 12 Uhr im Schloßrestaurant sein wird.

Nach dieser Schilderung hat Mr Blake sehr gut verstanden, warum seine Frau so erschöpft zum Mittagessen gekommen ist. Sie hat nur noch einen Wunsch gehabt: zurück ins Hotel. Mr Blake hat ihr ein Taxi bestellt.

Questions

1. Why was the Blakes' journey to Germany very exhausting?
2. Why have they not moved into a flat?
3. What time does work start in Germany?
4. Was Mr Blake surprised?
5. What have they discovered during breakfast?
6. Why was the waiter surprised?
7. Does Mrs Blake speak fluent German?
8. What did she look for for one hour?
9. Why did she want to go to a post-office?
10. Where else can one buy stamps in Germany and under what circumstances?
11. Why was she not as amused about her search as her husband was?
12. What do post-boxes in Germany look like?
13. Why did Mr Blake not tell her what they looked like?
14. What does she think about coffee in Germany?
15. Why did she spend such a long time in the coffee-shop?
16. Why could she not enter the telephone-booth she found?
17. Why could she not use the telephone?
18. Did she have the right number for her husband's office?
19. Where did she find it?
20. Who helped her to telephone?
21. What message did Mrs Blake leave for her husband?
22. How did she get back to the hotel?

93 *Prepositions + accusative or dative*

	accusative			dative	
in					
Er geht	ins	Büro.	Herr König ist	in seinem	Büro.
Wir fahren	in die	Stadt.	Sie sitzen	in der	Straßenbahn.
Der Direktor geht	in den	Betrieb.	Mein Mann arbeitet	im	Garten.
auf					
Ich muß	aufs Zimmer	hinaufgehen.	Ich habe das Konzert	auf dem	Tonband.
Mr Blake geht	auf die	Bank.	Die Herren sind	auf der	Messe.
Er fährt	auf den	Parkplatz.	Der Wagen bleibt	auf dem	Parkplatz.
an					
Ich gehe	an die	Haltestelle.	Viele Leute warten	an der	Haltestelle.
Er geht	ans	Fenster.	Mr Blake steht	am	Fenster.
Sie setzt sich	an den	Tisch.	Er sitzt schon	am	Tisch.
neben					
Er fährt	neben das	Hotel.	Das Geschäft ist	neben dem	Hotel.
Stellen Sie die Lampe	neben den	Stuhl.	Die Lampe steht	neben dem	Stuhl.
Stellen Sie den Koffer	neben die	Tür.	Der Koffer steht	neben der	Tür.
vor (place)					
Stellen Sie das Gepäck	vor den	Eingang.	Das Gepäck steht	vor dem	Eingang.
Bringen Sie den Wagen	vor das	Café.	Der Wagen steht	vor dem	Café.
vor (time)					
			Ich sehe Sie	vor der	Konferenz.
			Kommen Sie	vor dem	Mittagessen.
über					
Er geht	über die	Brücke.	Das Flugzeug fliegt	über dem	Turm.
unter					
Bringen Sie den Brief	unter das	Licht.	Die Taschen sind	unter dem	Tisch.
hinter					
Sie geht	hinter den	Tisch.	Sie steht	hinter dem	Tisch.

94 Prepositions 'entlang' and 'gegenüber'

accusative			dative		
Er geht	den Kai	entlang.	Die Bank ist	der Kirche	gegenüber.
Er geht	die Straße	entlang.	Die Bank ist	dem Postamt	gegenüber.
Er geht	das Ufer	entlang.	Die Bank ist	dem Betrieb	gegenüber.

95 'Da' + preposition

Ich warte auf meine Frau. ⎫
Ich warte auf sie.   ⎬
Ich warte auf diesen Brief. ⎫
Ich warte darauf.   ⎬

Ich arbeite mit diesem Herrn. ⎫
Ich arbeite mit ihm.   ⎬
Ich arbeite mit diesem Tonbandgerät. ⎫
Ich arbeite damit.   ⎬

Also dazu, danach, dafür, daran, dadurch, darin, darüber, darunter, daneben, dahinter.

96 Preposition 'nach'

motion towards		after		
Er fährt heute	nach Hamburg.	Sie dürfen	nach dem Abflug	rauchen.
Er fährt heute	nach Frankreich.	Kommen Sie	nach der Konferenz	ins Büro.
Er fährt jetzt	nach Hause.		*as part of verb* (*about*)	
Gehen Sie	nach links.			
Gehen Sie	nach rechts.			
Kommen Sie	nach oben.	Fragen Sie	nach dem Preis.	
Kommen Sie	nach unten.	Ich muß mich	danach	erkundigen.

97 Adverbs 'vorn' and 'hinten'

Ich steige **vorn** ein.
Ich steige hinten ein.
Ich sitze **vorn**.
Ich sitze hinten.

98 Translation of 'where', 'there' and 'here'

wo?	Wo wohnen Sie? In Eschersheim. Ich fahre dorthin.
wohin?	Wohin fahren Sie? Nach Eschersheim. Ich wohne dort.
woher?	Woher kommen Sie? *Or*: Wo kommen Sie her? Aus England.
woher?	
(*from what source*)	Woher wissen Sie das? Von der Fahrt hierher.

99 'noch' = even

viel	wenig	teuer
mehr	weniger	teurer
noch mehr	noch weniger	noch teurer

100 Use of 'nicht mehr' for English 'won't'

Beeilen Sie sich zu Ihrer Verabredung,
sonst wird Ihr Kollege nicht mehr da sein.

101 'Was für' (uninflected)

Was für ein Wagen ist dieser?
Was für einen Wagen haben Sie?
Was für Wagen verkaufen Sie?

102 Helfen, wissen, lesen

Ich helfe Ihnen.	Ich weiß es.	Ich lese dieses Buch.
Er hilft mir.	Er weiß es nicht.	Er liest die Zeitung.

103 Some impersonal constructions

Das sind 15 Wörter.
Es sind noch Plätze frei.
Es waren viele Leute da.
Es braucht von hier nach London etwa drei Stunden.
Es dauert nicht mehr lange.

Es gibt ein Café an der Straßenecke.
Es gibt viele schöne Geschäfte hier.
Es gibt noch viel zu tun.

104 Nouns and adjectives formed from names of towns

Ich bin Berliner.
Sie ist Berlinerin.

Gehen Sie die Hamburger Straße entlang.
Ich besuche die Frankfurter Handelskammer.

105 Inseparable prefix 'ent-'

Ich entschließe mich, sie zu besuchen.
Er muß sich jetzt entschließen.
Es ist nicht möglich, mich jetzt zu entschließen.

106 Commands in the infinitive
(mostly public notices)

Vorn aussteigen!
Nicht rauchen!
Langsam fahren!

107 Nouns in apposition

Das ist Herr Wolf, ein Freund von mir.
Ich treffe Herrn Wolf, einen Freund von mir.
Wir helfen Herrn Wolf, einem Freund von uns.

108 Kosten + 2 accusatives

Der Mantel hat ihn 200 DM gekostet.
Dieser Entschluß hat ihn sein Leben gekostet.
Ihre schlechte Arbeit hat sie ihre Stellung gekostet.

109 When (when, whenever)

when ⎧ Wenn Sie zur Berliner Straße kommen, gehen Sie nach links.
⎩ Wenn man ein Telegramm schicken will, muß man ein Formular ausfüllen.

whenever ⎧ Wenn ich Kopfschmerzen habe, nehme ich immer zwei Tabletten.
⎩ Wenn ich in die Stadt will, fahre ich immer mit der Straßenbahn.

110 Word order

Was zeigt der Beamte Mr Blake?	
Was zeigt er	Mr Blake?
Was zeigt er	ihm?
Was zeigt ihm	der Beamte?

111 Imperfect tense of wollen, können, müssen

present	Ich will Briefmarken kaufen.
imperfect	Ich wollte Briefmarken kaufen.
present	Er kann ein Wort nicht lesen.
imperfect	Er konnte ein Wort nicht lesen.
present	Sie müssen ihm ein Telegramm schicken.
imperfect	Sie mußten ihm ein Telegramm schicken.

112 Imperfect tense of 'sein'

present	Ich bin heute im Büro.
imperfect	Ich war gestern in Stuttgart.
present	Er ist heute abend bei mir eingeladen.
imperfect	Er war gestern abend bei Königs eingeladen.
present	Wir sind heute zu Hause.
imperfect	Wir waren gestern bei Schneiders.
present	Sie sind diese Woche hier.
imperfect	Sie waren vorige Woche weg.

113 Perfect tense of weak verbs (most widely used past tense in spoken German)

	past participle	infinitive
Ich habe zwei Briefmarken zu 40 Pf.	gekauft.	kaufen
Er hat seinem Sohn ein Paket	geschickt.	schicken
Wir haben mit Herrn Schneider	telephoniert.	telephonieren
Haben Sie den Namen nicht	buchstabiert?	buchstabieren
Sie haben 1 DM für den Luftpostbrief	bezahlt.	bezahlen
Er hat alles für den Besuch nächste Woche	erledigt.	erledigen
Ich habe den Brief noch nicht	eingesteckt.	einstecken
Sie hat das Formular nicht richtig	ausgefüllt.	ausfüllen
Helfen Sie ihr! Sie hat sich wahrscheinlich	verirrt.	sich verirren
Er hat sich bei Herrn König sofort	entschuldigt.	sich entschuldigen

114 Perfect tense in dependent clauses and indirect questions

			past participle	auxiliary
Ich weiß,	daß	die Konferenz nur eine Stunde	gedauert	hat.
Ich weiß nicht,	wann	sie die Reservierung	gemacht	haben.
Ich verstehe nicht,	warum	er nicht	telephoniert	hat.
Der Zollbeamte ist nicht sicher,	ob	er diesen Koffer	kontrolliert	hat.
Es war sehr interessant,	wie	er die Sache	erklärt	hat.
Sie haben nicht gesagt,	wo	sie die Postanweisung	eingelöst	haben.
Wir gehen jetzt weiter,	wenn	sie sich	ausgeruht	haben.
Sagen Sie mir,	was	Sie	studiert	haben.

GUTEN APPETIT!

Dialog

Mr and Mrs Blake are lunching in a restaurant. With some help from the waiter, they decide on a main dish – Holsteiner Schnitzel – and vegetables.

1. KELLNER   Guten Tag, meine Herrschaften. Haben Sie schon gewählt?
2. MR BLAKE   Ja, wir haben etwas ausgesucht. Holsteiner Schnitzel ist Kalbfleisch, nicht wahr? Oder ist es Schweinefleisch?
3. KELLNER   Nein, es ist gebratenes Kalbfleisch mit Spiegelei, Sardellen und Kapern.
4. MR BLAKE   Das klingt sehr gut. Also Holsteiner Schnitzel für uns beide.
5. KELLNER   Hauptgericht – Holsteiner Schnitzel. Und was möchten Sie als Beilage?
6. MR BLAKE   Röstkartoffeln und gemischten Salat für mich, Pommes frites und grünen Salat für die Dame.

They take longer to decide on a starter as there is such a wide selection. The sweet is an easy choice – ice-cream. The waiter suggests a light white wine for Mr Blake and Mrs Blake chooses apple juice.

7. KELLNER   Und was darf ich als Vorspeise bringen?
8. MR BLAKE   Wir müssen mal überlegen. Die Auswahl ist sehr groß.
9. KELLNER   Das gefüllte Ei kann ich sehr empfehlen, es ist unsere Spezialität. Oder vielleicht eine Suppe?
10. MR BLAKE   Ein gefülltes Ei für die Dame, und ich nehme eine Ochsenschwanzsuppe.
11. KELLNER   Und als Nachtisch? Ein gemischtes Eis mit Sahne oder frisches Obst? Wir haben natürlich auch Käse.
12. MR BLAKE   Wir nehmen zweimal gemischtes Eis – ohne Sahne.
13. KELLNER   Bitte sehr. Die Getränkekarte bringe ich sofort ... Was möchten die Herrschaften trinken?
14. MR BLAKE   Ich will keinen schweren Wein trinken, weil ich sonst einschlafe.
15. KELLNER   Darf ich ein Glas Weißwein vorschlagen? Dieser schmeckt Ihnen sicher gut und ist auch ein ganz leichter Wein.
16. MR BLAKE   Gut, den nehme ich, und meine Frau möchte ein Glas Apfelsaft.
17. KELLNER   Bitte sehr. (*Kellner geht ab.*)

Mr Blake is impatient with the slow service and regrets not having chosen a set meal to save time. To make things worse, Holsteiner Schnitzel is off and they have to choose again.

18. MR BLAKE   (*zu Mrs Blake*) Das nächste Mal bestellen wir nicht à la carte. Wir nehmen ein Gedeck, weil das gewöhnlich viel schneller geht. Die Bedienung ist sehr langsam hier.
19. KELLNER   (*kommt zurück*) Entschuldigen Sie vielmals, mein Herr, aber Holsteiner Schnitzel ist leider schon gestrichen.
20. MR BLAKE   Ach, wie ärgerlich! Dann zeigen Sie mir noch einmal die Speisekarte!
21. KELLNER   Darf ich Ihnen die gebratene Leber oder den Rinderbraten empfehlen? Beide Gerichte sind sehr gut.
22. MR BLAKE   Gut, dann nehmen wir zweimal gebratene Leber. Hoffentlich dauert es nicht zu lange.
23. KELLNER   Sicher nicht! Ich bringe Ihnen die Vorspeisen und die Getränke sofort.
24. MR BLAKE   Gut, wir haben nämlich nicht mehr viel Zeit.

1. Adjective endings

continued from Unit 14
(Revise Unit 12, Section 2, page 129 andUnit 14, Section 2, page 160)

a. Adjectives after ein have the ending **er** in the nominative masculine and **es** in the nominative neuter (Unit 12, page 129). The accusative neuter ending is also **es**. Since *ein* does not show whether the following noun is masculine or neuter, the gender is indicated by adjective ending. Where this is necessary, adjective endings are called 'strong' and follow the pattern of the definite article – hence **r** before masculines (der) and **s** before neuters (das). Apart from the three above instances, adjective endings after *ein, eine* (and all words following the *ein* pattern, like *mein, kein*, etc.), have 'weak' endings, i.e. the same endings as when preceded by the definite article (see Unit 14, page 160).

	masculine
nominative	Mir schmeckt ein leichter Wein.
accusative	Ich trinke keinen schweren Wein.
dative	Ich muß unserem netten Chauffeur danken.
genitive	Was war der Zweck Ihres letzten Besuchs?
	neuter
nominative	Wie schmeckt Ihr gefülltes Ei?
accusative	Ich nehme ein gemischtes Eis.
dative	Wir wohnen in einem kleinen Hotel.
genitive	Ist das der Preis eines kleinen Geräts?
	feminine
nominative	Das ist eine deutsche Spezialität.
accusative	Ich möchte eine warme Suppe.
dative	Ich bin mit meiner neuen Tasche sehr zufrieden.
genitive	Hier ist die Adresse unserer neuen Wohnung.

b. When the adjective is not preceded by *der* or *ein* or any similar word, its endings must be 'strong' – that is, they must indicate gender, case and number (singular or plural). They match the endings of the definite article, except in the masculine and neuter genitive, when the ending is **en**:

masculine	Guter Wein	⎫			⎧	grünen Salat.
neuter	Frisches Obst	⎬ist teuer.	Ich nehme	⎨	helles Bier.
feminine	Frische Sahne	⎭			⎩	warme Suppe.

		⎧ gebratenem Fisch.	(masc.)
Das schmeckt gut mit	⎨	gebackenem Kalbfleisch.	(neut.)
		⎩ gebackener Leber.	(fem.)
		⎧ alten Weins?	(masc.)
Wissen Sie den Preis	⎨	hellen Biers?	(neut.)
		⎩ frischer Butter?	(fem.)

	plural
nominative	Gefüllte Eier sind gestrichen.
accusative	Wir essen gern warme Suppen.
dative	Ich wohne immer in modernen Hotels.
genitive	Haben Sie eine Liste französischer Weine?

A table of adjective endings is given in the grammar section of Unit 20, page 231.

2. Weil

Because, requires the verb following to be placed at the end of the clause:

Weil ich noch fahren **muß**, darf ich keinen Alkohol trinken.

Wir nehmen ein Gedeck, **weil** das viel schneller **geht**.

Sie essen gebratene Leber, **weil** Holsteiner Schnitzel gestrichen **ist**.

3. The du form

The **du** form of the verb is used to people with whom you have a close, personal relationship and to children under about 15. It is like the old 'thou' form in English. You are expected only to recognize it in this unit.

Fragen

1. Was will der Kellner wissen?
2. Haben sie schon gewählt?
3. Was fragt Mr Blake?
4. Was für Kalbfleisch ist Holsteiner Schnitzel?
5. Was bestellt Mr Blake für seine Frau und sich selbst?
6. Was fragt der Kellner dann?
7. Was möchte Mr Blake für sich?
8. Möchte seine Frau auch Röstkartoffeln und gemischten Salat?
9. Was fragt der Kellner dann?
10. Was antwortet Mr Blake darauf?
11. Warum müssen sie überlegen?
12. Was empfiehlt der Kellner als Vorspeise?
13. Warum empfiehlt er das?
14. Für wen bestellt Mr Blake ein gefülltes Ei?
15. Und was nimmt er?
16. Was schlägt der Kellner als Nachtisch vor?
17. Bestellt Mr Blake Käse?
18. Was will der Kellner sofort bringen?
19. Was will Mr Blake nicht trinken?
20. Warum will er keinen schweren Wein trinken?
21. Was für einen Wein schlägt der Kellner vor?
22. Möchten Mr und Mrs Blake beide einen Weißwein?
23. Was will Mr Blake das nächste Mal nicht tun?
24. Was will er das nächste Mal tun?
25. Warum will er das nächste Mal ein Gedeck nehmen?
26. Ist die Bedienung in diesem Restaurant sehr schnell?
27. Was sagt der Kellner, wenn er zurückkommt?
28. Was will Mr Blake deshalb noch einmal sehen?
29. Was empfiehlt der Kellner?
30. Was bestellt Mr Blake jetzt?
31. Was hofft er?
32. Was will der Kellner sofort bringen?

Erweiterung   Ein gutes Essen

1. Die Blakes essen in einem kleinen Fischrestaurant.
2. Herr König hat ihnen dieses kleine Restaurant empfohlen.
3. Sie setzen sich an einen kleinen Tisch beim Fenster.
4. Der Kellner kommt und nimmt die Bestellung entgegen.
5. Mr und Mrs Blake bestellen sich ein Gedeck.
6. Es besteht aus Nudelsuppe, gebackenem Fisch mit Kartoffelsalat und Kompott als Nachtisch.
7. Der gebackene Fisch ist die Spezialität des Restaurants.
8. Dann kommt ein anderer Kellner. Er nimmt die Bestellung für die Getränke entgegen.
9. Mr Blake trinkt einen leichten Weißwein, Mrs Blake bestellt sich ein Glas helles Bier.
10. Der Ober bringt Servietten und Bestecke – Suppenlöffel, Fischmesser und Fischgabeln.
11. Mr Blake möchte ein Stück Brot zur Suppe.
12. Der Kellner bringt die Suppe; sie schmeckt Mr und Mrs Blake gut.
13. Auf den Fisch müssen sie lange warten, weil man ihn hier frisch zubereitet.
14. Der Fisch schmeckt ausgezeichnet.
15. Mr Blake findet den Weißwein zu süß.
16. Er bestellt sich eine andere, herbe Sorte.
17. Nach dem Nachtisch verlangt Mr Blake die Rechnung.
18. Er gibt dem Kellner ein Trinkgeld.
19. Die Bedienung ist in der Rechnung nicht einbegriffen.
20. Das Trinkgeld macht fünfzehn Prozent der Rechnung aus.

Fragen

1. Wo essen die Blakes?
2. Warum haben sie dieses kleine Restaurant gewählt?
3. Setzen sie sich an einen großen Tisch bei der Tür?
4. Was macht der Kellner?
5. Bestellen Mr und Mrs Blake à la carte?
6. Woraus besteht das Menü?
7. Das Kompott ist die Spezialität des Restaurants, nicht wahr?
8. Wer kommt dann, um die Bestellung für die Getränke entgegenzunehmen?
9. Trinken Mr und Mrs Blake beide ein Glas helles Bier?
10. Woraus besteht das Besteck?
11. Was will Mr Blake zur Suppe?
12. Schmeckt Mr und Mrs Blake die Suppe?
13. Warum müssen sie so lange auf den Fisch warten?
14. Wie schmeckt ihnen der Fisch?
15. Findet Mr Blake den Weißwein auch ausgezeichnet?
16. Bleibt er bei der süßen Sorte?
17. Was tut Mr Blake nach dem Nachtisch?
18. Was gibt er dem Kellner?
19. Ist alles in der Rechnung einbegriffen?
20. Wieviel Prozent der Rechnung macht das Trinkgeld aus?

1 Haben Sie schon gewählt, meine Herr-
schaften?
Ja, wir haben uns schon etwas ausgesucht.
Haben Sie schon gewählt, mein Herr?
Ja, ich habe mir schon etwas ausgesucht.
Hat Herr König schon gewählt?
Haben Mr und Mrs Blake schon gewählt?
Hat Fräulein Ackermann schon gewählt?
Haben Herr König und Herr Dietz schon
gewählt?
Hat die Sekretärin schon gewählt?
Hat der Chauffeur schon gewählt?

2 Ist das Kalbfleisch gebraten?
Ja, gebratenes Kalbfleisch ist unsere Spezialität.
Ist der Fisch gebacken?
Ja, gebackener Fisch ist unsere Spezialität.
Ist die Leber gebraten?
Ist das Obst frisch?
Ist der Salat gemischt?
Ist der Weißwein leicht?
Ist das Eis gemischt?
Ist die Milch kalt?

3 Wir möchten zweimal gemischtes Eis.
Leider ist das gemischte Eis gestrichen.
Wir mochten zweimal gebratene Leber.
Leider ist die gebratene Leber gestrichen.
Wir möchten zweimal grünen Salat.
Wir möchten zweimal gebratenes Kalbfleisch.
Wir möchten zweimal kalte Milch.
Wir möchten zweimal gemischten Salat.
Wir möchten zweimal gebackenen Fisch.
Wir möchten zweimal gefülltes Ei.

4 Schmeckt Ihnen der gemischte Salat?
Ja, gemischten Salat esse ich immer sehr gern.
Schmeckt Ihnen das gemischte Eis?
Ja, gemischtes Eis esse ich immer sehr gern.
Schmeckt Ihnen die gebratene Leber?
Schmeckt Ihnen der gebackene Fisch?
Schmeckt Ihnen das gebratene Kalbfleisch?
Schmeckt Ihnen das frische Obst?
Schmeckt Ihnen der grüne Salat?
Schmeckt Ihnen die warme Suppe?

5 Sie möchten also gebackenen Fisch und
Kartoffelsalat?
*Ja, Kartoffelsalat schmeckt gut mit gebackenem
Fisch.*
Sie möchten also gebratene Leber mit Reis?
Ja, Reis schmeckt gut mit gebratener Leber.
Sie möchten also gebratenes Schweinefleisch
mit Pommes frites?
Sie möchten also warme Suppe und frisches
Brot?
Sie möchten also grünen Salat und gebratenen
Fisch?
Sie möchten also frisches Brot und Käse?
Sie möchten also gemischten Salat und
Schweinefleisch?
Sie möchten also frische Sahne und ge-
mischtes Eis?
Sie möchten also gebratenes Kalbfleisch mit
Sardellen?
Sie möchten also geschmortes Obst und
Sahne?
Sie möchten also helles Bier und Holsteiner
Schnitzel?
Sie möchten also gebratenen Fisch und Röst-
kartoffeln?

6 Sie haben eine große Auswahl an Mänteln.
Ja, aber dieser ist besonders zu empfehlen.
Sie haben eine große Auswahl an Suppen.
Ja, aber diese ist besonders zu empfehlen.
Sie haben eine große Auswahl an Autos.
Sie haben eine große Auswahl an Tonband-
geräten.
Sie haben eine große Auswahl an Koffern.
Sie haben eine große Auswahl an Schreib-
maschinen.
Sie haben eine große Auswahl an Foto-
apparaten.
Sie haben eine große Auswahl an Hemden.

7 Dieser Wein ist ausgezeichnet.
Gut, den nehme ich.
Dieses Bier ist ausgezeichnet.
Gut, das nehme ich.
Diese Suppe ist ausgezeichnet.
Dieses Eis ist ausgezeichnet.
Dieser Tee ist ausgezeichnet.
Dieser Kaffee ist ausgezeichnet.
Diese Sorte ist ausgezeichnet.
Dieses Schnitzel ist ausgezeichnet.

8 Welchen Wein empfehlen Sie mir, bitte?
Ich schlage diesen vor.
Welche Schreibmaschine empfiehlt Ihre
Firma, Herr Dietz?
Wir schlagen diese vor.
Welches Tonbandgerät empfehlen Breuer
und Frank?
Welche Suppe empfiehlt der Kellner?
Welches Auto empfiehlt Ihre Firma, Herr
Schmidt?
Welchen Film empfehlen Sie mir, bitte?
Welches Schnitzel empfiehlt der Ober?
Welchen Tabak empfiehlt der Direktor?

9 Mr Blake will keinen schweren Wein trinken.
Er schläft sonst ein.
Mr Blake will keinen schweren Wein trinken,
weil er sonst einschläft.
Beim Dom geht Mr Blake über den Parkplatz.
Er will den Römer besichtigen.
Beim Dom geht Mr Blake über den Parkplatz,
weil er den Römer besichtigen will.
Der Postbeamte kann ein Wort nicht lesen.
Mr Blake hat nicht sehr deutlich geschrieben.
Herr König steht früh auf. Er muß um 8 Uhr
im Büro sein.
Mr Blake fragt, wie er zum Dom kommt.
Er kennt sich in Frankfurt nicht aus.
Mr Blake mußte ein Wort buchstabieren. Der
Postbeamte konnte es nicht lesen.
Fräulein Schwarz war gestern im Postamt.
Sie mußte ihrem Chef ein Telegramm
schicken. Mr Blake mußte das Telegramm-
formular noch einmal ausfüllen. Er hatte es
nicht richtig gemacht.

10 Essen die Blakes in einem teuren Restaurant?
Nein, sie essen in einem billigen Restaurant.
Haben Sie Ihre persönlichen Sachen in einem
leichten Koffer?
Nein, ich habe sie in einem schweren Koffer.
Wohnen Sie in einer kurzen Straße?
Wohnen Franks in einem großen Haus?
Schlafen Sie in einem warmen Zimmer?
Wollen Sie Ihren Tee in einer kleinen Tasse?
Wohnen Sie in einer alten Stadt?
Wohnen Schmidts in einem schlechten
Hotel?

11 Kaufen Sie den billigen Mantel?
Nein, ich kaufe den teueren Mantel.
Fahren Sie ein neues Auto?
Nein, ich fahre ein altes Auto.
Haben Sie eine große Wohnung?
Nehmen Sie einen süßen Wein?
Haben Sie eine junge Sekretärin?
Lesen Sie die erste Seite?
Tragen Sie den schweren Koffer?
Brauchen Sie ein kurzes Messer?

12 Weißt du, um wieviel Uhr du ankommst?
Wissen Sie, um wieviel Uhr Sie ankommen?
Weißt du, wann du deine Sekretärin sehen
wirst?
Wissen Sie, wann Sie Ihre Sekretärin sehen
werden?
Weißt du, daß du deinen Namen falsch
geschrieben hast?
Weißt du, was du heute aus der Stadt
brauchst?
Weißt du, ob du heute abend ins Theater
gehen kannst?
Weißt du, wohin du dieses Jahr auf Urlaub
fährst?
Weißt du, wo du in der Nähe des Kinos
parken darfst?
Weißt du, ob du morgen im Büro oder im
Betrieb arbeitest?

13 Wie lange bleibst du in Deutschland?
Wie lange bleiben Sie in Deutschland?
Studierst du in Heidelberg?
Studieren Sie in Heidelberg?
Verstehst du gut Englisch?
Wohnst du in der Nähe von Frankfurt?
Arbeitest du im Büro?
Möchtest du das Laboratorium besichtigen?
Stehst du immer so spät auf?
Holst du Herrn König vom Flughafen ab?

A *Gespräch zwischen Kellner und Gast.*

Das Frühstück

Der Kellner:

1. Guten Morgen, mein Herr! Was möchten Sie zum Frühstück?
2. Natürlich. Wie? Spiegeleier mit Schinken? Gekochtes Ei? Rühreier?
3. Nur eins oder zwei? 4. Wie gekocht? Hart oder weich?
5. Also, ein weichgekochtes Ei. Brot, Brötchen, Toast dazu?
6. Marmelade? Orangenmarmelade?
7. Zum Trinken? Tee, Kaffee, Kakao, Schokolade?
8. Stark oder dünn? 9. Mit warmer oder kalter Milch?
10. Tee gleich bringen – oder nachher?

Der Gast:

1. .... Eier?	6. .... ! ..... Orangenmarmelade.
2. .... gekocht.	7. .... Tee
3. .... eins.	8. .... stark.
4. .... weich.	9. .... kalt!
5. .... Brötchen mit Butter.	10. .... gleich bringen.

Das Mittagessen

Der Kellner:

1. Vorspeise?
2. Tomatensuppe, Ochsenschwanzsuppe.
3. Ölsardinen mit Brot, gefüllte Eier, Schinkenwurst.
4. Spezialität: Forelle blau –
5. Hähnchen mit Reis? Rinderfilet mit Pilzen? 6. Wie?
7. Salzkartoffeln, Röstkartoffeln, Pommes frites?
8. Gemischten Salat, Tomatensalat, grünen Salat . . .
9. Nicht empfehlen . . . nicht mehr schön. Gurkensalat?
10. Und als Nachtisch? Eis, frisches Obst, Kompott?
11. Birnen, Bananen, Pfirsiche, Trauben?
12. Noch etwas grün . . . nicht empfehlen. Schöne Trauben.
13. Zum Trinken? 14. Glas? Kleine Flasche? Karaffe?
15. Kaffee? 16. Noch etwas?

Der Gast:

1. ...... Was für Suppen?
2. ...... schmecken mir nicht. Etwas anderes?
3. ...... keine Vorspeise. Hauptgericht? Etwas empfehlen?
4. ...... Fleisch oder Geflügel schmeckt mir besser.
5. ...... Rinderfilet mit Pilzen.
6. ...... durchgebraten.
7. ...... Salzkartoffeln. Was für Salate?
8. ...... grünen Salat.
9. ...... ja.
10. ...... was für Obst?
11. ...... Birne.
12. ...... ja, – nehme Trauben.
13. ...... Rotwein.
14. ...... eine Karaffe.
15. ...... Ja – schwarz.
16. ...... Nein.

B Mahlzeit!

Spielen Sie die Rolle von Mr Blake. Mr Blake ist in einem Restaurant. Er sieht sich die Speise-karte an. Er ist nicht sehr hungrig und bestellt sich etwas à la carte. Er will keine Suppe, aber er bestellt sich einen Nachtisch. Ein anderer Student spielt die Rolle des Kellners.

KELLNER   Guten Tag, mein Herr, kann ich Ihnen behilflich sein? Wie wäre es mit einem Gedeck?

MR BLAKE

KELLNER   Bitte sehr, Sie wollen also à la carte bestellen?

MR BLAKE

KELLNER   Wenn Sie à la carte bestellen, müssen Sie länger warten. Das wissen Sie, nicht wahr?

MR BLAKE

KELLNER   Macht Ihnen das etwas aus?

MR BLAKE

KELLNER   Haben Sie sich schon etwas ausgesucht?

MR BLAKE

KELLNER   Sie haben gut gewählt. Eine Beilage ist im Preis einbegriffen. Wollen Sie Röstkartoffeln oder Salzkartoffeln dazu?

MR BLAKE

KELLNER   Sie wollen keine Suppe, stimmt das?

MR BLAKE

KELLNER   Aber einen Nachtisch nehmen Sie schon, oder?

MR BLAKE

KELLNER   Vielleicht ein Eis?

MR BLAKE

KELLNER   Wir haben vier Sorten. Sie können auch ein gemischtes Eis haben, wenn Sie wollen.

MR BLAKE

KELLNER   Nehmen Sie ein Glas Wein oder ein Glas Bier?

MR BLAKE

KELLNER   So, das ist alles, danke sehr! Bitte, haben Sie einen Augenblick Geduld.

Gedeck 1:
  DM 5,50
Tagessuppe
Bratwurst
Röstkartoffeln
Sauerkraut

Gedeck 2:
  DM 7,90
Tagessuppe
Hackbraten
Butterkartoffeln
Bohnengemüse
Kirschenkompott

Gedeck 3:
  DM 7,90
Hühnersuppe
Schweinekotelett
Bratkartoffeln
gemischter Salat
Ananasscheiben
mit Schlagsahne

Vorspeisen: DM

Ölsardinen mit Brot....................................   3,20
Schinkenwurst mit Brot.................................   3,20
Rollmops mit Brot......................................   2,80
Gefülltes Ei mit Brot..................................   4,50

Suppen:

Nudelsuppe...   1,75
Erbsensuppe..   1,75
Hühnerbrühe..   1,75
Zwiebelsuppe...   1,75

Fleischspeisen:

Deutsches Beefsteak mit grünen Bohnen..................   5,80
Rinderfilet mit Pilzen.................................   8,50
Rindsroulade mit Erbsen................................   7,90
Wiener Schnitzel mit Reis..............................   8,85
Gulasch..   7,80

Geflügel:

Hähnchen mit Reis......................................   10,80

Fischgerichte:

Seezunge in Butter.....................................   10,90
Forelle blau...   nach Gewicht
Gebackener Karpfen.....................................   9,75

Beilagen:

Salzkartoffeln...   1,10
Blumenkohl...   1,70
Spinat...   1,50

Salate:

Gurkensalat..   1,30
Tomatensalat...   1,30
Grüner Salat...   1,30
Gemischter Salat.......................................   1,75

Nachspeisen:

Kompotte: Kirschen, Birnen, Apfel......................   1,75
Eis: Vanille, Mokka, Erdbeer, Schokolade...............   1,75
Sachertorte mit Schlagsahne............................   2,00

Alle Preise inkl. Bedienung und Mehrwertsteuer

Schriftliche Aufgaben

1. Select from the right-hand column the most appropriate endings for the following unfinished sentences:

1 Heute abend besuchen Mr und Mrs Blake	Wiener Schnitzel, Bratkartoffeln und gemischtem Salat.
2 Weil es nicht sehr weit ist,	müssen sie heute nicht so früh ins Bett gehen.
3 Die Wilkinsons haben eine schöne Wohnung	über die guten alten Zeiten.
4 Sie wohnen schon seit 3 Jahren in Offenbach,	nicht sehr weit vom Zentrum.
5 Mr Wilkinson hat für Mr und Mrs Blake	englische Bekannte, Familie Wilkinson, in Offenbach am Main.
6 Vor allem das Hauptgericht	und es gefällt ihnen sehr gut dort.
7 Es besteht aus	ein wunderschönes Abendessen zubereitet.
8 Weil morgen kein Werktag ist,	fährt sie Mrs Wilkinson in ihrem Wagen zurück ins Hotel.
9 Sie unterhalten sich bis in die frühen Morgenstunden	schmeckt ihnen ausgezeichnet.
10 Weil um diese Zeit keine Busse mehr fahren,	fahren sie mit dem Bus dorthin.

2. Mr and Mrs Blake have promised to take the Mosers' son, Karl, out for a trip in their English car. Mr Blake composes a note arranging the trip, but a secretary reminds him that Karl Moser is only 12 years old and should therefore be addressed in the 'Du'-form. Re-write Mr Blake's note, bearing in mind that, in letters, Du, Dich, Dir, Dein are written with a capital D.

Lieber Karl!

Meine Frau und ich wollen Samstag nachmittag einen Ausflug in den Taunus* machen. Möchten Sie mitkommen? Sie dürfen natürlich auch einen Freund (oder eine Freundin!) mitbringen. Sie kennen sich im Taunus sicher viel besser aus als wir. Vielleicht können Sie uns ein schönes Ausflugsziel empfehlen. Wenn es Ihnen recht ist, holen wir Sie um 12.30 Uhr von der Schule ab. Sie brauchen kein Essen mitzubringen. Wir laden Sie zum Mittagessen in ein Restaurant ein. Sagen Sie bitte Ihren Eltern, daß Sie erst um 9 Uhr wieder zu Hause sein werden. Schreiben Sie uns bitte, ob Sie frei sind und mitkommen können.

Mit herzlichen Grüßen

Robert Blake

* Der Taunus ist ein beliebtes Ausflugsziel in der Nähe von Frankfurt (s. Abschnitt 8, Lesestück: Die Stadt Frankfurt am Main).

Ein furchtbarer Tag im Büro

Dialog

Believing Mr Blake to be at a meeting in town, the secretary is surprised when he reappears, harassed and looking for his cheque book. She has two telephone messages for him. He barely takes time to listen, afraid he will be late for his meeting.

1.	SEKRETÄRIN	Haben Sie etwas vergessen, Mr Blake?
2.	MR BLAKE	Ja, mein Scheckbuch. Haben Sie es gesehen?
3.	SEKRETÄRIN	Ach ja. Ich habe es gesehen, aber ich habe nicht gewußt, daß Sie es brauchten.
4.	MR BLAKE	Gott sei Dank! Ich habe gedacht, ich habe es verloren. Ich war schon auf der Bank, als ich es vermißte.
5.	SEKRETÄRIN	Ende gut, alles gut! Sie haben es ja wiedergefunden. Doktor Berndt und Herr König haben angerufen.
6.	MR BLAKE	Ich habe Herrn König gerade anrufen wollen, aber ich fürchte, daß ich zu spät auf diese Konferenz komme. Was wollte er?
7.	SEKRETÄRIN	Er will mit Ihnen um zwölf im Frankfurter Hof mittagessen.
8.	MR BLAKE	Ich glaube, das geht. Um Gottes Willen, ich muß fort!

The secretary has to detain him to clear up some confusion about appointments and dates and get instructions about cancelling arrangements. She confirms that he will meet Herr König for lunch in the Frankfurter Hof.

9.	SEKRETÄRIN	Kleinen Moment, Mr Blake. Herr Doktor Berndt hat gesagt, er erwartet Sie heute um elf. Stimmt das? Ich habe es im Vormerkbuch nicht finden können.
10.	MR BLAKE	Was fällt ihm denn ein? Wir haben uns für den sechzehnten verabredet.
11.	SEKRETÄRIN	Aber Mr Blake – heute ist ja der sechzehnte!
12.	MR BLAKE	Was! Dann habe ich ihm das falsche Datum gegeben. Warum haben Sie mich nicht daran erinnert?
13.	SEKRETÄRIN	Entschuldigen Sie, aber ich habe keine Verständigung davon bekommen.
14.	MR BLAKE	Stimmt! Es hat sich auf einer Party bei Königs entschieden. Rufen Sie ihn gleich an. Sagen Sie, es tut mir furchtbar leid, ich habe die Daten durcheinandergebracht. Ich rufe ihn heute abend an.
15.	SEKRETÄRIN	Das tue ich sofort, Mr Blake. Und Sie treffen Herrn König um zwölf im Frankfurter Hof, nicht wahr?
16.	MR BLAKE	Ja. Ach Gott, ich habe meiner Frau versprochen, heute nachmittag mit ihr Einkäufe zu machen. Rufen Sie an, und erklären Sie ihr bitte, was geschehen ist. Wie spät ist es jetzt?
17.	SEKRETÄRIN	Gleich halb zehn.
18.	MR BLAKE	Dann haben sich die Herren schon getroffen. Die Besprechung hat sicher begonnen. Ich muß wirklich gehen!

The lunch appointment is not kept and each has been worried about what happened to the other. It transpires that Mr Blake went to the wrong restaurant. Clearly, it has not been one of his best days!

19. SEKRETÄRIN Oh, Mr Blake, Herr König hat schon zweimal angerufen – er hat Angst, daß Ihnen etwas geschehen ist.

20. MR BLAKE Wieso denn mir? Hat er einen Unfall gehabt? Warum hat er die Verabredung zum Mittagessen nicht eingehalten?

21. SEKRETÄRIN Herr König hat über eine Stunde auf Sie gewartet.

22. MR BLAKE Und ich habe eine Stunde im Kaiserhof gesessen und mich gewundert, wo er bleibt.

23. SEKRETÄRIN Aber Sie haben doch ausgemacht, Herrn König im Frankfurter Hof zu treffen!

24. MR BLAKE Um Himmelswillen! Da habe ich eine Stunde im falschen Restaurant verbracht! Und war noch böse auf Herrn König! So einen Tag habe ich noch nie erlebt.

Grammar Summary

1. The perfect tense of 'strong' verbs

These verbs do not just have changes in endings or addition of prefixes in the forming of their past participles. There is usually a change in the sound and spelling of the basic or stem part of the verb as well. Not all 'strong' verbs show internal change in the present tense (**trinken** – er **trinkt**, **schreiben** – er **schreibt**), but any regular verb which does is a 'strong' verb (like **sprechen** – er **spricht**, **nehmen** – er **nimmt**). The prefix on the past participle is **ge** as with 'weak' verbs, but the ending is **en** instead of **t**. Like weak verbs, strong verbs with inseparable prefixes have no **ge** in the past participle: **besprechen** – **besprochen**, **verlieren** – **verloren**, **empfehlen** – **empfohlen**, **gefallen** – **gefallen**. The stem change must be learned for each verb – it is the only sure way. Such verbs exist in English, of course (find – found, write – written, speak – spoken) and while there are often similarities between those and their German equivalents, there is no reliable rule.

a. some strong verbs have no vowel change:

sehen	– Haben Sie mein Scheckbuch gesehen?
geben	– Ich habe ihm ein falsches Datum gegeben.
lesen	– Ich habe den Brief nicht gelesen.
vergessen	– Er hat die Nummer vergessen.

b. strong verbs with the same stem but different prefixes show the same change:

sprechen	– Haben Sie mit seiner Sekretärin gesprochen?
besprechen	– Wir haben die Verkaufsziffern schon besprochen.
nehmen	– Haben Sie keinen Zucker genommen?
teilnehmen	– Er hat an der Konferenz teilgenommen.

You will find a list of common strong verbs and their past participles in the grammar of Unit 20, Section 127.

2. Irregular weak verbs

They draw on both systems in forming the past participle. They do have an internal stem change, but the ending is **t**, not **en**:

wissen	– Das habe ich nicht **gewußt**.
denken	– Ich habe **gedacht**, ich habe es verloren.
bringen	– Herr König hat Mr Blake ins Hotel **gebracht**.

3. Perfect tense of modal verbs

See Unit 20, Section 129, page 235
When these are used with the infinitive of another verb, as they usually are, the infinitive of the modal is used in place of a past participle and is placed last:

Ich habe auf mein Frühstück verzichten müssen.	*I had to go without my breakfast.*
Haben Sie es nicht finden können?	*Couldn't you find it?*

4. Imperfect tense of 'weak' verbs

This tense is formed by adding to the verb stem **te** (for the singular) or **ten** (for the plural). If the stem ends in **t**, an **e** is inserted in order to make pronunciation possible:

infinitive	ich, er, sie, es	wir, Sie, sie
hören	hörte	hörten
brauchen	brauchte	brauchten
kosten	kostete	kosteten
zumachen	machte zu	machten zu

You can use the imperfect instead of the perfect when talking about the past, although it is unusual in spoken German (except in North Germany) apart from **war**, **hatte** and the imperfect of the modal verbs. If it is important to stress that something continued over a long period or was habitual, the imperfect is preferred:

Damals wohnten wir in Düsseldorf — *We were living in Düsseldorf at that time.*

Mein Vater rauchte immer eine Zigarre nach dem Abendessen. — *Father always used to smoke a cigar after supper.*

Fragen

1. Was fragt die Sekretärin Herrn Blake?
2. Hat er seine Aktentasche vergessen?
3. Was hat die Sekretärin nicht gewußt?
4. Was hat Mr Blake gedacht?
5. Wo war er, als er es vermißte?
6. Wer hat angerufen?
7. Mr Blake hat Doktor Berndt gerade anrufen wollen, nicht wahr?
8. Was fürchtet Mr Blake?
9. Wo und wann will Herr König mit Mr Blake mittagessen?
10. Warum sagt Mr Blake: ,,Um Gottes Willen!"?
11. Was will aber die Sekretärin wissen?
12. Warum fragt sie, ob es stimmt?
13. Für welches Datum haben sich Doktor Berndt und Mr Blake verabredet?
14. Hat Mr Blake den sechzehnten gemeint?
15. Was fragt Mr Blake seine Sekretärin?
16. Warum hat sie ihn nicht daran erinnert?
17. Wo hat es sich entschieden?
18. Was tut Mr Blake leid?
19. Was wird Mr Blake heute abend tun?
20. Woran erinnert ihn die Sekretärin?
21. Was hat Mr Blake seiner Frau versprochen?
22. Was soll die Sekretärin Mrs Blake erklären?
23. Was haben die Herren sicher schon getan?
24. Wann hören wir Mr Blake und seine Sekretärin wieder?
25. Wieviele Male hat Herr König schon angerufen?
26. Was fürchtet Herr König?
27. Was will Mr Blake wissen?
28. Wie lange hat Herr König auf ihn gewartet?
29. Und wo hat Mr Blake eine Stunde gesessen?

Erweiterung Herrn Schneiders schrecklicher Tag

1. Herr Schneider hat gestern einen schrecklichen Vormittag verbracht.
2. Er hat verschlafen, weil er am vorigen Abend zu viel getrunken hatte.
3. Um rechtzeitig ins Büro zu kommen, hat er auf sein Frühstück verzichten müssen.
4. Im Büro hat eine Menge Post auf ihn gewartet.
5. Von 10 bis 11 Uhr hat er die Briefe gelesen.
6. Um 11 Uhr hat er angefangen, die neuen Briefe zu diktieren.
7. Eine neue Schreibkraft hat ihm dabei geholfen, weil seine Sekretärin abwesend war.
8. Zuerst hat die neue Schreibkraft Herrn Schneider gut gefallen, weil sie sehr gut ausgesehen hat.
9. Sie hat ihn aber immer falsch verstanden, und das Diktat hat kein Ende genommen.
10. Er hat sie gebeten, von jedem Brief zwei Durchschläge zu machen – das hat sie auch nicht getan.
11. Dann hat sie einen wichtigen Brief verloren und nicht wiedergefunden.
12. Herr Schneider hat ihn noch einmal diktieren müssen.
13. Er hat erst um 12.15 die Briefe unterschrieben.
14. Um 12.30 hat er Gäste aus der Schweiz empfangen.
15. Er hat einen Kollegen gebeten, mit ihnen mittagessen zu gehen.
16. Er hat selbst nichts gegessen, weil er im Büro hat weiterarbeiten müssen.
17. Während der Mittagspause hat er mit einem Kollegen die neuesten Verkaufsziffern besprochen.
18. Um zwei Uhr hat er seine Gäste wieder getroffen und sie durch das Werk geführt.
19. Das Werk hat ihnen sehr gefallen.
20. Dann hat er mit seinen Gästen Kaffee getrunken und Kuchen gegessen.
21. Nachher hat er sie wieder in ihr Hotel gebracht.
22. Zu Hause hat er sehr starke Kopfschmerzen bekommen.
23. Seine Frau hat ihm eine Tablette und ein Glas Milch gegeben.
24. Dann hat er sich endlich ausgeruht und hat den ganzen Abend ferngesehen.

Fragen

Antworten Sie für Herrn Schneider

1. Wie war es gestern im Büro?
2. Sind Sie nicht rechtzeitig ins Büro gekommen?
3. Warum haben Sie verschlafen?
4. Haben Sie viel Post bekommen?
5. Was haben Sie von 10 bis 11 Uhr getan?
6. Sie haben aber vor 11 Uhr die neuen Briefe diktiert?
7. War Ihre Sekretärin heute nicht abwesend?
8. Wie hat sie Ihnen gefallen?
9. Hat das Diktat lange gedauert?
10. Was hat sie noch getan?
11. Hat sie sonst noch etwas falsch gemacht?
12. Was haben Sie dann getan?
13. Es war schon spät, als Sie die Briefe unterschrieben haben, oder?
14. Und um 12.30 haben Sie zu Mittag gegessen?
15. Haben Sie nicht mit ihnen mittaggegessen?
16. Und Sie, wann haben Sie gegessen?
17. Was haben Sie während der Mittagspause gemacht?
18. Haben Sie Ihre Gäste wiedergesehen?
19. Haben Ihre Gäste das Werk gesehen?
20. Was haben Sie um 4 Uhr getan?
21. Hat sie Ihr Chauffeur nachher in ihr Hotel gebracht?
22. Haben Sie wenigstens einen schönen Abend verbracht?
23. Haben Sie nicht etwas dagegen genommen?
24. Was haben Sie am Abend getan?

Übungen

1 Mr Blake ißt heute im Frankfurter Hof.
Er hat auch gestern dort gegessen.
Herr König nimmt heute an der Verkaufs-
konferenz teil.
Er hat auch gestern daran teilgenommen.
Frau Dietz empfängt heute Gäste.
Meine Sekretärin tut heute gar nichts.
Fräulein Becker sieht heute müde aus.
Der Kellner empfiehlt heute die gebratene
Leber.
Herr Schmidt bittet heute den Direktor um
einen freien Tag.
Mr Blake findet sich heute in der Stadt
zurecht.

2 Mr Blake muß morgen mit dem Direktor
sprechen.
*So? Er hat auch gestern mit ihm sprechen
müssen.*
Herr und Frau König wollen morgen im
Frankfurter Hof essen.
So? Sie haben auch gestern dort essen wollen.
Der Chauffeur darf morgen zu Hause bleiben.
Der Direktor kann heute keine Gäste emp-
fangen.
Die Sekretärin will morgen um 3 Uhr nach
Hause gehen.
Herr Dietz und Herr Schneider müssen
morgen spät arbeiten.
Mr Blake kann Herrn König morgen nicht
helfen.
Der Verkaufsleiter will heute das neue
Programm festlegen.

3 Herr König hat gestern nicht kommen
können. Er hat den ganzen Tag arbeiten
müssen.
*Herr König hat gestern nicht kommen können,
weil er den ganzen Tag hat arbeiten müssen.*
Ich habe um 2 Uhr nachts eine Tablette
genommen. Ich habe nicht schlafen können.
*Ich habe um 2 Uhr nachts eine Tablette ge-
nommen, weil ich nicht habe schlafen können.*
Wir haben Mrs Blake gebeten, Englisch zu
sprechen. Wir haben ihr Deutsch nicht ver-
stehen können.
Herr Schmidt hat sich zwei Tage in Frank-
furt aufgehalten. Er hat die Messe besuchen
wollen.
Die Sekretärin hat meine Briefe nicht erledigt.
Sie hat Herrn Dietz helfen müssen.
Herr König hat mit dem Zug fahren müssen.
Er hat keine Flugkarte bekommen können.
Mr Blake hat den Kaiserhof angerufen.
Er hat ein Zimmer reservieren wollen.

4 Hat der Direktor denn keinen Wagen?
*Als ich ihn das letzte Mal gesehen habe, hat er
keinen Wagen gehabt.*
Sieht Mr Blake denn nicht müde aus?
*Als ich ihn das letzte Mal gesehen habe, hat er
nicht müde ausgesehen.*
Spricht der Chauffeur denn kein Englisch?
Arbeitet Herr Schmidt denn nicht bei Breuer
und Frank?
Versteht Herr König denn kein Französisch?
Studiert Fritz denn nicht Chemie?
Wohnt Herr Braun denn nicht in der Berliner
Straße?
Tut Herr Hermann denn gar nichts?

5 Dr Berndt und Mr Blake haben sich verabredet. Die Sekretärin war nicht dabei.
*Als sich Dr Berndt und Mr Blake verabredet
haben, war die Sekretärin nicht dabei.*
Mr Blake hat ein Paket nach England schick-
en wollen. Er hat eine Zollerklärung ausfüllen
müssen.
*Als Mr Blake ein Paket nach England hat
schicken wollen, hat er eine Zollerklärung
ausfüllen müssen.*
Herr König hat angerufen. Mr Blake hat noch
im Kaiserhof auf ihn gewartet.
Mr Blake hat um Briefmarken gebeten.
Der Postbeamte hat ihn nicht richtig verstan-
den.
Mr Blake hat das Telegrammformular aus-
gefüllt. Er hat mit dem Bleistift geschrieben.
Mr Blake hat zum Bahnhof fahren wollen.
Er hat lange auf die Straßenbahn warten
müssen.
Mr Blake hat sich verirrt. Er hat nach dem
Weg gefragt.
Mr Blake hat seine Reiseschecks wechseln
wollen. Er hat auf eine Bank gehen müssen.

6 Ich muß auf eine Konferenz. Die Konferenz
ist sehr wichtig.
Ich muß auf eine sehr wichtige Konferenz.
Herr König hat einen Brief geschrieben. Der
Brief war lang.
Herr König hat einen langen Brief geschrieben.
Es hat sich auf einer Party entschieden. Die
Party war privat.
Herr Klein hat seiner Mutter ein Paket
geschickt. Seine Mutter war arm.
Mr Blake hat mit einem Kollegen die Ver-
kaufsziffern besprochen. Der Kollege war
Deutscher.
Herr Schneider hat ein Auto gekauft. Das
Auto war ganz neu.
Herr Schmidt hat einer Dame geholfen. Die
Dame war alt.
Fräulein Schwarz hat ein Telegrammfor-
mular ausfullen müssen. Das Formular war
kompliziert.

7 Wissen Sie, daß Herr Schneider Sie um 1 Uhr im Kaiserhof erwartet?
Ja, ich habe ihn gebeten, mich um 1 Uhr im Kaiserhof zu erwarten.
Wissen Sie, daß Herr König Ihre Frau angerufen hat?
Ja, ich habe ihn gebeten, meine Frau anzurufen.
Wissen Sie, daß der Chauffeur den Chef vom Flughafen abgeholt hat?
Wissen Sie, daß Herr König mit den Gästen zu Mittag gegessen hat?
Wissen Sie, daß die Gäste erst nach dem Mittagessen zu Ihnen kommen?
Wissen Sie, daß Ihre Sekretärin von jedem Brief zwei Durchschläge macht?
Wissen Sie, daß Mr und Mrs Blake heute abend mit Ihnen und Ihrer Frau ins Theater gehen?
Wissen Sie, daß Ihre Sekretärin Herrn König an seine Verabredung mit Ihnen erinnert hat?

8 Hat Mr Blake sein Scheckbuch wiedergefunden?
Ja, haben Sie nicht gewußt, daß er es wiedergefunden hat?
Haben Sie um 11 Uhr einen Kunden erwartet?
Ja, haben Sie nicht gewußt, daß ich um 11 Uhr einen Kunden erwartet habe?
Hat meine Frau angerufen?
Hat Mr Blake im falschen Restaurant gewartet?
Hat der Chauffeur einen Unfall gehabt?
Hat Herr König seine Sekretärin nach Hause gebracht?
Hat Ihnen eine neue Schreibkraft geholfen?
Haben Sie Ihrer Frau versprochen, mit ihr Einkäufe zu machen?

9 Gehen Sie jetzt ins Büro?
Gehst du jetzt ins Büro?
Kommen Sie heute abend ins Kino?
Kommst du heute abend ins Kino?
Lernen Sie Französisch?
Rauchen Sie gern englische Zigaretten?
Trinken Sie gern deutsches Bier?
Brauchen Sie englisches Geld?
Schreiben Sie dem Direktor eine Karte?
Parken Sie immer vor der Post?

10 Esse ich heute mit den Gästen aus England zu Mittag?
Nein, du ißt morgen mit ihnen zu Mittag.
Fahre ich heute nach Köln?
Nein, du fährst morgen nach Köln.
Spreche ich heute mit den Vertretern aus Düsseldorf?
Helfe ich heute dem Direktor?
Besuche ich heute das Laboratorium?
Gebe ich heute Frau Schwarz ihr Geschenk?
Nehme ich heute an der Konferenz teil?
Lese ich heute das neue Programm?

Übung in der Klasse

11 Helfen Sie Herrn Schneider mit der Post!
Ich habe ihm schon damit geholfen.
Unterschreiben Sie Ihre Briefe!
Ich habe sie schon unterschrieben.
Fangen Sie mit der Arbeit an!
Trinken Sie Ihr Bier!
Rufen Sie Herrn König an!
Vergessen Sie Ihre Sorgen!
Lesen Sie die Post!
Besprechen Sie das Programm mit Herrn Schneider!

Konversation

A *Mr Blake und Herr Dietz begegnen sich im Korridor. Es ist gegen halb fünf und Mr Blake kommt gerade von Herrn König. Spielen Sie die Rolle von Mr Blake.*

HERR DIETZ   Sie sehen schrecklich müde aus, Mr Blake. Was ist los? Fühlen Sie sich nicht gut?

MR BLAKE

HERR DIETZ   Solche Tage erlebt jeder ab und zu. Es fängt gewöhnlich so an, daß man verschlafen hat und zu spät ins Büro gekommen ist.

MR BLAKE

HERR DIETZ   Was ist denn geschehen? Wie hat es angefangen?

MR BLAKE

HERR DIETZ   Ihr Scheckbuch? Das ist aber keine Katastrophe.

MR BLAKE

HERR DIETZ   Ach so! Aber Sie können ein Neues bekommen.

MR BLAKE

HERR DIETZ   Wo denn?

MR BLAKE

HERR DIETZ   Ihre Sekretärin! Dann haben Sie es einfach im Büro vergessen. Und was ist sonst noch schief gegangen?

MR BLAKE

HERR DIETZ   Warum hat Sie die Sekretärin nicht daran erinnert?

MR BLAKE

HERR DIETZ   Und was wollte er?

MR BLAKE

HERR DIETZ   Ja, es ist immer ärgerlich, wenn man eine Verabredung mit seiner Frau streichen muß.

MR BLAKE

HERR DIETZ   Sie sind zu spät auf Ihre Konferenz gekommen! Das war aber schade!

MR BLAKE

HERR DIETZ   Haben Sie viel verpaßt?

MR BLAKE

HERR DIETZ   Wo war die Konferenz?

MR BLAKE

HERR DIETZ   Im Marktforschungsinstitut! War sie interessant?

MR BLAKE

HERR DIETZ   Aus Amerika! Ja, man muß zugeben, sie sind die Experten im Bereich der Verkaufstaktik geworden. Und wie war denn das Mittagessen mit Herrn König?

MR BLAKE

HERR DIETZ   Wieso denn?

MR BLAKE

HERR DIETZ   Ach, wie schrecklich! Was haben Sie gedacht?

MR BLAKE

HERR DIETZ   Und hat er auch gewartet?

MR BLAKE

HERR DIETZ Das war aber ganz normal. Wenn man nicht weiß, was in solchen Umständen geschehen ist, ist man immer böse.

MR BLAKE

HERR DIETZ Ja, aber Sie wußten nicht, daß es Ihre Schuld war. Haben Sie sich bei Herrn König entschuldigt?

MR BLAKE

HERR DIETZ Aber haben Sie ihm alles erklärt? Er hat wohl nicht gewußt, daß Sie schon an. Vormittag aufgeregt waren.

MR BLAKE

HERR DIETZ Ach, bis morgen wird er alles schon vergessen haben.

MR BLAKE

HERR DIETZ Ach ja, Dr Berndt.

MR BLAKE

HERR DIETZ Nein, er wird nicht beleidigt sein. Er ist sehr nett.

MR BLAKE

HERR DIETZ Ja, rufen Sie Dr Berndt an, nehmen Sie zwei Aspirin, fahren Sie ruhig nach Hause und ruhen Sie sich aus. Morgen ist auch ein Tag!

MR BLAKE

HERR DIETZ Auf Wiedersehen, Mr Blake.

B *Beschreiben Sie einen furchtbaren Tag in Ihrem Büro.*

zu spät ins Büro gekommen
Aktentasche vergessen
Sekretärin abwesend
eine Menge Post
dumme Schreibkraft
Diktat lange gedauert
Telefonanrufe – viele Unterbrechungen
Verabredung vergessen – Daten durcheinandergebracht
zu spät auf eine Konferenz gekommen
ausländische Gäste empfangen
kein Mittagessen
Gäste durch das Werk geführt
Verabredung mit Frau streichen müssen
lange Besprechung mit dem Chef
Bericht nicht rechtzeitig fertiggeschrieben
17.00: Briefe noch nicht unterschrieben
unerwarteter Kunde gekommen – sich über Lieferung beklagt
18.30: totmüde – Kopfschmerzen

Schriftliche Aufgaben

1. Complete the following sentences:

Monsieur Poitier in Frankfurt
..... er am ..... Abend zu ..... getrunken ....., ... Monsieur Poitier heute
morgen ..... gehabt. Er hat .... sein Frühstück ..... müssen, weil ihm so ..... war.
Um 11 Uhr haben ..... seine Kollegen abgeholt und ihn ..... Firma Breuer ......
Um 11.15 Uhr hat sie Herr Frank ..... und sie durch den ..... geführt. ..... Mittag
hat Monsieur Poitier sehr wenig ....., weil er ..... Kopfschmerzen ....
Mittagessen hat er ..... Herrn König die deutsch-französischen Handelsziffern .....
müssen! Er .... entschlossen, nie ..... während der ..... so viel zu ......

2. Using the following entries in Herr Frank's diary as a guide, write an account of what he
did yesterday.

08.30 Post lesen, Briefe diktieren

09.00 Programm für Gäste aus Frankreich festlegen und Fräulein Becker geben

09.40 Verabredung mit Verkaufsleiterin – Verkaufsziffern besprechen

10.15 Kaffeepause

10.30 Verabredung mit Herrn Grohmann – neue Elektrogeräte zeigen

11.15 Französische Gäste empfangen – Betrieb besichtigen

12.30 Im Restaurant „Römerberg" essen (Herr König will auch mit!)

14.00 Französische Gäste an Herrn Schneider weitergeben

14.00– Konferenz – Handel mit der DDR diskutieren
16.00

16.00 Einkäufe mit Else

Guide to grammatical content of intensive units

Unit 1
Definite article (3 genders – nom. case)
Personal pronouns (excluding fam. forms, and 1st and 3rd pers. pl.)
Interrogatives – *wer? wo? wie?*
Sein (1st and 3rd pers. sing. and formal pl.)
Positive and negative statements – question and commands (*Sie* form)

Unit 2
Verb conjugation (weak and strong regular verbs – 1st and 3rd pers. sing. and formal 2nd pers. pl.)
Use of *gern* with verb – *sein* (3rd pers. pl.)
Indef. art. and *kein* – word order when 1st item is not subject – predicative adjectives
Indef. pronoun *man*, adverbs and conjunctions

Unit 3
Acc. case – *haben* – possessive adjectives – personal pronouns (1st and 3rd pers. pl.)
Use of *lieber* – time (begun) – order of adverbs – prepositions – *mit, von, zu, bis,* and *um* plus acc.

Unit 5
Acc. of personal pronouns – possessive adjectives (contd.) – separable verbs – modal verbs (*wollen, müssen, dürfen*) – time (contd.) – *für* + acc. – *warten auf* + acc.
Cardinal numbers

Unit 6
Dat. case – *können* – *in* + dat. and acc. – word order with dat. pronoun and acc. noun – declension of *Herr* – position of *nicht* – combination of *da-* with prepositions

Unit 7
Dat. case (mainly following prepositions – *mit, zu, nach, bei, an, auf*) – word order with two noun objects – declension of *Kunde* – infin. phrase with *zu*

Unit 9
Fut. tense – word order with direct and indirect objects (nouns and pronouns) – dates and expressions of time – the calendar – *daß* clauses – more infin. phrases with *zu*

Unit 10
Welcher, dieser, jeder (nom., acc. and dat.) – *sollen* (2 of possible meanings) – infin. with or without *zu* – *wenn* clauses – *gegen* (expressions of time)

Unit 11
Pl. forms – reflexive verbs – *sollen* (contd.) – prepositions governing acc. or dat. – comparison – indirect questions – strong adjective endings (begun) – word order – position of verb in simple sentences – *gegen* (cure for) – expressions requiring completion with *zu* + infinitive – word order – *einige* and *andere*

Unit 12
Gen. case – dat. pl. – strong masculine and neuter adjective endings – present tense with *schon* to express action begun in past and continuing in present – *um* – *zu* + infinitive expressing purpose – nominal adjectives (begun) – declension of weak masculine nouns – *aus* + dat.

Unit 14
Reflexive verbs (contd.) – some weak adjective endings – *niemand* and *jemand* – prepositions *gegenüber* and *entlang* – superlative of adverbs (begun) – infin. as command – nouns in apposition – *helfen* + dat. – indirect questions – dependent clauses

Unit 15
Perf. tense (weak verbs in simple and complex sentences) – imperf. tense of *sein, können, wollen* and *müssen* – word order (position of direct object pronouns in questions) – comparison of adjectives (contd.) – combination of *da(r)* + prepositions – subjunctive in 'courtesy' phrases – *auf* + acc. or dat. – *kosten* + acc.

Unit 17
Adjective endings (contd.) – familiar forms (*du* only) – *zu* + infin. = to be + past part. – *beide* – dependent clauses introduced by *weil*

Unit 18
Perf. tense of strong, mixed and modal verbs – *als* (subordinating conjunction) – *daß* clauses as object of verbs with prepositional complements (*sich wundern über, erinnern an*) – familiar forms of weak and strong verbs (singular only) – *Angst haben* – dependent clauses containing perf. tense of modal verbs – word order

Unit 19
Perf. tense of verbs requiring *sein* as auxiliary – imperf. of weak, regular verbs – reflexive pronoun (dat. – formal 2nd person) – replacement of possessive adjective with def. article – infin. used as noun – 'must have' + past participle (in English) – use of *gerade* + perf. tense (Eng. 'to have just done something') – compound verbs (*stehenbleiben, kennenlernen*) – *da* as subordinating conjunction

Unit 21
Imperf. tense of *haben*, and of weak and strong verbs – *wollen* with change of subject – dat. reflexive pronouns (contd.) – reciprocal pronoun – more phrases completed by an infin. phrase with *zu* – *alles was* – *alle* + weak adjective ending – double infin. with *zu* + modal – subordinating conjunctions *sobald, während, als*

Unit 22
Passive voice – condit. clauses using the imperf. subj. – clauses as objects of verbs with prepositional complements (contd.) – relative pronoun (nom. only) – comparison of adjectives and adverbs (*je – desto*)

Unit 24
Comparison of adjectives (contd.) – indef. numerals – *mehr, einige, wenige, alle* + adjective – *daß* clauses + infinitive completions – *ohne – zu* and *ohne daß* (contrasted) – prepositions *außer* and *wegen* – *entweder – oder* – *auch wenn* + indic.

Unit 25
Relative pronouns (completed) – more nominal adjectives – *Angestellte, Fremde, Kranke* – prepositions combined with *wo(r)* or *da-* – use of *lassen*

Unit 27

Subjunctive in condit. sentences – subj. in idiomatic expressions – use of *lassen* (contd.) – *sehen* and *hören* + infin. (the latter replacing English present part.)

Unit 28

Subjunctive in unreal or unfulfilled conditions – use of subj. auxiliary in rendering 'could have, should have, would have had to' + past part. or infin. – *auch wenn* + subj.

Unit 29

Compound tenses in condit. sentences – *sonst* + subj. – perf. subj. of modal verbs in dependent clauses (word order) – *bevor* and *bis* (subordinating conjunctions) – revision of passive voice

Unit 31

Two more uses of the subjunctive (*als ob/als* + subj. of verb, and subj. combined with *beinahe* + past part.) – form and use of the present part. – concessive clauses – *daß* clauses as prepositional object or complement of verb (contd.) – imperative of *sein* (*Sie* form) – *nachdem* + pluperf. tense (dependent clause) – use of *gelingen* – *anfangen* and *aufhören* + infin. – extended adjectival phrase

Unit 32

Some prefixes which can be separable or inseparable – infin. used as nouns – infin. used as imperative – use of reflexive pronouns when referring to injury (or action done) to parts of the body – infin. phrases or dependent clauses as subjects of verbs ('invented' substitute subject – *es*) – familiar plural pronoun *ihr* – use of *sollten* (subjunctive) – fam. (sing.) form of reflexive verbs in the imperative

Unit 34

All forms of the sing. and pl. fam. 2nd person – use of the (imperf.) subj. in indirect speech – *damit* and *seit* as subordinating conjunctions – extended adjectival phrase (contd.)

Unit 35

Clauses and infin. phrases as objects of verbs with prepositional complements (contd.) – *mancher* – declension of *man* – *unter* as an inseparable prefix – *mögen*

Unit 37

Relative clauses following indef. pronouns – relative pronoun with whole clause as antecedent – two prepositions governing the gen. (*innerhalb, angesichts*) – reciprocal pronoun *einander* – difficult compound words – subordinate clauses of result – phrases containing double infinitives as subjects of sentences

Vocabulary (This vocabulary covers the whole of the course.)

A

ab from
  ab und zu now and then, from time to time
abberufen recall
abdrehen turn, switch off
der Abend (– e) evening
  heute abend this evening
  abends in the evening(s)
das Abendessen (–) dinner, supper
der Abendkurs (– e) evening course
das Abendmahl Last Supper
aber but
abfahren (ä, u, a) depart
die Abfahrt (–en) departure
der Abflug (∵e) flight departure, take-off
die Abgabe (–n) deduction, tax
das Abgangszeugnis (–se) leaving certificate
abgeben (i, a, e) give, hand in
der Abgeordnete (–n) M.P., deputy
abhängen (von) depend (on)
abholen pick up, meet
abhorchen listen to
abkommen (o, a, o) deviate from
ablaufen (äu, ie, au) run out
ablegen take off (garments)
ablehnen decline, refuse

abnehmen take off, decrease
abnutzen wear out
die Abnutzung (–en) wearing out
abrechnen settle (account); calculate
abreißen (-reißt/-riss/-gerissen) end, cease
absagen refuse, cancel
der Abschied (–e) departure
  Abschied nehmen take leave
abschleppen tow away
abschließen (ie, o, o) close, settle (a deal), finish
abschmieren grease
sich abschnallen unfasten (safety-belt)
der Abschnitt (–e) section; paragraph
der Absender (–) sender
die Absicht (–en) intention
absolut absolute(ly)
abtasten feel (pulse)
die Abteilung (–en) department
abtragen wear out (of clothes)
abwechseln alternate
abwesend absent
achten (auf) be careful (of)
Achtung! Attention!
die Adresse (–n) address
A.G. (Aktiengesellschaft) joint stock company
das Agrarland farming land
die Agrarpolitik agricultural policy
ähnlich similar
die Ahnung (–en) premonition, notion
  keine Ahnung no idea

der Akt (–en) document, file
die Aktenablage (–n) filing cabinet
die Aktentasche (–n) briefcase
die Aktien (*pl.*) shares; stocks
aktuell current
der Alkohol alcohol
der Alkoholausschank serving of alcohol, licensing hours
alle all
die Allee (–n) avenue
allein alone; only
alleinig sole, only
alleinstehend single (unmarried)
allerdings indeed, to be sure
allerhöchst greatest possible
allerlei all sorts of
alles everything
allgemein general
  im allgemeinen in general
die Alpen Alps
das Alpengebiet (–e) the Alpine area, the Alps
als than, as, when
  als ob, as if
also therefore, thus, so
alt old
das Alter age, old age
am = an dem
der Amerikaner (–) American (male)
die Amerikanerin (–nen) American (female)
die Amtsperiode (–n) fixed period of office
sich amüsieren enjoy oneself
an at, to

an und für sich in itself

die Ananascheibe (–n) pineapple slice

anbieten (o, o) offer

das Andenken (–) souvenir

ander other, different

andere others

andererseits on the other hand

ändern alter, change

anders otherwise

anders als different from

anderthalb one and a half

die Andeutung (–en) suggestion, hint, clue

andrehen turn on

der Anfang (ⁱe) start, beginning

anfangen (ä, i, a) begin

die Anfrage (–n) inquiry

angeben (i, a, e) declare, give

das Angebot (–e) offer

angebracht attached; suitable, appropriate

angehören belong to

die Angelegenheit matter, affair

angenehm pleasant

angesichts in view of

der/die Angestellte employee

angreifen (iff, iff) attack, seize

die Angst fear

Angst haben be afraid

anhalten (ä, ie, a) stop

anhand with the help of

die Anhängerschaft following, support

sich anhören listen to

ankommen (a, o) arrive

ankommen auf (+ acc.) depend on

die Ankunft (ⁱe) arrival

die Anlage (–n) enclosure; construction; park

anlangen arrive at, reach

der Anlaß (ⁱe) occasion

anlegen invest

anlehnen lean against; follow (example)

die Anleihe (–n) loan

die Anleitung (–en) cable

anmelden announce

sich anmelden present oneself

annageln nail (to)

annehmen assume, accept

die Anpassung (–en) adjustment

anprobieren try on

anrichten cause, prepare

der Anruf (–e) call

anrufen ring up (telephone)

anschaffen procure, acquire

anschalten switch on

sich anschauen take a look at

sich anschließen (o, o) join

anschließend next, then

der Anschluß (ⁱe) contact, connection, union

sich anschnallen fasten (safety-belt)

die Anschrift (–en) address

ansehen look at

sich ansehen have a look at

die Ansicht (–en) opinion

die Ansichtskarte (–n) picture post-card

ansiedeln settle

ansprechen appeal to, be directed at

der Anspruch (ⁱ) claim

in Anspruch nehmen claim, demand

ansteigen (ie, ie) climb, rise

anstellen employ, turn on

die Anstellung (–en) appointing, employment

anstrengend exhausting

der Anteil (–e) share

Anteil haben participate in; share

der Antrag (ⁱe) proposal form

der Antrieb (–e) drive

die Antwort (–en) answer

antworten answer

die Anweisung (–en) instruction

anwenden use, employ, apply

der Anwesende person present

die Anzahl (–en) number, quantity

die Anzeige (–n) advertisement, announcement

anziehen (o, o) wear, put on

der Anziehungspunkt (–e) (centre of) attraction

der Anzug (ⁱe) suit

apart uncommon, special, distinctive

der Apfelsaft (ⁱe) apple juice

die Apotheke (–n) chemist's shop

der Apparat (–e) apparatus (camera, telephone)

am Apparat on the telephone, 'speaking'

der **Appetit** appetite
die **Arbeit** work
  arbeiten work
der **Arbeiter** worker
die **Arbeitsbedingungen**
  (*f. pl.*) working
  conditions
das **Arbeitsentgelt** wages
die **Arbeitsgenehmigung**
  (**–en**) work permit
  arbeitslos unemployed
das **Arbeitszimmer** (**–**)
  study
  arg bad, severe
  ärgerlich annoying
  ärgern annoy, irritate
  arm poor
die **Armbanduhr** (**–en**)
  wristwatch
die **Armlehne** (**–n**) arm-
  rest
die **Art** (**–en**) kind, sort
der **Artikel** (**–**) article,
  requisite
die **Arzneimittelherstel-**
  lung (**–en**) production of pharma-
  ceuticals
der **Arzt** (**¨e**) doctor
der **Aschenbecher** (**–**) ash-
  tray
die **Assistentin** (**–nen**)
  female assistant
  atmen breathe
  auch also, as well, too
  auch wenn even if
  auf on, to, at
  auf drei Tage for 3 days
  auf dem Lande in the
  country
  auf . . . zu towards
der **Aufbau** structure
  aufbauen erect
die **Aufbesserung** (**–en**)
  improvement, rise
  (in salary)
der **Aufenthalt** (**–e**) stay
die **Auffassung** interpreta-
  tion, conception

aufführen perform
die **Aufgabe** (**–n**) task,
  exercise
  aufgeben hand in, give
  up, insert (advert)
  aufhalten stop, hold
  up
  sich aufhalten stop,
  stay
  aufhängen hang (up)
  aufheben (**e, o, o**) raise
die **Aufhebung**
  raising
  aufhören cease
Auflagenziffern circulation figures
  aufmachen open
  aufmerksam attentive,
  aware
die **Aufmerksamkeit**
  attention
die **Aufnahme** (**–n**) tape-
  recording, photo-
  graph
  aufnehmen record,
  take down, take on,
  take up
  aufpassen be careful,
  pay attention
  sich aufregen get
  excited
  aufschlußreich
  instructive
  aufschreiben write
  down
die **Aufschrift** (**–en**)
  heading
der **Aufsichtsrat** (**¨e**)
  Board of Directors
  aufstehen get up
  aufstellen set up,
  devise
  aufwachen wake up
  aufwärts upwards,
  upstream
  aufwenden spend,
  expend
  aufwerfen raise (matter,
  question)

das **Auge** (**–n**) eye
  im Auge haben have
  in mind
der **Augenblick** (**–e**)
  moment
  augenblicklich at the
  moment, at present
die **Augenentzündung**
  (**–en**) inflammation
  of the eye
der **Augenzeuge** (**–n**) eye-
  witness
  aus out of, from, of, over,
  ended
die **Ausarbeitung** pre-
  paration, com-
  pletion
  ausatmen breathe out
  ausbeulen beat out
die **Ausbildung** (**–en**)
  training
  ausbuchen book out,
  book up
die **Ausdehnung** (**–en**)
  expansion, exten-
  sion
der **Ausdruck** (**¨e**) expression, phrase
  auseinanderbrechen
  break up, apart
der **Ausflug** (**¨e**) trip,
  excursion
das **Ausflugsziel** (**–e**)
  place to go on a trip
  or an excursion
  ausführen execute,
  carry out
  ausführlich detailed
die **Ausführung** (**–en**) idea,
  exposition
  ausfüllen fill out, fill up
die **Ausgabe** (**–n**) expendi-
  ture, expense
der **Ausgang** (**¨e**) exit
  ausgeben spend
  (money)
  ausgehen go out
  ausgezeichnet excellent

aushalten bear, endure, stand

sich auskennen know one's way around

die Auskunft (ᵕe) information

das Auskunftsbüro (–s) information bureau/desk

das Ausland foreign country, abroad

der Ausländer (–) foreigner

ausländisch foreign

auslegen lay out, spend

ausmachen arrange, amount to

    es macht mir nichts aus it does not matter to me

ausnahmsweise as an exception

ausnutzen wear out

ausprobieren test, try

ausrechnen calculate

ausgerechnet just, precisely

die Ausrede (–n) excuse

    keine Ausrede! no excuses!

ausrichten give a message

ausrufen call out

sich ausruhen rest, have a good rest

der Ausschank serving (of alcohol)

aussehen look, seem, appear

außer (+ *dat.*) except

außerdem moreover, besides, in addition

außerhalb outside, beyond

äußerst highly

die Aussicht (–en) view

aussprechen express, pronounce

ausgesprochen hoch decidedly high

ausstatten provide with, equip

aussteigen (ie, ie) get out/off

ausstellen display, exhibit, expose

    Schecks ausstellen use cheques

die Ausstellung (–en) exhibition

ausstrahlen beam out, transmit

aussuchen select

ausüben exert (influence), exercise

der Ausverkauf (ᵕe) clearance sale

die Auswahl (–en) choice

    Auswahl an choice of

auswechseln exchange

ausweichen (i, i) avoid, dodge

der Ausweis (–e) certificate

sich ausweisen identify oneself

auswendig by heart

ausgezeichnet excellent

ausziehen (o, o) take off (clothes)

das Auto (–s) car

die Autobahn (–en) motorway

der Autofahrer (–) motorist

automatisch automatic

die Autopanne (–n) car breakdown

die Autoversicherung (–en) car insurance

B

das Backhendl chicken roasted on spit

das Bad (ᵕer) bath(room)

der Badeanzug (ᵕe) bathing-costume

der Badeort (–e) seaside resort

das Badezimmer (–) bathroom

die Bahn (–en) railway

bahnen pave the way for

die Bahnfahrt (–en) train journey

der Bahnhof (ᵕe) station

die Bahnhofshalle (–n) station-hall

bald soon

baldig early

das Ballet (–e) ballet

die Banane (–n) banana

das Band (ᵕer) ribbon, tape

    auf Band aufnehmen tape-record

bandagieren bandage

die Bank (–en) bank

die Bank (ᵕe) bench, seat

der Bankbeamte (–n) bank clerk

der Bankdirektor (–en) bank manager

das Bankkonto (*pl.* Bankkonten) bank account

die Banknote (–n) banknote

der Bankkredit (–e) bank-loan, credit at bank

    Bankrott machen go bankrupt

    bar zahlen pay cash

das Bargeld ready money, cash

der Bau (–ten) building, construction

    im Bau under construction

bauen build

der Bauer (–n) farmer, peasant

der Bauernhof (ᵕe) farm

die Baufirma (–en) construction company

die Baukunst architecture

der Baum (∺e) tree

der Baumeister (–) architect, master builder

der Baustil (–e) style of architecture

das Bauwerk (–e) building

bayrisch Bavarian

das Bayern Bavaria

der Beamte(r) (–en) official, civil servant

beantworten answer, reply to

bearbeiten work on

beauftragen charge with, commission, entrust

der Bedarf requirements

bedauern regret, be sorry for

bedenken consider, bear in mind

bedeuten mean, imply

bedeutend significant important

die Bedeutung (–en) significance, meaning

bedienen serve, wait on

die Bedienung service

der Bedienungszuschlag (∺e) service charge

bedingt caused, conditioned

das Bedürfnis (–se) necessity, requirement

sich beeilen hurry

beendet finished, concluded

sich befassen be concerned with, occupy oneself with

sich befinden be, be situated

befürchten fear

sich begegnen meet

begehen commit, celebrate

begeistern thrill, enthrall, fill with enthusiasm

der Beginn beginning, origin

beginnen (a, o) begin

die Begleitung (–en) accompanying, accompaniment, escort

begreifen (iff, iff) understand, grasp (mentally)

begrenzen limit

begrenzt narrow, limited

der Begriff (–e) concept, idea, notion

begrüßen greet, welcome

behalten keep

behaupten assert, maintain

beheimatet located, belonging to

behilflich helpful, useful

die Behörde (–n) authority, government department

bei (+ *dat.*) at, at the house of, near, beside, during, while

beim Kaffee at coffee

beide both

die Beilage (–n) vegetables, addition, accompaniment to

das Bein (–e) leg

beinahe almost, nearly

beiseite aside, apart

das Beispiel (–e) example

zum Beispiel for example

der Beitrag (∺e) contribution

der Beitritt joining, acquiring membership

bekannt known, familiar, well-known

der Bekannte (–n) acquaintance (person)

bekanntgeben announce, give notice of

bekanntmachen introduce, make known

sich beklagen complain

bekommen (a, o) get, receive

sich belasten burden oneself

belegen spread, cover, lay, carpet

beleidigen insult, offend

der Belgier (–) Belgian (male)

beliebt favourite, popular

bemerken notice

sich bemühen take pains, try

die Bemühung (–en) effort

benachrichtigen inform, advise of

sich benehmen behave

benötigen require, need

benutzen use, utilize

das Benzin (–e) petrol

der Benzinverbrauch petrol consumption

beobachten observe, watch

bequem comfortable

beraten advise

berechtigen entitle, authorise

berechtigt authorised, entitled to

der Bereich (–e) sphere, scope, range

bereit ready, prepared

bereits already

bereiten prepare, get ready; cause (difficulty, trouble)

der Berg (-e) hill, mountain

der Bergsteiger (-) mountaineer

der Bericht (-e) report, information

die Berichterstattung reporting

der Berliner (-) person from Berlin

der Beruf (-e) profession, trade

von Beruf by profession

berühmt famous

die Besatzung (-en) occupation, garrison

die Besatzungszone (-n) occupied zone

die Besatzungsmacht occupying power

beschädigen damage, hurt

beschaffen procure, obtain

(sich) beschäftigen busy (oneself)

der Bescheid knowledge, information

Bescheid sagen inform

Bescheid wissen have knowledge of

sich beschränken limit oneself

beschreiben (ie, ie) describe

die Beschwerden (*pl.*) pains, difficulties, troubles

besetzen occupy

besichtigen inspect, see round, visit

besingen (a, u) celebrate in song

besitzen (aß, ess) possess, own

der Besitzer (-) owner

besonder- special

besonders especially

besorgen take care of, look after

besprechen (i, a, o) discuss

die Besprechung (-en) discussion

besser better

besser als better than

die Besserung (-en) improvement, recovery

best best

besten Dank many thanks

am besten best, at best

bestätigen confirm, establish

die Bestechung corruption

das Besteck (-e) knife, fork and spoon, cutlery

bestehen (-steht/ -stand/-standen) pass (an exam), be, exist

bestehen aus consist of

bestehen auf insist on

bestellen order

die Bestellung (-en) order

bestimmt definite, fixed

der Bestimmungsort (-e) (place of) destination

bestreiten (-streitet/ -stritt/-stritten) dispute, oppose

der Besuch (-e) visit, visitors

zu Besuch kommen come on a visit

besuchen visit

der Besucher (-) visitor

betrachten consider, view, look at

beträchtlich considerable, considerably

der Betrag (-̈ e) amount, sum

betragen (ä, u, a) amount to

betreffen (i, af, o) concern

betreffend concerning

betreuen attend to, look after

betreiben (ie, ie) carry on, pursue (some activity)

der Betrieb (-e) factory, plant, works

das Betriebsbüro (-s) factory management office

das Betriebsklima working atmosphere

der Betriebsleiter (-) works manager

die Betriebswirtschaft works management

das Bett (-en) bed

die Bettwäsche bed linen

beurteilen judge

die Bevölkerung population

die Bevölkerungszahl (-en) population census

die Bevölkerungszunahme (-n) population increase

bevor before

bevorzugt preferred

bewaldet woody, wooded

der Beweis (-e) proof

beweisen prove

sich bewerben (-wirbt/ -warb/-worben) try to get, apply for

die Bewerbung (-en) application

das Bewerbungsschreiben written application

bewässern water, irrigate

bewohnen inhabit

sich bewölken cloud over

bewölkt clouded (over), cloudy

bezahlen pay

bezeichnen mark, designate, define

die Bezeichnung (–en) designation

beziehen (zog, -zogen) occupy, move into; draw (money)

die Beziehung (–en) connection, respect

beziehungsweise (bzw.) respectively

der Bezug (– e) reference

mit Bezug auf with reference to

bezweifeln doubt

die Bibliothek (–en) library

das Bier beer

bieten (o, o) offer

das Bild (– er) picture

bilden form, educate

billig cheap

bin (sein: to be) am

die Birne (–n) pear

bis until, as far as

bisher up to now, hitherto

ein bißchen a little

bitte please

bitte schön don't mention it, you're welcome

bitten (bittet, bat, gebeten) ask, request

blaß pale

das Blatt (– er) leaf, sheet (paper)

blau blue

bleiben (ie, ie) stay, remain

der Bleistift (–e) pencil

der Blick (–e) view, look, glance

blitzen

es blitzt there is lightning

bloß bare, mere(ly) only

blühen bloom, blossom; flourish

blühend blossoming

die Blume (–n) flower

der Blumenfreund (–e) person fond of flowers

der Blumenkohl (–e) cauliflower

die Bluse (–n) blouse

die Bodenschätze (*pl.*) minerals, natural resources

die Bohne (–n) bean

die Bombe (–n) bomb

der Bord (–e) board

an Bord on board

böse angry, evil, malicious

braten roast, grill, fry

die Bratkartoffel (–n) fried potato

die Bratwurst (– e) grilled or fried sausage

brauchen need, use

braun brown

die Braut (– e) fiancée, bride

brechen (i, a, o) break

das Brechen (or Erbrechen) vomiting

breit wide, broad

der Bremsbelag (– e) brake-lining

die Bremse (–n) brake

das Brennmaterial fuel

der Brief (–e) letter

der Brieffreund (–e) pen-friend

der Briefkasten (–e) letter-box

die Briefmarke (–n) stamp

das Briefschreiben (–) letter writing

die Brieftasche (–n) wallet

das Brieftelegramm (–e) letter-telegram

der Briefwechsel (–) exchange of letters, correspondence

die Brille (–n) spectacles

bringen (brachte, gebracht) bring, take

die Broschüre (–n) brochure, pamphlet

das Brot bread

das Brötchen (–) bread-roll

der Bruch (– e) fracture, break, breach

die Brücke (–n) bridge

der Bruder (–) brother

das Buch (– er) book

buchen book

das Bücherregal (–e) book-shelf

die Buchhaltung book-keeping, accounts department

buchstabieren spell

die Buchung (–en) booking

das Bügeleisen (–) iron

die Bühne (–n) stage

bummeln take a leisurely stroll, laze around

die Bundesbank (–en) Federal Bank

das Bundesgebiet (–e) area under control of Bonn Government

der Bundeskanzler (–) Federal Chancellor

das Bundesland (– er) one of the 'Länder' of the Federal Republic

die Bundespost Federal postal service

der Bundesrat Federal Council

die Bundesregierung (–en) Federal Government

die Bundesrepublik Federal Republic

der Bundestag (–e) Federal Diet (= House of Commons)

die Bundesversammlung (–en) Federal Assembly

das Bundesverfassungs-gericht Federal Constitutional Court

die Burg (–en) castle, fortress

die Burgruine (–en) castle ruin

das Büro (–s) office, bureau

der/die Büroangestellte (–en) office worker, clerk

die Büroarbeit office work

das Bürogebäude (–) office building

die Büromaschine (–n) office machine

der Bus (se) bus

die Bushaltestelle (–n) bus-stop

die Butter butter

C

ca. circa roughly, approximately

das Café (–s) café

das Camping camping

der Chauffeur (–e) chauffeur, driver

der Chef (–s) boss, head of department

der Chefingenieur (–e) chief engineer

die Chefsekretärin (–nen) head secretary, secretary to the managing director

die Chemie chemistry

das Chemiewerk (–e) chemical factory, plant

die Chemikalien (*pl.*) chemicals

der Chemiker (–) chemist (graduate in chemistry)

chemisch chemical(ly)

chinesisch Chinese

circa (*see under* **ca.**) approximately, about

der Cocktail cocktail

die Cocktail Party (–s) cocktail party

das College college (borrowed from English)

der Comfort convenience, comfort

D

da (*adv.*) there

da (*conj.*) as, because

dabei (*adv.*) thereby, the while

dabeisein (ist, war, gewesen) be present

dafür for it/them, in compensation for, instead of

dagegen against it/them

wenn Sie nichts dagegen haben if you don't mind

daheim at home, in one's own country

daher from that place

daher hence, therefore, for that reason

dahin thither, (to) there

dahinrasen rush along

damalig then, of that time, prevailing

damals then, at that time

die Dame (–n) lady

das Damenkostüm (–e) lady's suit

der Damenring (–e) lady's ring

damit (*adv.*) with it, with them

damit (*conj.*) so that, in order that

die Dampferfahrt (–en) steamer trip

der Dank thanks

vielen Dank many thanks

dankbar grateful

danke thank you

danke schön thank you very much

danke vielmals thank you very much

danken (+ *dat.*) thank

dann then, in that case

daran (*see* **an**) in it, at it, to it

darauf (*see* **auf**)

die Darbietung (–en) presentation, perform-ance, offering

darf (dürfen) may, can, am/is allowed

darin (*see* **in**) in it, inside

das Darlehen (–) loan

darüber (*see* **über**) over it, above it, across it

darum (*see* **um**) round about, for that reason, about that

es geht darum it's about . . . (*dependent clause*)

dasselbe (*see* **derselbe**) the same

daß that

das Datum (*pl.* **Daten**) date
die Dauer duration
    auf die Dauer in the long run
dauern last
die Dauerstelle (**–n**) permanent post
davon (*see* **von**) of it/them, about it, from it, on it
davor (*see* **vor**) in front of it, outside of it, before it
dazu (*see* **zu**) for this purpose, in addition to, as well
dazupassen suit, fit, go well with
decken set (table), cover
defekt defective, faulty
der Deich (**–e**) dike
dein your (*familiar form*)
deklarieren declare
demokratisch democratic
demselben the same (*dative*)
denken (**dachte, gedacht**) think
das Denkmal (**–er**) monument
denn because, for, then
der (**die, das**) the; who, which, that
derartig of that kind, such
dergleichen of such a kind, such
derjenige (**diejenige, dasjenige**) he, she, it, this, that, the one
derselbe (**dieselbe, dasselbe**) the same
deshalb therefore, for that reason
desto besser so much the better
    je mehr . . . desto besser the more, the better

deswegen for that reason
deutlich clear, distinct
deutsch German (adj.)
Deutsch German (language)
der Deutsche (**–n**) male German
die Deutsche (**–n**) female German
(das) Deutschland Germany
dezentralisieren de-centralise
das Dezimalsystem (**–e**) decimal system
der Dialekt (**e**) dialect
der Dialog (**e**) dialogue
dicht dense, compact, close
der Dichter (**–**) poet
dick fat, close (friends)
diejenige (*see* **derjenige**)
dieselbe (*see* **derselbe**)
die Diele (**–n**) hall
dienen serve
dieser, diese, dieses that, this, the latter,
diesmal this time
das Diktat (**–e**) dictation
diktieren dictate
das Diktiergerät (**–e**) dictating machine
das Ding (**–e**) thing, matter
direkt direct(ly), through (ticket)
die Direktionssitzung (**–en**) Board meeting
der Direktor (**–en**) director
die Diskussion (**–en**) discussion
der Diwan (**–s**) sofa
doch but, however, though, surely; yes (when contradicting)

das Dokument (**–e**) document
der Dolmetscher (**–**) interpreter
der Dom (**–e**) cathedral
die Donau Danube
donnern thunder
die Doppelfenster (*pl.*) double windows
das Doppelzimmer (**–**) double-room
das Dorf (**–er**) village
dort there
dorthin thither, (to) there
die Dose (**–n**) box, tin
dran (*see* **daran**)
draußen outside, out of doors
das Dreieckschild (**–e**) triangular road sign
dreiviertel three-quarters
dringen (**a, u**) press
dringend pressing, urgent
drüben (**da drüben**) over there, yonder
der Druck (**–e**) pressure, weight
die Drucksache (**–n**) printed matter
du you (*familiar form; written with D in private correspondence*)
dumm stupid, silly
dummerweise stupidly
dunkel (**e** *drops out in declension*) dark
dunkelgrau dark grey
dünn thin, weak
durch (*accusative*) through, by, across
durchaus quite, thoroughly
durchbraten (**-brät/-briet/-gebraten**) roast well

durchgebraten well done

durchdrücken press through, press right down

das Durcheinander confusion, mix-up

durcheinander in confusion

durcheinander-bringen (-brachte/ -gebracht) mix up confuse

die Durchfahrt (-en) way through; passage; passing through

der Durchfall (¨e) diarrhoea, failure

durchfallen (fällt/-fiel/ -gefallen) fail (exam), fall through

durchfließen (-floß/ -geflossen) flow through

durchführen execute, carry out, accomplish

durchkommen (-kam/ -gekommen) come through, succeed, pass (exam)

durchlassen (-läßt/ -ließ/-gelassen) let through

der Durchlauferhitzer (-) geyser

durchleuchten X-ray; fill with light

durchqueren cut across

die Durchreise (-en) passing through; transit

die Durchsage (-n) call, announcement

der Durchschlag (¨e) carbon copy; strainer

der Durchschnitt (-e) average; section

im Durchschnitt on the average

sich durchsetzen succeed

dürfen (darf, durfte, gedurft) be allowed may, can

der Durst thirst

Durst haben be thirsty

die Dusche (-n) shower

das Düsenflugzeug (-e) jet aircraft

E

eben (*adv.*) precisely; just; quite

eben (*adj.*) even

die Ebene (-n) plain

ebenfalls likewise

ebenso just as, equally

echt genuine, authentic

die Ecke (-n) corner

die Effekten (*m. pl.*) stocks, securities

egal equal, the same

es ist mir egal it's all the same to me

ehe before

ehemalig former, erstwhile

das Ehepaar (-e) married couple

eher rather

am ehesten soonest

die Ehre honour

ehrlich honest, fair

das Ei (-er) egg

eifersüchtig jealous, envious

eigen own, peculiar

das Eigenheim one's own home

die Eigenschaft (-en) quality

eigentlich really, properly, actually, in point of fact

das Eigentum (¨er) property

die Eigentumswohnung (-en) one's own flat

der Eigentümer (-) owner, proprietor

sich eignen suit, be fit, be adapted for

eilig quick, hasty

es eilig haben be in a hurry

ein, eine, ein a, an, one

einander one another

einatmen breathe in

der Einbauschrank (¨e) fitted cupboard

einbegreifen (begriff/ -begriffen) include, comprise

einbiegen (-bog, -gebogen) turn into (street)

sich einbilden imagine, think, believe

der Einblick insight

der Eindruck (¨e) impression

einen Eindruck gewinnen get an impression

eindrücken press in, push in, crush in

einer, eine, eines one (of a number)

einerseits on the one hand

einfach simple, single (one-way)

einfallen (-fällt/ -fiel/-gefallen) occur

was fällt ihm denn ein? what's he thinking of?

das Einfamilienhaus (¨er) private house for one family

der Einfluß (¨sse) influence

einflußreich influential

einführen import, introduce

der Eingang (¨e) entrance
eingehend detailed, exhaustive, searching
einhalten (-hält/-hielt/-gehalten) keep (a promise, appointment); stop, check
einhängen hang up (telephone)
einige some
der Einkauf (¨e) purchase
Einkäufe machen/einkaufen gehen go shopping
einkaufen buy, shop
die Einkaufsabteilung (–en) purchasing department
der Einkaufsbummel (–) stroll around the shops
die Einkaufsmöglichkeit (–en) shopping facilities
das Einkommen (–) income
einladen (-lädt/-lud/-geladen) invite
die Einladung (–en) invitation
sich einleben become familiar with, get accustomed to
einlösen cash, pay in
einmal once
einmal Hauptbahnhof one to the main station (on paying fare)
noch einmal once again
einmalig unique
die Einnahmequelle (–n) source of revenue
einnehmen (-nimmt/-nahm/-genommen) take, swallow, occupy

einrichten furnish, arrange
die Einrichtung (–en) establishment, institution
einschlafen (ä, ie, a) fall asleep
einschließen include
einschließlich included, inclusive of
einsetzen use, put in, insert
einst at one time, once
einstecken post, stick in, insert
einsteigen get into, take one's seat
einstellen stop, cease
eingestellt in attitude
die Einstellung attitude
eintreten (-tritt/-trat/-getreten) enter, step in
der Eintritt (-e) entry
einverstehen (-verstand/-verstanden) agree
einverstanden agreed, in agreement
einwandern immigrate
einwechseln change, cash
einwerfen (-wirft/-warf/-geworfen) insert, throw in, put in (coins)
der Einwohner (–) inhabitant
einzahlen pay in
einzeln individual, single, separate
das Einzelzimmer (–) single room
einziehen (/-zog/gezogen) move in, take possession of
einzig only, single, sole

die Einzimmerwohnung (–en) one-roomed flat
das Eis (–) ice-cream, ice
die Eisenbahn (–en) railway
das Eisenerz (–e) iron-ore
das Eisenerzvorkommen (–) iron-ore deposits
eiskalt ice-cold
elegant elegant
elektrisch electric(al)
die Elektroartikel (m. pl.) electrical goods
das Elektrofahrzeug (–e) electrically driven vehicles
die Elektrogeräte (n. pl.) electrical goods
das Elektroinstrument (–e) electrical instrument (tool, appliance)
der Elektromotor (–e) electrical motor, engine
die Elektrowerkstatt (¨en) electrical workshop
die Eltern (pl.) parents
empfangen (ä, i, a) receive
der Empfänger (–) recipient, addressee
der Empfangschef (–s) reception supervisor
empfehlen (-fiehlt/-fahl/-fohlen) recommend
die Empfehlung (–en) recommendation
empfinden be sensitive about, perceive
empfindlich sensitive, delicate
das Ende (–n) end
Ende gut, alles gut all's well that ends well

zu Ende finished

enden terminate, finish

endgültig final, conclusive

endlich at last, final(ly), ultimate

die Endstation (en) terminus

energisch firm(ly), energetic

eng narrow

der Engländer (–) Englishman

die Engländerin (–nen) Englishwoman

englisch English

die Englischkenntnis (–se) knowledge of English

der Enkel (–) grandson

die Entdeckung (–en) discovery

die Entfernung (–en) distance, removal

entgegennehmen (-nimmt/-nahm/-genommen) take, accept

entgegensehen look forward to

enthalten (ä, ie, a) contain, comprise

entlang along

entlassen dismiss

entnehmen (-nimmt/-nahm/-nommen) gather from, learn, draw upon

sich entscheiden (-scheidet/-schied/-schieden) decide (be decided)

die Entscheidung (–en) decision

sich entschließen (-schließt/-schloß/-schlossen) decide; make up one's mind

der Entschluß (˸sse) decision, resolution

entschuldigen excuse

entschuldigen Sie, bitte excuse me, please

die Entschuldigung (–en) excuse, apology

entsenden (-sendet, -sandte, -sandt (also -sendet)) send, delegate

die Entspannung (–en) relaxation

entsprechen (-sprach, -sprochen) comply with, correspond to

entspringen (-springt/-sprang/-sprungen) spring from; escape; rise (river)

entstehen (-steht/-stand/-standen) arise, originate

enttäuschen disappoint

entweder . . . oder either . . . or

entwickeln develop

er he, it

erbitten (-bittet/-bat/-beten) beg for, ask for

erbrechen (-bricht/-brach/-brochen) be sick

die Erbse (–n) pea

die Erbsensuppe (–n) pea-soup

die Erdbeere (–n) strawberry

das Erdölvorkommen petroleum deposits

sich ereignen happen

das Ereignis (–se) event

erfahren (-fährt/-fuhr/-fahren) experience, discover

der Erfolg (–e) success, result

erfolgreich successful

erfolglos unsuccessful

erforderlich necessary, required

sich erfrischen take refreshment

die Erfrischung (–en) refreshment

erfüllen fill up, complete

sich ergeben (-gibt/-gab/-geben) show, prove (to be)

erhalten (-hält/-hielt/-halten) receive, maintain

erheben (o, o) raise

den Anspruch erheben claim

sich erhoffen hope (for oneself)

die Erholung (–en) recovery, recreation

erinnern remind

sich erinnern remember

die Erinnerung (–en) memory, reminiscence

das Erinnerungsgeschenk (–e) souvenir

sich erkälten catch a cold

die Erkältung (–en) a cold, chill

erkennen (-kennt/-kannte/-kannt) recognize, realise

erklären explain

die Erklärung (–en) declaration, explanation

sich erkundigen make inquiries, ask (about)

erlangen acquire, reach, attain

erlauben allow

erleben experience, undergo

das Erlebnis (–se) experience, occurrence
erledigen settle, see to, attend to
erleichtern ease, lighten, relieve
die Erleichterung (–en) easing, relief
erneuern renew, repair
die Erneuerung (–en) renewal, renovation
ernst serious, grave
die Ernte (–n) harvest
eröffnen open, reveal
erregen stir up, provoke
erreichbar within reach, available
erreichen reach
errichten erect
die Ersatzmaschine (–n) replacement aircraft
erscheinen (-scheint/ -schien/-schien- en) appear
die Erscheinung (–en) appearance
erschöpfen exhaust
erschöpft exhausted
erschweren make difficult
ersehen (-sieht/-sah/ -sehen) perceive
erst (*adj.*) first
erst (*adv.*) only
erst um not until
erstaunen be surprised, astonished
erstklassig first-class
sich erstrecken extend, stretch
erwähnen mention
erwarten expect, await
erwecken awaken, rouse
erweisen (-wies/ -wiesen) prove, show

die Erweiterung (–en) widening, expansion, extension
erzählen relate, tell
erzeugen produce, manufacture
das Erzeugnis (–se) product, finished article
es it
das Eschenheimer Tor Eschenheimer Gate
das Essen (–) food, meal
essen (ißt, aß, gegessen) eat
die Eßgewohnheiten (*f. pl.*) eating habits
der Eßlöffel (–) dessertspoon, tablespoon
die Eßwaren (*f. pl.*) eatables, food
das Eßzimmer (–) dining-room
die Etagewohnung (–en) multi-storey flat
etwa about, approximately
etwas (*pronoun or adv.*) something, somewhat
euch (*pronoun—acc. and dat.*) you, to you (*familiar pl.*)
euer, eure, euer, your (*familiar pl. form*)
das Europa Europe
E.W.G. (Europäische Wirtschafts- gemeinschaft) European Common Market
ewig eternal, for ever
existieren exist, be
der Exportleiter (–) export manager
extra extra, especially
(extra für Sie)

F

die Fabrik (–en) factory, works
das Fach (∵ er) subject (of study)
der Facharzt (∵ e) medical specialist
der Fachmann (Fachleute) expert, specialist
die Fachschrift (–en) technical journal, learned journal
fahren (ä, u, a) go, travel (by conveyance)
der Fahrer (–) driver
die Fahrerflucht (–en) hit and run (in car accidents)
die Fahrkarte (–n) ticket
der Fahrplan (–e) timetable
der Fahrpreis (–e) fare
die Fahrprüfung (–en) driving test
das Fahrrad (∵ er) bicycle
der Fahrstuhl (∵ e) elevator, lift
die Fahrt (–en) journey, drive
der Fall (∵ e) instance, case, fall
auf jeden Fall in any case
auf keinen Fall on no account
fallen (fällt, fiel, ge- fallen) fall, decrease
falls if, in case
falsch wrong
fälschen forge, falsify
die Familie (–n) family
das Familienleben family life
das Familienmitglied member of the family

fand (*see* **finden**) found

die Farbaufnahme (–n) colour photograph

die Farbe (–n) colour

die Farbbeilage (–n) colour supplement (of newspaper)

das Farbfernsehen colour television

das Farbwerk (–e) paint and dye-works

fast almost

faul lazy

fehlen be lacking, missing, wrong with

was fehlt mir ? what's wrong with me ?

der Fehler (–) mistake, blunder

fehlerlos perfect, faultless

fehlschlagen (ä, u, a) fail, miscarry

feinmechanisch (*adj.*) precision-tool

das Feld (–er) field

auf den Feldern in the fields

das Fenster (–) window

die Ferien (*pl.*) holidays

das Feriengebiet (–e) holiday district, tourist area

die Ferienreise (–n) holiday trip

das Ferienziel (–e) holiday destination

die Ferne distance

das Ferngespräch (–e) long-distance call

der Fernsehapparat (–e) television-set

das Fernsehen television

fernsehen (-sieht/ -sah/-gesehen) watch television

die Fernsehgebühr (–en) T.V. licence

die Fernsehreklame (–n) television advert (advertising)

die Fernsehsendung (–en) television transmission

die Fernsehwerbung T.V. advertising

fertig ready, finished

fertig machen get ready

das Fertigerzeugnis (–se) finished product

das Fest (–e) festival

das Festland mainland

festlegen finalise, determine

sich festschnallen fasten seat belts; fasten onself in

das Festspiel (–e) festival play, performance

die Festspielstadt (¨e) festival town

feststellen fix, settle, confirm

die Festwoche (–n) festival week

das Feuer (–) fire

das Feuerzeug (–e) cigarette lighter

das Fieber (–) fever, high temperature

fieberfrei free of fever, normal temperature

das Fieberthermometer (–) clinical thermometer

fiebrig feverish

der Film (–e) film

die Finanz (–en) finance

die Finanzierungssorge (–n) worry over finance

finanziell financial

die Finanzabteilung (–en) finance section, accounts department

finden (findet, fand, gefunden) find

die Firma (Firmen) firm, company

der Firmenchauffeur (–e) company driver

der Firmenwagen (–) company car

der Fisch (–e) fish

die Fischgabel (–n) fish-fork

das Fischgericht (–e) fish course, dish

das Fischmesser (–) fish-knife

das Fischrestaurant (–s) fish restaurant

flach flat

die Flasche (–n) bottle

das Fleisch meat

die Fleischspeise (–n) meat dish

fleißig diligent, industrious, hardworking

fliegen (o, o) fly

fließen (fließt, floß, geflossen) flow

fließend fluently

der Fluch (¨e) curse

die Flucht (–en) flight, escape

der Flüchtling (–e) refugee

der Flüchtlingstrom (¨e) stream of refugees

der Flug (¨e) flight (of a plane, bird)

der Flügel (–) wing

der Fluggast (¨e) airline passenger

die Fluggesellschaft (–en) airline

der Flughafen (¨) airport

der Flughafenbus (se) airport bus

die Flugkarte (–n) air-ticket

die Flugpanne (–en) mechanical breakdown (aircraft), flight delay

der Flugplatz (¨e) planeseat, airport

der Flugpreis (–e) air-fare

der Flugschein (–e) airticket

die Flugzeit (–en) flying time, duration of flight

das Flugzeug (–e) plane

der Fluß (¨sse) river

das Flußtal (¨er) river valley

föderalistisch federal

die Folge (–n) result, consequence

folgen (+ *dat.*) follow

folgend subsequent, next

folgendes the following

fördern mine (coal), promote, further

die Forelle (–n) trout

die Form (–en) form, shape

die Formalität (–en) formality

das Formular (–e) form

fort away, off, onward

ich muß fort I must go

fortsetzen continue

die Fortsetzung (–en) continuation, pursuit

der Fotoapparat (–e) camera

fotografieren photograph

die Frage (–n) question

Fragen stellen ask questions

kommt nicht in Frage out of the question

fragen ask

der Frank (–en) franc (coin)

Franken Franconia

der Frankfurter (–) person from Frankfurt

Frankfurter (*adj.*)

Frankfurter Allgemeine Zeitung (FAZ) (name of a Frankfurt newspaper)

(das) Frankreich France

der Franzose (–n) Frenchman

die Französin (–nen) Frenchwoman

französisch (*adj.*) French

Französisch French (language)

die Frau (–en) Mrs., woman, wife

das Fräulein (–) Miss, young woman

frei free, vacant

das Freigelände (–) open area

die Freiheit freedom

frei machen make free

die Freizeit free time

fremd strange, foreign

der Fremde (r) (*m./f. pl. –n*) foreigner; stranger

der Fremdenverkehr tourist traffic, industry

das Fremdenverkehrsamt (¨er) tourist office

die Fremdsprache (–n) foreign language

die Freude (–n) pleasure, joy

Haben Sie an der Arbeit Freude ? Do you enjoy your work ?

freuen gladden

es freut mich sehr I am glad (to meet you); How do you do !

sich freuen auf look forward to

sich freuen (über) be happy (about)

der Freund (–e) friend (male)

die Freundin (–nen) friend (female)

freundlich friendly, pleasant

frisch fresh, cool, gay

der Friseur (–e) hairdresser

froh glad, happy, merry

fruchtbar fertile, fruitful

früh early

morgen früh tomorrow morning

der Frühling spring

das Frühstück (–e) breakfast

frühstücken have breakfast

sich fühlen feel

führen bring, lead, carry on (correspondence, etc.)

der Führer (–) guide, leader

der Führerschein (–e) driving licence

das Fundbüro (–s) lost property office

fundieren found, endow

der Fünfmarkschein (–e) five-mark note

der Fünfsitzer (–) fiveseater

funktionieren function, work

für for

furchtbar dreadful, frightful

fürchten fear, be afraid

der Fürstenhof Princes' Court (name of an hotel)

der Fuß (¨e) foot

zu Fuß on foot

der Fußball football

der Fußboden (–) floor
das Fußgelenk (–e) ankle
  füttern line
    gefüttert lined

G

der Gang (⸚e) corridor,
    passage, walk, gear
    (of car)
  ganz (*adv.*) quite, very
  ganz (*adj.*) whole, all
    ganz und gar com-
      pletely
    gar quite
      gar nicht not at all
die Garage (–n) garage
die Garantie (–n) guarantee
  garantieren guarantee,
    warrant
die Garderobe (–n) cloak-
    room, wardrobe
der Garten (⸚) garden
das Gas (–e) gas
der Gasherd (–e) gas-
    stove
die Gasse (–n) lane
der Gast (⸚e) guest
  gastfreundlich hospit-
    able
die Gastfreundschaft
    hospitality
das Gasthaus (⸚er) inn,
    restaurant
die Gaststätte (–n)
    restaurant
die Gaststube (–n) bar (at
    an inn)
der Gastvortrag (⸚e) lec-
    ture by a visiting
    speaker
das Gastzimmer (–)
    guest-room
  gebacken baked
das Gebäude (–) building
  geben (i, a, e) give
    es gibt there is/are
das Gebiet (–e) field,
    district, sphere

gebildet educated,
    cultured
das Gebirge mountain-
    range, mountains
  gebirgig mountainous
der Gebirgszug mountain
    range
  geboren born
  gebraten fried, roasted,
    grilled
der Gebrauch (⸚e) use,
    custom
  gebrauchen use
die Geburt (–en) birth
  gebürtig native, born in
das Geburtsdatum (–en)
    date of birth
der Geburtstag (–e) birth-
    day
**das Geburtstagsgeschenk
    (–e)** birthday
    present
der Gedanke (–n) thought,
    idea
das Gedeck (–e) knife and
    fork, set meal
das Gedränge crush,
    crowd, throng
die Geduld patience
  geduldig patient
  geehrt honoured
    **(Sehr) geehrter
      Herr,** Dear Sir
die Gefahr (–en) danger,
    risk
  gefährlich dangerous
  gefallen (+ *dat.*) please
    **wie gefällt es
      Ihnen?** how do you
      like it?
das Geflügel (–) poultry
das Gefühl (–e) feeling,
    sensation
  gefüllt stuffed, filled
  gegen towards, against,
    compared with,
    about
die Gegend (–en) region,
    neighbourhood

das Gegenstück (–e)
    counterpart
das Gegenteil (–e)
    opposite
    im Gegenteil on the
      contrary
  gegenüber opposite
  gegenübertreten
    approach
  gegenwärtig present,
    actual
der Gegner opponent
das Gehalt (⸚er) salary
der Gehaltsanspruch (⸚e)
    desired/required
    salary
**die Gehaltserhöhung
    (–en)** rise in salary
  **gehen (geht, ging,
    gegangen)** go
    wie geht es Ihnen?
      how are you?
    das geht leider nicht
      I'm sorry, that won't
      be possible; it can't
      be done, unfor-
      tunately
    es geht um... it's a
      matter of...; it's
      about...
    es geht it's alright
**die Gehirnerschütterung
    (–en)** concussion
  gehören (+ *dat.*)
    belong
  gekocht boiled
  gelangen reach, arrive
    at
  geläufig familiar
  gelb yellow
das Geld money
  gelegen situated
die Gelegenheit (–en)
    opportunity
  gelingen (+ *dat.*)
    **(gelingt, gelang,
      gelungen)** succeed
    es gelingt mir I
      succeed

gelten (i, a, o) be worth, be valid

die Gemäldegalerie (–n) picture gallery

gemeinsam common, joint, combined

die Gemeinschaft community

gemischt mixed

gemütlich agreeable, cosy, genial, jolly

genannt named

genau exact(ly), precise(ly)

genausoviel equally, just as much

genießen (genießt, genoß, genossen) enjoy

genug enough

genügen be enough

die Geographie geography

geographisch geographical(ly)

das Gepäck luggage

die Gepäckausgabe (–n) baggage reclaim

das Gepäcknetz (–e) luggage-rack

der Gepäckschein (–e) luggage ticket, baggage check

der Gepäckträger (–) porter

gerade just, even, straight

geradeaus (immer geradeaus) straight ahead, on

das Gerät (–e) tool, implement, gadget

geregelt regulated, controlled, fixed

das Gericht (–e) course, dish

gering small, little, negligible

nicht im geringsten not in the least

gern (e) willingly, with pleasure, certainly

gern haben like

ich trinke gern Tee I like tea

ich reise gern I like travelling

ich rauche gern Zigarren I like cigars

gesamt whole

die Gesamtauflage (–n) total circulation

die Gesamtleitung (–en) general management

das Geschäft (–e) business, shop

geschäftlich on business, to do with business

der Geschäftsbesuch (–e) business visit

der Geschäftsfreund (–e) business friend, colleague

das Geschäftsjahr (–e) business year, financial year

der Geschäftskollege (–n) business colleague

der Geschäftsmann (Geschäftsleute) businessman

die Geschäftsreise (–n) business trip

die Geschäftsstunden (ƒ. pl.) hours of business

die Geschäftsverbindung (–en) business connection or association

geschehen (geschieht, geschah, geschehen) happen

das Geschenk (–e) present

die Geschichte (–n) story, history

geschichtlich historical

das Geschirr (–e) crockery, vessel

der Geschmack (¨e) taste

geschmacklos tasteless

die Geschmacksache (–n) matter of taste

die Geschmacksrichtung (–en) inclination

geschmackvoll tasteful

geschmort stewed

geschmortes Obst stewed fruit

die Geschwindigkeitsbegrenzung (–en) speed-limit

der Gesichtspunkt viewpoint

die Gesellschaft (–en) company, society

gesellschaftlich social, sociable

das Gesetz (–e) law

die Gesetzgebung legislation

das Gespräch (–e) conversation

gestehen (gesteht, gestand, gestanden) confess, admit, speak frankly

gestern yesterday

die Gesundheit health

(auf Ihre) Gesundheit! your health

Gesundheit! (after sneezing) bless you!

das Getränk (–e) drink

die Getränkekarte (–n) wine-list

gewähren offer, permit, grant, give

die Gewalt control, power, authority

die Gewalt über den Wagen verloren lost control of the car

die **Gewalttat (–en)** act of violence

gewaltig vast, immense, powerful

der **Gewerkschaftsbund** Trades Union Congress

das **Gewicht (–e)** weight, importance

der **Gewinn (–e)** profit, gain

gewinnen (gewinnt, gewann, gewonnen) win, earn

gewiß sure, certain

gewissermaßen to some extent, so to speak

das **Gewitter (–)** storm

sich **gewöhnen (an)** get accustomed to

die **Gewohnheit (–en)** habit, custom

die **Gewohnheitssache (–n)** question of habit

gewöhnt accustomed, used to

gewohnt used to

gewöhnlich usual(ly) common, normal

gießen (gießt, goß, gegossen) pour

der **Gipfel (–)** summit

der **Gips (–e)** plaster of Paris

glänzen glitter, sparkle

glänzend brilliant, splendid

das **Glas (– er)** glass

Glas und Porzellanindustrie glass and porcelain industry

das **Gläschen (–)** little glass, little drink (coll.)

glauben (+ *dat.*) believe, think

gleich (*adj.*) even, same, alike

gleich (*adv.*) immediately, presently

der **Gliederschmerz (–en)** pain in the limbs

das **Glück** luck; happiness

Glück haben be lucky

glücklich happy, lucky, fortunate

glücklicherweise fortunately

der **Glühwein (–e)** mulled wine

der **Gott (– er)** God

Gott sei Dank! thank-goodness!

Ach, Gott! oh, good heavens!

Um Gottes willen for heaven's sake

der **Graben** moat, ditch, trench

grammatikalisch grammatical

das **Gramm (–e)** gram

gratulieren congratulate

die **Grenze (–n)** border, frontier, limit

die **Grippe (–n)** influenza

das **Grippesymptom (–e)** 'flu symptom

groß large, tall, great, big

die **Großeltern** (*pl.*) grandparents

die **Größe (–n)** size, magnitude

der **Großhändler (–)** wholesale dealer

die **Großstadt (– e)** large city

der **Großstadtverkehr (–)** city traffic

der **Großteil (–e)** large part

zum Großteil for the most part

großzügig generous, on a large scale, grand

grün green

der **Grund (– e)** ground, reason

gründen found, establish

das **Grundgesetz** Basic Law (Constitution)

die **Grundlage (–n)** foundation, basis

grundlegend fundamental, basic

der **Grundsatz (– e)** principle

die **Gründung** foundation

das **Grüne** countryside, green-belt

die **Gruppe (–n)** group

der **Gruß (– e)** greeting

Grüss Gott Austrian or Swiss greeting

grüßen greet, give regards

der **Guckkasten** goggle-box (T.V.) (*vulg.*)

das **Gulasch** goulash

gültig valid

die **Gummifabrikation** manufacture of rubber

günstig favourable, kind

gurgeln gargle

der **Gurkensalat (–e)** cucumber salad

gut good, kind

gut well

das **Gut (– er)** (*m. pl.*) goods

die **Güte** goodness, kindness

meine Güte! my goodness!

H

das **Haar (–e)** hair

sich die **Haare schneiden lassen** have one's hair cut

haben (hat, hatte, gehabt) have

ich hätte gern I should like

der Hackbraten (–) a kind of hamburger

der Hafen (¨) harbour, port

die Hafenstadt (¨e) harbour-town

das Hähnchen (–) chicken

halb half

halbtot half-dead

die Hälfte (–n) half

die Halle (–n) hall

der Hals (¨e) throat, neck

die Halsentzündung (–en) inflammation of the throat

-schmerzen (*m. pl.*) sore throat

-weh (*m.*) sore throat

halten (hält, hielt, gehalten) hold, think, consider, stop, halt

halten für consider

halten von think of

die Haltestelle (–n) tram, bus stop

die Hand (¨e) hand

der Handel trade, commerce, transaction

handeln act, deal, trade

sich handeln um be a matter of

die Handelskammer (–n) Chamber of Commerce

die Handelsschule (–en) commercial school

die Höhere Handelsschule College of Commerce

das Handgepäck hand luggage

handschriftlich in hand-writing, handwritten

der Handschuh (–e) glove

die Handtasche (–n) handbag

das Handtuch (¨er) towel

der Hang (¨e) slope

hängen hang

Hannover Hanover

Habsburger Habsburg(s)

harmonisch harmonious

hart hard

das Harzvorland foothills of the Harz Mountains

der Hauptanziehungspunkt (–e) main centre of attraction

der Hauptbahnhof (¨e) main station, central station

die Hauptbuchhaltung (–en) central finance department

der Hauptbuchhalter (–) head book-keeper/ accountant

der Haupteingang (¨e) main entrance

das Hauptgericht (–e) main dish

die Hauptinformationsquelle (–n) main source of information

die Hauptmahlzeit (–en) main mealtime, main meal

der Hauptmieter (–) tenant

das Hauptpostamt (¨er) G.P.O.

hauptsächlich mainly

die Hauptstadt (¨e) capital

die Hauptstraße (–n) main street

das Haus (¨er) house

zu Hause at home

nach Hause home (towards home)

der Hausbesitzer (–) house-owner

die Hausfrau (–en) housewife

das Haushaltsgerät (–e) domestic appliance

die Haushaltung (–en) house-keeping

die Hausmannskost home-cooking

der Hausschuh (–e) slipper

die Hauswirtschaft house-keeping, home economics

die Haut (¨e) skin

ich möchte nicht in seiner Haut stecken I wouldn't like to be in his shoes

der Heckmotor (–en) rear engine

heil unhurt, safe

heilen cure, heal

das Heim (–e) home

die Heimat (–en) home, native country, place, homeland

das Heimatland (¨er) homeland, native land

die Heimfahrt (–en) journey home

heiraten marry, get married

heiser hoarse

heiß hot

heißen (heißt, hieß, geheißen) be called

das Heizgerät (–e) radiator

heizen heat

die Heizung (–en) heating

der Heldenplatz (¨e) Heroes' Square (in Vienna)

helfen (+ *dat.*) **(hilft, half, geholfen)** help

Helgoland Heligoland

hell light, bright

hemmen hinder, limit, restrict

das **Hemd (-en)** shirt

herabsetzen lower (price), put down, reduce

heranwachsen (u, a) grow up

herausgeben (-gibt/ gab/-gegeben) give change of, issue, publish

herauskommen come out

heraussuchen seek out, choose

herb acid, bitter, harsh, dry (of wine)

der **Herbst (-e)** Autumn

die **Herbstmesse (-n)** Autumn Trade Fair

der **Herd (-e)** cooker, stove

herein in

hereinkommen come in

der **Hergang (–e)** circumstances, sequence of events

der **Herr (-en)** Mr., gentleman

mein Herr sir

der **Herrenanzug (–e)** gentleman's suit

herrlich marvellous, wonderful

die **Herrschaften** (*pl.*) ladies and gentlemen

herrschen rule, reign, prevail

herstellen manufacture, set up, establish, produce

die **Herstellungsverfahren** (*n. pl.*) production methods

herüberkommen come over

herumsitzen sit around

herumtragen carry around

herunterfallen fall down

herunterkommen come down

hervorgehen arise, result

hervorragend prominent, distinguished, outstanding

herzlich hearty, warm, sincere(ly)

hessisch (*adj.*) from Hessen, of Hessen

heurig (*adj.*) Viennese expression for wine of current year

heute today

heute abend this evening

heute vormittag this morning

heute nachmittag this afternoon

heute in acht Tagen a week (from) today

heutig of today, current

heutzutage these days, nowadays

hier here

hierbleiben (-bleibt/ -blieb/-geblieben) stay here

hierher here (= to here), hither

hierhin down here, this way, in this direction

die **Hilfe** help

hilfsbereit ready to help, helpful

der **Himmel (–)** heaven, heavens, sky

um Himmels willen for heaven's sake

der **Hin- und Rückflug** return flight, round trip

hinein in, into

die **Hinsicht (-en)** respect

hinten (*adv.*) behind

hinter (*prep.*) behind

der **Hinterradantrieb (-e)** rear-wheel drive

hinunter down

hinweisen (weist/ -wies/-gewiesen) point to, point out, show (the way), indicate

historisch historical

hoch high (*when declined*) **hoh-**

höher higher

höchst highest

die **Hochachtung (-en)** respect, esteem, regard

Hochachtungsvoll Yours faithfully, respectfully (signing business letters)

der **Hochbau (-e)** construction above ground

der **Hoch- und Tiefbau** construction above and below ground

das **Hochgebirge** high mountain range

der **Hochgebirgszug (–e)** high mountain range

die **Hochschule (-n)** college

die **Hochsprache** standard language, High German

höchst (*see* **hoch**) highest

es ist höchste Zeit it is high time

die Höchstgeschwindigkeit (–en) maximum speed

hochwertig of high value, of good quality

die Hochzeit (–en) wedding

der Hof (¨e) yard, courtyard, court, farm

die Hofburg Imperial Palace in Vienna

hoffen hope

hoffentlich let us hope, I hope, it is to be hoped

höflich polite

die Höflichkeit politeness, courtesy

die Höhe (–n) height

höher higher

holen fetch

Holsteiner (*adj.*) of Holstein, originating in Holstein

der Honig honey

hören hear

der Hörer (–) receiver (telephone)

die Hose (–n) pair of trousers

das Hotel (–s) hotel

die Hotelbestellung (–en) hotel booking

der Hoteldiener (–) porter

der Hotelführer (–) hotelguide

der Hotelgast (¨e) hotel guest

die Hotelreservierung (–en) hotel reservation

das Hotelzimmer (–) hotel room

hübsch pretty

der Hügel (–) hill

die Hühnerbrühe (–n) chicken-broth

die Hühnersuppe (–n) chicken soup

der Humor humour

der Hunger hunger

Hunger haben be hungry

hungrig hungry

husten cough, have a cough

der Hustensaft (¨e) cough-mixture

der Hut (¨e) hat

das Hüttenwerk (–e) foundry

die Hymne (–n) hymn, anthem

die Hypothek (–en) mortgage

I

ich I

ideal ideal, superb

die Idee (–n) idea

die Identität (–en) identity

ihm (for, to) him, it

ihn him, it

Ihnen (for, to), you (*formal*)

ihnen (for, to) them

Ihr your (*formal*)

ihr her, their, its

ihr (for, to) her, it

ihr you (*familiar pl.*)

die Illustrierte (–en) magazine

im (= **in dem**) in the

immer always

importieren import

in in, into, at, to

inbegriffen inclusive, included

indem (*conj.*) while, as

indiskret indiscreet

die Industrie (–n) industry

der Industriebetrieb (–e) industrial concern

das Industriegebiet (–e) industrial region

die Industriestadt (¨e) industrial town, city

industriell industrial

der Industriezweig (–e) branch of industry

infolge (*gen.*) as a result of

infolgedessen as a result (of this)

der Ingenieur (–e) engineer

der Inhaber (–) owner; occupant

der Inhalt contents

die Initiative initiative

inklusive including

das In- und Ausland home and abroad

innehaben hold, possess

die Innenstadt (¨e) central part of town

inner interior, inner

innerhalb (*gen.*) within, inside

ins (= **in das**) into the, to the

die Insel (–n) island

das Inserat (–e) advert in a paper

inserieren advertise for

insgesamt altogether

der Inspektor (–en) inspector

die Instruktion (–en) instruction

intelligent intelligent

intensiv thorough(ly)

interessant interesting

das Interesse (–n) interest, advantage

der Interessent (–en) interested party

sich interessieren (für) be interested in

das Internat (–e) boarding school

international international

das Interview (–s) interview

inwiefern how far, to what extent

inzwischen meanwhile

irgendein- any

irgend etwas something, anything

irgendwann sometime, any time

irgendwie somehow

irgendwo somewhere

irgendwohin (to) somewhere

ißt (essen) eats

ist (sein) is

(das) Italien Italy

italienisch Italian

Italienisch Italian (language)

J

ja yes, in fact, indeed, of course

jawohl yes, indeed, certainly

die Jacke (–n) jacket

die Jackentasche (–n) jacket-pocket

das Jahr (–e) year

das Jahrhundert (–e) century

jahrelang for years

die Jahreszeit (–en) season

jährlich annually

das Jahrtausend (–e) millenium

jämmerlich wretched, pitiable, miserable

je ... desto ... the more ..., the more ...

je ever

jeder/jede/jedes each, every, any

jedenfalls in any case

jederzeit at any time, always

jedoch however, nevertheless

jemand somebody, anybody

jener, jene, jenes that

jetzt now

jetzig present

die Jugend youth, young people

die Jugendherberge (–n) youth hostel

jung young

in jüngster Zeit recently

der Junge (–n) boy

der Junggeselle (–en) bachelor

der Juniorchef (–s) director's son, boss's son

K

der Kaffee (–s) coffee

das Kaffeehaus (¨er) café

die Kaffeepause (–n) coffee break

der Kai (–s) quay, wharf

der Kaiser (–) emperor

der Kakao cocoa

das Kalbfleisch veal

das Kali potassium

kalkulieren calculate

kalt cold

das Kaltwasser cold water

der Kamin (–e) fire place

der Kamm (¨e) comb

der Kamillentee camomile tea

die Kaper (–n) caper

der Kapitän (–e) captain

kaputt broken, useless

die Karaffe (–n) carafe, decanter

die Karfiolsuppe cauliflower soup (Viennese)

der Karpfen (–) carp

die Karriere (–n) career

die Karte (–n) postcard, ticket

der Kartoffelsalat (–e) potato salad

der Käse cheese

der Katalog (–e) catalogue

die Katastrophe (–n) catastrophe

die Kategorie (–n) category

die Kathedrale (–n) cathedral

kaufen buy

der Kaufhof big store in Frankfurt

der Kaufmann (Kaufleute) merchant, tradesman

kaum hardly, scarcely

der Kegelabend (–e) evening for playing bowls

kein- (*declined like* 'ein') no, not a

keinerlei no kind of, of no sort

keineswegs not at all, by no means

der Keller (–) cellar

der Kellner (–) waiter

kennen (kennt, kannte, gekannt) know (people, places, etc.)

kennenlernen get to know

die Kette (–n) chain

das Kilometer (–) kilometre

das Kind (–er) child

die Kindererziehung bringing up children

das Kinderheim (–e) children's Home

das Kino (–s) cinema

die Kirche (–n) church

das Kirschenkompott stewed cherries

klappen go well

alles klappt everything is working out well

klar clear, evident, obvious

die Klasse (–n) class

die Klausel (–n) clause, proviso

das Klavier (–e) piano

das Kleid (–er) (article of) clothing; dress (lady's)

der Kleiderschrank (¨e) wardrobe, clothescupboard

die Kleidung clothing

klein small

die Kleinigkeit (–en) trifle, detail, snack (food)

das Kleingeld (small) change

die Klingel (–n) small bell

klingeln ring the bell

klingen sound

die Klinik (–en) clinic

klopfen knock

es klopft there's a knock (at door)

Kloten airport for Zürich

der Knall (–e) bang, sharp crack

knapp barely, just (and no more)

knicken bend and break, crack

das Knie (–e) knee

der Knöchel (–) ankle, knuckle, joint

der Knochenbruch (¨e) bone-fracture

kochen cook, boil

die Köchin (–nen) cook

die Kochmöglichkeit cooking facilities

das Kochrezept (–e) recipe

der Koffer (–) suitcase, trunk

der Kofferraum (¨e) boot (of car)

der Kognak (s) cognac, brandy

die Kohle (–n) coal

der Kollege (–n) colleague

Köln Cologne

die Komfortwohnung (–en) luxury flat

komisch comical, funny, strange

komischerweise strangely, oddly

kommen (kommt, kam, gekommen) come

komplett complete(ly), all included

das Kompliment (–e) compliment, greeting

kompliziert complicated

das Kompott (–e) stewed fruit

die Konditorei (–en) cake shop, confectioner's (often with Café)

das Konfekt confectionery

die Konferenz (–en) conference

die Konfitüre jam

der Konkurrent (–en) competitor

die Konkurrenz competition, opposition

Konkurrenz machen give competition (between industrial firms)

können (kann, konnte) be able, can

der Konsul (–n) consul

der Kontakt contact

das Konto (Konten) (bank) account

der Kontoeröffnungsantrag (¨e) proposal form for opening a bank account

kontrollieren check, inspect

die Konversation (–) conversation

der Konversationskurs (–e) conversation course

konzentrieren concentrate

der Konzern (–e) concern, combine, group (of companies)

das Konzert (–e) concert, concerto

der Kopf (¨e) head

der Kopfschmerz (–en) headache

das Kopfweh headache

der Körper (–) body

der Korridor (–e) corridor, passage

die Korrespondenz correspondence

die Kosmetik cosmetics

der Kosmetikartikel (–) cosmetic preparation

die Kost food, fare

kostbar valuable

die Kosten (pl.) expense, cost(s)

kosten cost

der Kotflügel (–) mudguard

krank ill, sick

das Krankenhaus (¨er) hospital

der Krankenwagen (–) ambulance

das Krankheitssymptom (–e) symptom (of an illness)

der Krankenschein (–e) health insurance card

die Krawatte (–n) tie

das Kreditinstitut (–e) private bank

der Kreis (–e) district, circle

das Kreuz (–e) cross

die Kreuzung (–en) crossing, cross-roads

das Kreuzworträtsel crossword puzzle

der Krieg (–e) war

kriegen get, receive

das Kriegsende (–n) end of the war

die Kriegszerstörung (–en) war damage

krönen crown

die Küche (–n) kitchen, cooking, preparation of food

der Kuchen (–) cake

die Kuh (¨e) cow

kühl cool, fresh

der Kühlschrank (¨e) refrigerator

das Kühlwasser cooling water (for radiator)

die Kultur culture, civilization

kulturell cultural

die Kulturmetropole cultural centre

sich kümmern um look after, worry about, concern oneself with

der Kunde (–n) customer

der Kundendienst (–e) after sales service

der Kundenkreis customers

die Kundschaft custom, customers

die Kunstfaser synthetic fibre

die Kunstgalerie (–n) art gallery

das Kunstinstitut (–e) Art Institute

künstlerisch artistic

die Kunstsammlung (–en) art collection

der Kunstschatz (¨e) art treasure

der Kunststoff (–e) synthetic material, plastic

kunstvoll artistic

die Kupplung (–en) clutch (of car)

der Kupplungsdefekt (–e) clutch defect

die Kur (–en) cure, treatment

kurieren cure

der Kurort (–e) resort, spa

die Kurtaxe (–n) fixed charge paid at a health resort

der Kurs (–e), der Kursus (Kurse) course

kurz short

die Kurzschrift (–en) shorthand

die Kusine (–n) cousin (female)

die Küste (–n) coast

L

das Laboratorium (Laboratorien) laboratory

das Labor lab.

lächeln smile

lachen laugh

der Lack (–e) varnish, lacquer

die Lage (–n) situation

das Lager (–) warehouse, store-room

lagern store

die Lampe (–n) lamp

das Land (¨er) country, land

landen land, disembark

die Landessprache (–n) language of the country, native language

ländlich rural

die Landschaft (–en) scenery, countryside

landschaftlich from the point of view of scenery

die Landung (–en) landing

lang long

lange for a long time

die Langeweile boredom

langsam slow(ly)

sich langweilen be/get bored

der Lärm noise, din

lassen (läßt, ließ, gelassen) let, leave, have something done

sich ein Haus bauen lassen have a house built

sich überreden lassen be persuaded, let oneself be persuaded

es läßt sich waschen it can be washed

es läßt sich besser plaudern one can chat better

die Last (–en) charge, load, burden

zu dessen Lasten to the debit of which

der Lastwagen (–) lorry

laufen (äu, ie, au) run, walk

10 Minuten zu laufen 10 minutes' walk

laufendes Konto current account

laut loud

die Laune (–n) mood, humour

guter Laune in a good mood

schlechter Laune in a bad mood, out of humour

lauten sound, run, read

laüten ring, peal

der Lautsprecher (–) loudspeaker

das Leben (–) life

leben live, be alive

der Lebenslauf (¨e) curriculum vitae

die Lebensmittel (*n. pl.*) provisions, food

der Lebensstil (–e) mode of life, style of living

lebenswichtig vital, essential to life

die Leber (–n) liver

die Leberknödelsuppe (–n) liver soup with dumplings (Viennese speciality)

das Leder (–) leather

die Ledertasche (–n) leather bag

leer empty

legen lay, put, put down

der Lehrer (–) teacher

lehrreich instructive, informative, scholarly

die Lehrzeit (–en) apprenticeship

leicht easy, light

leichtlebig easy-going, gay

leichtsinnig frivolous

leid tun be sorry

es tut mir leid I'm sorry

leiden (leidet, litt, gelitten) suffer

leider unfortunately

leihen (ie, ie) lend, borrow

das Leinen linen

leisten do, achieve, accomplish

sich leisten afford

die Leistungsfähigkeit efficiency, productivity

der Leitartikel leading article (newspaper)

leiten manage, lead, direct

der Leiter (–) manager

die Leitung (–en) management; cable; pipe

lenken direct, turn, steer

die Lenkung steering

lernen learn

lesen (ie, a, e) read

der Leserkreis (–e) circle of readers

das Lesestück (–e) reading-passage

letzt last, final

die Leute people

das Licht (–er) light

das Lichtbild (–er) photograph

lieben like, love

lieber rather

ich trinke lieber Tee I'd rather have tea; I'd prefer tea

am liebsten best, best of all

der Liebling (–e) darling, favourite

die Lieblingsblume (–n) favourite flower

das Lied (–er) song

liefern deliver

die Lieferung (–en) delivery

liegen (a, e) be lying, lie

es liegt mir sehr daran ... it's important to me ...

liegenlassen leave lying

liegenbleiben remain lying down, stay in bed

der Likör (–e) liqueur

die Linie (–n) row, line, route, figure

in erster Linie above all, first of all

link (*adj.*) left

links to the left, on the left

die Liste (–n) list, catalogue

das Liter (–) litre

der Lohn (¨e) wage, reward

sich lohnen be worthwhile, pay off

lohnend rewarding

das Lokal (–e) tavern, night-club

die Lokalzeitung (–en) local newspaper

der Loreleifelsen (–) Lorelei Rock (on Rhine)

los going on, happening

was ist los? what's wrong? what's going on? what's the matter?

loswerden get rid of

lösen solve

eine Fahrkarte lösen buy a ticket, pay one's fare

die Lösung (–en) solution

Lothringen Lorraine

die Luft (¨e) air

lufthungrig keen on fresh air

die Luftkühlung air-cooling

der Luftpostbrief (–e) air-mail

die Lunge (–n) lungs

die Lungenentzündung pneumonia

der Lungenkrebs lung cancer

die Lust (¨e) inclination, desire

Lust haben be in mood (for, to), have a desire (for, to)

M

machen do, make

die Macht (¨e) power

das Mädchen (–) girl

mag (mögen) like(s)

der Magen (–) stomach

die Magenbeschwerden (f. pl.) indigestion, stomach pains

die Magenschmerzen (m. pl.) stomach-ache

die Magenverstimmung (–en) upset stomach, disordered stomach

die Mahlzeit (–en) meal, time

der Main (River) Main

das Mainufer (–) bank of the River Main

mal just, once, even (colloquial)

das Mal (–e) time

    zum ersten Mal for the first time

man one, people, you

mancher, manche, manches (pl. manche) many (a)

manchmal sometimes

die Mandel (–n) tonsil, almond

der Mann (¨er) man, husband

der Mantel (¨) coat

die Manteltasche (–n) coat-pocket

die Mark (–en) mark (German currency)

der Markt (¨e) market

das Marktforschungsinstitut (–e) Institute for Market Research

die Marmelade (–en) jam

die Maschine (–en) machine, machinery, aircraft

maschinenschreiben (-schreibt/ -schrieb/-geschrieben) type

das Maß (e) moderation

die Masse masses

die Maßeinheit (–en) unit of measurement

das Material (–ien) material

die Mauer (–n) wall

der Mechaniker (–) mechanic

das Medikament (–e) medicine, drug

die Medizin (–en) medicine

das Meer (–e) sea, ocean

das Mehl flour, meal

die Mehlspeise (–n) dish made with flour, pudding

mehr more

mehrere several

die Mehrheit majority

mehrmals several times, again and again

die Meile (–n) mile

mein, meine, mein my

meinen think, be of the opinion

die Meinung (–en) opinion

die Meinungsäußerung (–en) expression of opinion

meist most

meistens mostly, as a rule

sich melden announce oneself, make one's presence known

der Meldezettel (–) registration form

die Menge (–n) crowd, mass, pile

der Mensch (–en) human being, person, mankind

das Menü (–s) set meal (at a fixed price)

das Merkblatt (¨er) leaflet, information leaflet

sich merken remember, take note of

die Messe (–en) trade fair (exhibition of products)

der Messeausweis (–e) (trade) pass to fair

der Messebesuch (–e) visit to fair

das Messegelände (–) trade fair ground

die Messehalle (–n) hall at trade fair

messen (mißt, maß, gemessen) measure, survey

sich messen take one's temperature

das Messer (–) knife

das Messerestaurant (–s) fair-restaurant

der Messestand (¨e) stand at trade fair

die Messuhr (–en) gauge

das Meter (–) metre

mich me

die Miete (–en) rent

mieten rent, hire

der Mieter (–) tenant, lodger

die Mietwohnung (–en) rented flat

die Milch milk

der Militärdienst military service

die Million (–en) million

das Ministerium (–ien) Ministry, government office

die Minute (–n) minute

mir to/for me

das Mißverständnis (–se) misunderstanding, error

mit with

der Mitarbeiter (–) fellow worker, executive

mitbringen (-bringt/ -brachte/-ge- bracht) bring with

miteinander with one another

mitgehen (-geht/ -ging/-gegangen) accompany

die Mitgliedschaft membership

mithaben have with one

das Mitleid pity, sympathy

mitnehmen (-nimmt/ -nahm/-genom- men) take with one

der Mittag (–e) midday

das Mittagessen (–) lunch

mittagessen (-ißt/-aß/ -gegessen) have lunch

die Mittagspause (–n) lunch-hour

die Mittagszeit (–en) lunch-time

die Mitte (–n) middle

mitteilen inform, communicate

die Mitteilung communication

das Mittel (–) means, remedy

das Mittelalter Middle Ages

mittelalterlich medieval

Mitteldeutschland Central Germany (term sometimes used by West Germans for Eastern Zone)

das Mittelgebirge (–e) Central chain of mountains in Germany

der Mittelpunkt (–e) central point, focus

mitten in . . . in the middle of . . .

mitverantwortlich partly responsible

das Möbel (–) piece of furniture, furniture (in *pl.*)

der Möbelkatalog (–e) furniture catalogue

möblieren furnish

möbliert furnished

möchte (*subjunctive of* **mögen**) would like

die Mode (–n) fashion

das Modell (–e) model, sample

modern modern

modernisieren modernise

mögen, (mag, mochte) like

möglich possible

möglichst bald as soon as possible

unser möglichstes all that we can, our very best

die Möglichkeit (–en) possibility, facility

der Mokka strong coffee

der Moment (–e) moment

im Moment at the moment

momentan for the present, just now

moment mal just a moment (coll.)

der Monat (–e) month

monatlich monthly

der Monatsgehalt (–e) monthly salary

der Mord (–e) murder

der Morgen (–) morning

morgen tomorrow

morgen früh tomorrow morning

die Mosaikkopie mosaic copy

die Moselmündung mouth of the River Mosel

der Moselwein (–e) Mosel wine

der Motor (–en) motor, engine

motorisieren motorise

das Motorrad (¨er) motor cycle

müde tired

die Mühe (–n) trouble, labour

München Munich

der Mund (¨e/¨er) mouth, opening

münden flow into (sea)

mündlich oral, by word of mouth

die Münze (–n) coin

das Musikfestspiel (–e) music festival

müssen (muß, mußte) have to, must

die Mutter (¨) mother

N

nach after, to (towns and masculine or neuter countries)

nach oben upstairs

nachahmen (+ *dat.*) imitate

der Nachbar (–n) neighbour (male)

die Nachbarin (–nen) neighbour (female)

das Nachbarland (¨er) adjoining country

nachdem (*conj.*) after

nachdenken reflect, consider

der Nachfolger (–) successor

nachfüllen fill up

nachgeben (-gibt/ -gab/-gegeben) give way, yield

nachher afterwards

nachholen retrieve, catch up

der Nachmittag (–e) afternoon

nachmittags in the afternoons

heute nachmittag this afternoon

nachprüfen test, check, verify

die Nachricht (–en) news, information

nachschauen look (up); check

nachsehen (-sieht/ -sah/-gesehen) inspect, look, have a look

die Nachspeise (–n) dessert

nächst next

nachstellen adjust, set back

die Nacht (¨ e) night

nachts at night

der Nachtbummel (–) evening stroll, night out on the town

der Nachtdienst (–e) night-service

der Nachteil (–e) disadvantage

das Nachthemd (–en) nightdress, nightgown

die Nächtigungsziffern number of tourists who spent night in a resort in a season

das Nachtleben night life

der Nachtisch (–e) dessert

nachweisen (-weist/ -wies/-gewiesen) prove, point out

nah near

näher nearer

die Nähe (–n) neighbourhood

in der Nähe von... near...

nahezu almost, wellnigh

nähen sew, stitch

der Name (–n) name

im Namen von... on behalf of...

das Namensschildchen (–) name-plate

nämlich namely, that is to say, you see

die Nase (–n) nose

naß wet

der Naturfreund (–e) person fond of outdoor life, of nature

natürlich natural(ly)

der Nebel (–) mist, fog

neben beside, near, by the side of, next to

nebenan close by, next door

nebeneinander side by side

der Nebenfluß (¨ e) tributary

die Nebenstraße (–n) sidestreet

nehmen (nimmt, nahm, genommen) take

neigen incline, lean

nein no

die Nelke (–n) carnation

nennen (nannte, genannt) name, call

der Nerv (–en) nerve

auf die Nerven gehen get on one's nerves

nervös nervous

nett nice

neu new

neuartig novel, unorthodox

neugebaut newly-built, modern

die Neugründung (–en) opening up (of a business)

neulich the other day, quite recently

neutral neutral

die Neutralität neutrality

nicht not

nicht einmal not at all, not even

nichts nothing

nichts zu danken you're welcome, don't mention it

das macht nichts it doesn't matter

das macht doch nichts that doesn't matter

nicken nod

nie never, at no time

niederländisch of the Netherlands; Dutch

sich niederlassen (-läßt/ -ließ/-gelassen) settle

Niedersachsen Lower Saxony

niedrig low

niemals never

niemand nobody

niesen sneeze

noch still, yet

noch ein Bier another beer

noch einmal again, once more

nochmals once more

noch nicht not yet

norddeutsch North German

der Norden the North

Nordengland Northern England

nördlich northerly, to the north

die Nordsee North Sea

das Nordseebad (¨ er) North Sea resort

der Nordwesten North-west

normal normal

normalerweise normally, usually

nötig necessary

die Notlösung (–en) emergency (solution)

notwendig necessary

die Nudelsuppe (–n) noodle-soup

die Nummer (–n) number

nun now

nur only, just

das Nylon nylon

O

ob whether, if

oben above, upstairs

obendrein into the bargain, what's more

der Ober (–) waiter (when calling one)

Herr Ober! waiter!

der Oberkörper (–) upper part of body

das Obst fruit

der Obstbaum (¨e) fruit-tree

obwohl (*conj.*) although

die Ochsenschwanzsuppe (–n) oxtail soup

oder or, or what? (*often used colloquially at the end of a sentence, seeking confirmation of the statement*)

offen open

öffentlich public, open

die Öffentlichkeit public

der Offizier (–e) officer

öffnen open

oft often

ohne without

ohne weiteres without more ado, without any formality, with no trouble at all

ohnmächtig unconscious

das Ohr (–en) ear

der Ohrenschmerz (–en) ear-ache (*used in pl.*)

das Öl (–e) oil

die Ölraffinerie (–n) oil-refinery

die Ölsardinen (*f. pl.*) sardines in oil; tinned sardines

der Ölstand oil level

die Oper (–n) opera

die Operette (–n) operetta

operieren operate

die Opernaufführung (–en) opera performance

das Opernhaus (¨er) opera-house

die Opernkarte (–n) opera ticket

optimistisch optimistic

die Orangemarmelade (–n) marmelade

das Orchester (–) orchestra

die Ordination (–en) surgery

die Ordnung (–en) order

in Ordnung alright, O.K., in order)

nicht in Ordnung wrong, not right

die Organisation (–en) organisation

die Orientierung orientation

der Ort (–e) place, locality

hier im Ort round here, here in the town

das Ortsgespräch (–e) (telephone) local call

der Ost, Osten (–) the East East

Ostberlin East Berlin

Ostdeutschland East Germany

das/die Ostern Easter

(das) Österreich Austria

der Österreicher (–) Austrian

österreichisch Austrian

ostfriesisch East Frisian

östlich eastern, easterly

die Ostsee Baltic

P

das Paar (–e) pair, couple

(ein) paar a few

paarweise in pairs

das Päckchen (–) small parcel

das Paket (–e) parcel

der Palast (¨e) palace

der Palmengarten Botanical Gardens in Frankfurt

die Panne (–n) breakdown, puncture

das Papier (–e) paper

das Papiergeschäft (–e) stationer's

das Parfum (–s) perfume (*from French*)

das Parfüm (–e) perfume (*German form*)

der Park (–s/e) park

parken park

der Parkplatz (¨e) car-park parking place

das Parlament (–e) Parliament

die Partei (–en) political party

die Party (–s) party

der Paß (¨sse) passport, pass

der Passagier (–e) passenger
der Passant (–en) passer-by
die Passantin (–nen) female passer-by
passen suit
passend suitable, becoming
passieren happen
das Passierscheinabkommen (–) permit agreement
die Paßnummer (–n) passport number
das Patent (–e) patent
der Patient (–en) patient
die Patientin (–nen) patient (female)
die Pause (–n) pause, break
das Pech ill-luck, pitch
Pech haben have bad luck
das Pedal (–e) pedal
der Pelz (–e) fur, skin
die Pension (–en) boarding-house, pension
der Pensionspreis (–e) charge for board
perfekt perfect
die Periode (–n) period
die Person (–en) person
die Personalabteilung (–en) Personnel Department
der Personalausweis (–e) identity-card
die Personalausweisnummer (–n) identity-card number
der Personalchef personnel manager
persönlich personal
die Persönlichkeit (–en) personality
die Pfeife (–n) pipe

der Pfennig (–e) pfennig (Pf.) German coin (100 Pf. = 1,-DM)
das/die Pfingsten (–) Whitsun
der Pfirsich (–e) peach
pflegen take care of; be accustomed
das Pfund (–e) pound, (weight or Eng. money)
phantastisch fantastic
das Photo (–s) photo
der Photoapparat (–e) camera
die Photographie (–n) photograph
die Pille (–n) pill
der Pilz (–e) mushroom
das Plakat (–e) bill, placard, poster
der Plan (⁓e) plan
planen plan
planmäßig systematic, well-planned, according to plan
die Planung (–en) planning
das Plastik plastic
die Platte (–en) dish; record (gramophone)
der Plattenspieler (–) record-player
der Platz (⁓e) room; square; seat
nehmen Sie Platz! take a seat, do sit down
die Platzreservierung (–en) seat reservation
plaudern have a chat, gossip
plötzlich sudden(ly)
die Politik politics; policy
der Politiker politician
politisch political; politic
politisieren talk politics

die Polizei police; police-station
der Polizist (–en) policeman
polnisch Polish
Pommes frites chips
die Popularität popularity
der Portier (–s) porter, doorkeeper
das Porto mail charges, postage
der Portwein (–e) port
das Porzellan (–e) china
die Porzellanindustrie (–en) manufacture of china
die Post (–en) post; post-office
das Postamt (⁓er) post-office
die Postanweisung (–en) money-order
der Postbeamte (–n) post-office clerk
das Postfach (⁓er) (post) box (private)
die Postkarte (–n) post-card
das Postschließfach (⁓er) post-office box
prachtvoll splendid, magnificent
praktisch practical, handy, useful
der Präsident (–en) President
der Preis (–e) price; charge
die Preisangabe (–n) quotation of price
preisen (preist, pries, gepriesen) praise
die Preisermäßigung (–en) price reduction, reduced price
preisgünstig cheap, good value
die Preisliste (–n) price-list

preiswert good value, cheap

der Presseausweis (–e) press-pass

das Pressehaus (¨ er) press-house (at trade fair)

prima fine, excellent, first-class (*coll.*)

privat private

die Privatausgabe (–n) private expense

das Privatvergnügen (–) private pleasure

pro per

das Problem (–e) problem

das Produkt (–e) product, produce

die Produktion production

der Professor (–en) professor

das Programm (–e) programme; prospectus

der Prospekt (–e) prospectus

Prost! your health! cheers!

protestieren protest

die Provinz (–en) province

provisorisch provisional; temporary

das Prozent (–e) percentage

der Prozentsatz (¨ e) percentage, rate of interest

prüfen test; check; inspect

die Prüfung (–en) examination; test

prunkvoll splendid

das Publikum public; audience

der Pudding (–s) pudding

der Pullover (–) pullover

der Puls (–e) pulse

pünktlich punctual; precise

putzen clean; polish

die Putzfrau (–en) cleaning woman, daily help

Q

die Qualität (–en) quality

quer across

querdurch straight across, through

die Quittung (–en) receipt

R

das Rad (¨ er) wheel; bicycle, bike

radfahren (-fährt/ -fuhr/-gefahren) cycle

das Radio (–s) radio

die Radtour (–en) bicycle tour

der Rahmen frame (-work)

der Rand (¨ er) edge, rim

rasch quickly

rasen rush, tear along; rave, rage

der Rasierapparat (–e) razor

der Rat (Ratschläge) counsel, advice; council

raten (rät, riet, geraten) advise

das Rathaus (¨ er) town-hall

der Rathauskeller (–) town-hall cellar restaurant (Austrian)

der Ratskeller (–) town-hall cellar restaurant (German)

rauchen smoke

der Raucher (–) smoker

reagieren react

rechnen calculate, reckon

die Rechnung (–en) bill; calculation

auf die Rechnung kommen (*colloquial*) not to be disappointed

das Recht right

recht (*adv.*) really

recht haben be right

ist Ihnen das recht? is that OK with you?

rechts (*adv.*) right, on the right, to the right

die Rechtsabteilung (–en) legal department

die Rechtsangelegenheit (–en) legal matter

rechtzeitig in (good) time

die Rede (–n) speech; language

eine Rede halten make a speech

reden speak; talk

regelmäßig regular(ly)

regeln handle, deal with, arrange, regulate

der Regen (–) rain

der Regenmantel (¨) rain coat

der Regenschirm (–e) umbrella

regieren rule, control

die Regierung (–en) government

der Regierungssitz (–e) seat of government

regnen rain

reich rich

das Reich (–e) empire, realm

das Reichsgebiet (–e) territory of the Reich

reichen reach

reichlich ample; plentiful

der Reifen (–) tyre

der Reifendruck (¨e) tyre-pressure

die Reifenpanne (–n) puncture

rein clean, pure, sheer

kein reines Vergnügen a doubtful pleasure

die Reinigung (–en) cleaning; cleaners

der Reis rice

die Reise (–n) journey, trip

das Reisebüro (–s) travel agency

der Reisegefährte (–n) travelling companion

die Reisegesellschaft (–en) organised travel party

das Reiseland (¨er) tourist country

reisen travel

der/die Reisende (–n) traveller

der Reisepaß (¨e) passport

der Reiseplan (¨e) travel plan, itinerary

der Reisescheck (–s) traveller's cheque

die Reisetasche (–n) travelling-bag

die Reklame (–n) advertisement

relativ relative(ly)

die Reparatur (–en) repair

die Reparaturwerkstatt (¨en) repair workshop

reparieren repair

reservieren reserve

die Reservierung (–en) reservation

die Residenz (–en) residence; capital

das Residenzgebäude (–) residence

die Residenzstadt (¨e) capital city

der Rest (–e) rest, remains

das Restaurant (–s) restaurant

revanchieren return a kindness; pay back

das Rezept (–e) recipe; prescription

der Rhein Rhine

das Rheinufer (–) bank of the Rhein

der Rheinwein (–e) Rhine wine

richtig correct; settled

die Richtung (–en) direction, tendency

riesig vast, huge; terribly, awfully (*coll.*)

der Rinderbraten roast beef

das Rinderfilet (–s) fillet of beef

das Rindfleisch beef

die Rindsrouladen (*pl.*) beef olives

die Rohstoffe (*m. pl.*) raw materials

die Rolle (–n) rôle

der Rollmops pickled herring

Rom Rome

der Römer Frankfurt Town Hall; Roman

romanisch Romanic

röntgen X-ray

die Rose (–n) rose

die Rosenpracht splendid display of roses

die Röstkartoffel (–n) roast potato

rot red

der Rotwein (–e) red wine

rückdrahten wire back (telegraph)

der Rückflug (¨e) return flight

die Rückflugbestätigung (–en) confirmation of return flight

die Rückkehr return

die Rückreise (–n) return journey

die Rücksprache (–n) consultation

der Rückweg (–e) way back

der Ruf reputation

rufen (ie, u) call

die Ruhe rest; peace; calm

sich ruhen rest; pause

ruhig quiet; composed

das Rührei (–er) scrambled egg(s)

das Ruhrgebiet Ruhr district

Rumänien Rumania

rund round

der Rundfunk radio (station)

die Rundfunksendung (–en) broadcast, radio programme

der Rundgang (¨e) tour

die Rundreise (–n) round trip, circular tour

die Rundschau review, panorama

russisch Russian

das Russland Russia

S

das Saarland Saarland

die Saar River Saar

die Sache (–n) affair, matter; (in *pl.*) luggage, clothes, things, etc.

die Sachertorte (–n) a kind of cake (Viennese speciality)

sagen say, tell; speak

die Sahne cream

die Saison (–s) season

der Salat (–e) salad

die Salbe (–n) ointment

die Salzkartoffel (–n) boiled potato

sammeln gather, collect

sämtlich all, altogether, entire

der Sänger (–) singer; poet

die Sardelle (–n) anchovy

satt satisfied (after a meal), full

der Satz (ˮe) sentence

der Satzbau sentence construction

sauber clean, neat

sauber machen clean

das Sauerkraut pickled cabbage, sauerkraut

die Schachtel (–n) box, packet (of cigarettes, matches, etc.)

schade! a pity

wie schade! what a pity

der Schaden damage

schaden (+ *dat.*) harm, damage

schädlich harmful

das Schaf (–e) sheep

schaffen (schafft/ -schuf/-ge- schaffen) create

schaffen (regular) accomplish, achieve manage (to do something)

der Schaffner (–) conductor; guard

die Schallplatte (–n) gramophone record

schalten change gear, direct

der Schalter (–) counter, booking-office

scharf sharp; penetrating; strongly seasoned (food)

der Schatz (ˮe) treasure; sweetheart

die Schatzkammer (–n) treasury; chamber where crown jewels, etc. are kept

das Schaufenster (–) shop-window; show window

der Schaumainkai part of road along bank of the Main

der Scheck (–s) cheque

das Scheckbuch (ˮer) cheque-book

die Scheibenbremse (–n) disc-brake

der Scheibenwischer (–) windscreen-wiper

der Schein (–e) licence; receipt; ticket

scheinen (ie, ie) seem, appear; shine

der Scheinwerfer (–) headlight, head- lamp; spotlight

das Scheinwerferglas glass of headlight

schenken present, give, pour out, fill

sich scheuen be shy, hesitate

die Schicht (–en) class (of society), layer, shift (of work)

schick fashionable, stylish, chic

schicken send

das Schiebedach (ˮer) sliding-roof

schief wrong; oblique

schiefgehen go wrong

schifahren (-fährt/ -fuhr/-gefahren) ski

der Schifahrer (–) skier

das Schiff (–e) ship, boat

schiffbar navigable

der Schiffbau shipbuilding

die Schiffahrt (–en) voyage, boat-trip

das Schild (–er) notice, sign; shield

die Schilderung (–en) picture; portrayal; description

schimpfen grumble, scold; abuse

der Schinken ham

der Schirm (–e) umbrella; protection, screen

der Schlaf sleep

der Schlafanzug (ˮe) pyjamas

schlafen (schläft, schlief, ge- schlafen) sleep

die Schlaftablette (–n) sleeping-pill

das Schlafzimmer (–) bedroom

die Schlafzimmermöbel (*n. pl.*) bedroom furniture

Schlag (abbreviation for **die Schlagsahne)** whipped cream (Austrian)

die Schlagsahne whipped- cream

schlecht bad

ist Ihnen schlecht? Are you feeling ill?

schleppen tow; drag

schließen (schließt, schloß, ge- schlossen) shut, close

schließlich finally, lastly

schlimm bad

das Schloß (ˮer) castle, manor

das Schloßrestaurant (–s) castle restaurant

der Schluck (–e) swallow gulp

die Schluckbeschwerden (*f. pl.*) difficulty in swallowing

schlucken swallow,

der Schlüssel (–) key

schmal narrow; slim

die **Schmalfilmkamera**
(**–s**) 8 mm film
camera
schmecken taste
der **Schmerz (–en)** pain,
ache; sorrow
schmieren grease;
lubricate
Salbe schmieren put
ointment on
der **Schmuck** ornament;
jewellery
schmuggeln smuggle
**schneiden (schneidet,
schnitt, ge-
schnitten)** cut
**sich die Haare
schneiden lassen**
have one's hair
cut
der **Schneider (–)** tailor
schnell quick, fast
das **Schnitzel (–)** cutlet;
slice, shred
der **Schnupfen (–)** cold (in
the head)
das **Schnürchen** string
wie am Schnürchen
like clockwork
die **Schokolade (–n)**
chocolate
schon already
schon lange long ago,
for a long time
sich schonen take care of
oneself
schön beautiful, fine,
lovely
danke schön many
thanks
die **Schönheitspflege**
beauty care
der **Schoß (¨e)** lap; bosom
Schottland Scotland
die **Schrammelmusik**
popular Viennese
music
der **Schrank (¨e)** cupboard,
wardrobe

schrecklich terrible,
frightful; dreadful
der **Schreibblock (¨e)**
writing-pad
schreiben (ie, ie) write
die **Schreibkraft (¨e)** cleri-
cal worker, typist
die **Schreibmaschine
(–n)** type-writer
die **Schreibmaschinen-
kenntnis (–se)**
ability to type
der **Schreibtisch (–e)**
writing-desk
schriftlich in writing,
written
der **Schritt (–e)** step
Schritt halten keep
pace
der **Schuh (–e)** shoe
der **Schulbus (–se)** school
bus
die **Schuld (–en)** debt,
fault, guilt
schuldig guilty; in-
debted
schuldig sein owe
die **Schule (–n)** school
schützen protect;
shelter
der **Schutzzoll** protective
duty, tariff
die **Schwägerin (–nen)**
sister-in-law
schwärmen (für) rave,
be very keen (on)
schwarz black
der **Schwarzwald**
Black Forest
die **Schwarzweißauf-
nahme (–n)** black
and white photo-
graph
Schweden Sweden
schweigen (ie, ie) be
silent, say nothing
schweigsam silent
das **Schweinefleisch**
pork

das **Schweinekotelett (–e)**
pork-chop
die **Schweiz** Switzerland
der **Schweizer** Swiss
(male)
schweizer(isch) Swiss
schwellen (i, o, o)
swell
schwer difficult, heavy
die **Schwerindustrie (–n)**
heavy industry
das **Schwerindustriezen-
trum (-zentren)**
centre of heavy
industry
der **Schwerpunkt (–e)**
focal point, centre
of gravity
schwerverdaulich
indigestible
die **Schwester (–n)** sister,
nurse
die **Schwiegereltern** (*pl.*)
parents-in-law
schwierig difficult
die **Schwierigkeit (–en)**
difficulty
schwimmen (a, o)
swim
schwitzen sweat
sechsmonatig six-
monthly
der **See (–n)** lake
die **See** sea
das **Seebad (¨er)** sea-side
resort
das **Seefestspiel (–e)** lake
festival
die **Seezunge (–n)** sole
(fish)
der **Segen (–)** blessing
**sehen (sieht, sah,
gesehen)** see
die **Sehenswürdigkeit
(–en)** place of
interest worth
visiting
sehnen long, yearn
sehr very, very much

das Seidentuch (¨er) silk, silk scarf

seid (ihr) you are (*fam. pl.*)

seien (sein) be, are, were (*imperative* and *subjunctive*)

die Seife (–n) soap

die Seilbahn (–en) cable railway

sein (ist, war, gewesen) be

sein, seine, sein his, its

seit since

seitdem (*conjunction*) since

die Seite (–n) page; side

die Sekretärin (–nen) secretary

selber myself, himself, yourself, etc.

derselbe, dieselbe, dasselbe the same

selbst self; even

selbständig independent; self-supporting

selbstverständlich naturally, of course, self-evident

selten rare, seldom

die Seltenheit (–en) rarity

die Semmel (–n) roll (Austrian term)

senden send, broadcast,

die Sendung (–en) broadcast

sensationell sensational

der Service service (car)

servieren serve, wait (at table)

die Serviette (–n) serviette, napkin

der Sessel (–) arm-chair, easy-chair

setzen place

sich setzen take a seat, sit down

sich (*reflexive pronoun*) self, oneself (not always translated)

sicher sure; certain, safe

die Sicherheit (–en) certainty, guarantee, security, safety

die Sicht view, visibility

sichtbar visible

Sie you (*formal*)

sie she, her, they, them

die Siegermacht (¨e) conquering power

das Silberband (¨er) silver ribbon

sind (sein) are

singen (a, u) sing

der Sinn (–e) sense

im Sinn haben intend, have in mind

die Sirene (–n) siren

die Sitte (–n) customs, manners and morals (in *pl.*)

die Situation (–en) situation, position

der Sitz (–e) seat, residence, location

sitzen (sitzt, saß, gesessen) sit, be seated

sitzenbleiben (ie, ie) remain seated

die Sitzung (–en) sitting, session, meeting

Sizilien Sicily

Skandinavien Scandinavia

der Skiläufer (–) skier

so so, thus; as

so ... wie ... as ... as ...

so etwas such a thing, that sort of thing

sobald as soon as

die Socke (–n) sock

sofort immediately, at once

sogar even

sogenannt so-called

der Sohn (¨e) son

solange as long as

solcher, solche, solches such

ein solcher Mann, such a man

sollen be obliged to, be supposed to, be said to

ich sollte ... I should ...

der Sommer (–) summer

der Sommermantel (¨) summer-coat

der Sommerurlaub (e) summer holiday

die Sondermarke (–n) special (postage) stamp

sondern but (in contradiction)

die Sonderstellung (–en) exceptional/special position

der Sonnenschein sunshine

sonst otherwise

sonst noch etwas ? anything else ?

sorgen (für) care for, look after, attend to

die Sorge (–n) care, worry

machen Sie sich keine Sorgen! Keine Sorge! Don't worry !

sorgfältig carefully

die Sorte (–n) sort, kind

soviel as far as, so much, as much

sowjetisch soviet

sowohl ... als auch both ... and

spalten (*past participle* **gespalten/gespaltet**) split

die Spaltung (–en) division, schism

Spanien Spain

der Spanier (–) Spaniard
die Spanierin (–nen) Spanish woman
Spanisch Spanish (language)
spanisch Spanish
sparen save
das Sparkonto (–konten) savings account
der Spaß (∴ e) joke; fun
der Spaßverderber (–) spoil-sport
spät late
   wie spät ist es? what is the time?
   zu spät (too) late (not on time)
spätestens at the latest
der Spaziergang (∴ e) walk
   einen Spaziergang machen go for a walk
   spazierengehen (geht/-ging/-ge-gangen) go for a walk
der Speck bacon
die Spedition forwarding; forwarding agency
die Speise (–n) food; dish; meal
die Speisekarte (–n) menu
sperren bar, block
die Spezialität (–en) speciality
das Spiegelei (–er) fried egg
das Spiel (–e) game; playing
spielen play
   die Rolle spielen play the rôle
die Spielsache (–n) toy, plaything
das Spielzeug (–e) toy
der Spinat spinach
die Spirituosen (pl.) spirits (whisky, etc.)
das Spital (∴ er) hospital

die Spitze (–n) top; point, summit
der Sport sport
der Sportartikel (–) (in pl.) sports equipment
das Sporthemd (–en) sports shirt
sportlich sporting, athletic
der Sportwagen (–) sportscar
die Sprache (–n) language
die Sprachkenntnis (–se) knowledge of a language
der Sprachkurs (–e) language course
das Sprachlabor language laboratory
   sprechen (i, a, o) speak; talk
   sprechend speaking
die Sprechstunde (–n) consulting hour, surgery
das Sprichwort (∴ er) saying, proverb
spritzen spray
der Staat (–en) State
   die Vereinigten Staaten United States
die Staatsoper (–n) State Opera
das Städel (Städel'sches Kunstinstitut) Frankfurt City Art Gallery
die Stadt (∴ e) town, city
die Stadtbesichtigung (–en) sightseeing tour of town
städtisch municipal
die Stadtmitte (–n) town centre
der Stadtplan (∴ e) map of town
die Stadtrundfahrt (–en) tour of the city

der Stadtstaat (–en) city state (e.g. Hamburg)
das Stadtzentrum (–zentren) town centre
die Stahlwerke (n. pl.) steel works
stammen be descended from, derived from, originate
der Stand (∴ e) stand (at trade fair)
ständig constant, permanent
stark strong
   ein starker Raucher a heavy smoker
starten start
statt instead of
stattfinden (-findet/ -fand/-gefunden) take place, happen
der Staubsauger (–) vacuum-cleaner
staunen be amazed
stecken put; stick
steckenbleiben (-bleibt/-blieb/-ge-blieben) come to a stop; stick, get stuck
   im Verkehr stecken bleiben be stuck in a traffic jam
stehen (steht, stand, gestanden) stand, be
   in Verbindung stehen be connected with
   zur Verfügung stehen be at one's disposal
stehenbleiben (-bleibt/ -blieb/-geblieben) remain standing, stop; stall (of car)
steigen (ie, ie) climb, mount up; rise
steigern raise, increase

die **Steigerung** (–en) increase, rise

die **Steinkohle** coal

die **Stelle** (–n) place; situation, position, post, job

stellen lay, place, put

Fragen stellen ask questions

die **Stellung** (–en) post, job

der **Stellungswechsel** (–) change of job

die **Stenographie** shorthand

stenographieren write shorthand

die **Stenotypistin** (–nen) shorthand typist

der **Stephansdom** St. Stephen's Cathedral (Vienna)

sterben (**stirbt, starb, gestorben**) die

das **Steuer** (–) steering wheel

die **Steuer** (–n) tax, duty

die **Stewardeß** (–en) air hostess

der **Stil** (–e) style

still quiet

der **Stillstand** standstill, stop

die **Stimme** (–n) voice; vote

stimmberechtigt entitled to vote

stimmen agree, vote

das **stimmt** that's right/correct

der **Stock** (e) floor, storey

im ersten Stock on the first floor

stocken come to a deadlock

der **Stoff** (–e) material, substance

stolz proud

stören disturb; trouble

die **Stoßstange** (–en) bumper (car)

das **Strafgeld** fine (as punishment)

die **Straße** (–n) street

die **Straßenbahn** (–en) tram(way)

die **Straßenbahnfahrt** (–en) tram journey

die **Straßenbahnhaltestelle** (–n) tram stop

die **Straßenbahnlinie** (–n) tram route

der **Straßenbau** road construction

die **Straßenecke** (–n) street corner

die **Straßenerhaltung** road maintenance

die **Straßenkreuzung** (–en) cross-roads

die **Strecke** (–n) stretch; distance

streichen (**streicht, strich, gestrichen**) cross off, cancel, paint

der **Streik** (–s) strike (work)

die **Streitfrage** (–n) controversial matter, debatable point

streng severe; strict

der **Strom** (¨e) large river; current (electricity); electricity

es goß in Strömen it was coming down in torrents

strömen stream, pour (of rain); gush

strömend pouring

die **Stromerzeugung** generation of electricity

der **Strumpf** (¨e) stocking

das **Stück** (–e) piece

das **Stückchen** (–) small piece

der **Student** (–en) student (male)

die **Studentin** (–nen) student (female)

studieren study

das **Studium** (–ien) study, reading

der **Stuhl** (¨e) chair

die **Stunde** (–n) hour, lesson

stundenlang for hours on end

der **Sturm** (¨e) storm, gale

der **Sturz** (¨e) sudden fall, crash

die **Suche** (–n) search

suchen look for, seek

süddeutsch South German

der/die **Süddeutsche** (–n) South German (person)

Süddeutschland South Germany

der **Süden** south

südlich southern; south; towards the south

der **Südosten** South East

südöstlich south eastern; south east; towards the S.E.

Südwestdeutschland South West Germany

südwestlich south western; south west; towards the S.W.

die **Summe** (–n) sum, amount

die **Suppe** (–n) soup

der **Suppenlöffel** (–) soup spoon

süß sweet

das **System** (–e) system

T

der **Tabak** tobacco

das **Tabakgeschäft (–e)** tobacconist's

die **Tabelle (–n)** chart, schedule, tabulation

die **Tablette (–n)** tablet; pill

der **Tag (–e)** day

Guten Tag! Good-day!

das **Tagebuch (¨er)** diary

die **Tagesarbeit** daily work, day's work, daily routine

der **Tageslauf** course of the day

die **Tagesschau** review of the day's events

die **Tagessuppe (–n)** soup of the day

die **Tageszeit** time of day

die **Tageszeitung** daily newspaper

täglich daily

das **Tal (¨er)** valley

die **Tankstelle (–n)** filling station

der **Tankwart (–e)** petrol pump attendant

tapezieren paper (wall-paper), decorate

tapfer brave; bold, courageous

die **Tarifschranke (–n)** tariff restriction

die **Tasche (–n)** bag, pocket

das **Taschentuch (¨er)** handkerchief

die **Tasse (–n)** cup

tätig active, energetic

tätig sein work, be employed

die **Tätigkeit (–en)** work, activity

die **Tatsache (–n)** fact

das **Taxi (–s)** taxi, cab

der **Taxichauffeur (–e)** cab driver

der **Techniker (–)** technician

der **Tee** tea

der **Teil (–e)** part, share

zum Teil partly

teilen divide, share

teilnehmen (-nimmt/-nahm/-genommen) take part (in); join in

die **Teilung (–en)** division; separation; sharing

das **Telephon, Telefon (–e)** (both spellings acceptable) telephone

der **Telephonanruf (–e)** telephone-call

das **Telephonbuch (¨er)** telephone-directory

das **Telephonfräulein (–)** telephone-operator

das **Telephongespräch (–e)** telephone conversation

telephonieren telephone

telephonisch by telephone

die **Telephonnummer (–n)** telephone number

die **Telephonzelle (–n)** call-box

das **Telegramm (–e)** telegram

die **Telegrammannahme** telegram-reception (by telephone)

das **Telegrammformular (–e)** telegram form

der **Teller (–)** plate, dish

die **Temperatur (–en)** temperature

der **Teppich (–e)** carpet

der **Termin (–e)** term, length of time, appointed day

teuer dear, expensive

der **Text (–e)** text, context

die **Textilien** *(pl.)* textiles

das **Theater (–)** theatre

so ein Theater! such a fuss!

die **Theateraufführung (–en)** theatre performance

das **Theaterfestspiel (–e)** drama festival

die **Theaterkarte (–n)** theatre ticket

das **Thema (Themen)** subject, theme, topic

das **Thema wechseln** change the subject

das **Thermometer (–)** thermometer

tief deep, low, profound

der **Tiefbau (–e)** underground construction

die **Tiefebene (–n)** plain, lowland

das **Tiefland (¨er)** low-lying country, lowland

der **Tiergarten (¨)** zoo

tippen type; tap

der **Tisch (–e)** table

der **Titel (–)** title; claim

der **Toast (–e)** toast, (health), toast (bread)

die **Tochter (¨)** daughter

die **Toilette (–n)** toilet

die **Toilettenartikel** *(m. pl.)* toilet requisites

die **Toilettentasche (–n)** toilet-bag

der **Toilettentisch (–e)** dressing-table

der **Tomatensalat (–e)** tomato salad

die **Tomatensuppe (–n)** tomato soup

das **Tonband (¨er)** tape (magnetic)

das Tonbandgerät (–e) tape-recorder

die Torte (–n) cake, tart

tot dead

totmüde dead tired

total total(ly), complete(ly)

der Tourist (–en) tourist

die Touristenklasse (–n) tourist class

der Touristenort (–e) tourist resort

die Touristensaison (–s) tourist season

der Touristenstrom (–̈e) stream of tourists

die Tradition (–en) tradition

die Tragbahre (–n) stretcher

tragen (trägt, trug, getragen) carry; wear

der Träger (–) carrier, porter

trainieren train

der Transistor (–en) transistor (radio)

der Transport transport

die Traube (–n) grape

traurig sad, wretched; dismal

treffen (trifft, traf, getroffen) meet

sich treffen meet (each other), assemble

trennen separate, disconnect

die Treppe (–n) staircase, stairs

trinken (a, u) drink

das Trinkgeld (–er) tip

der Tropfen (–) drop; tear

der Trost comfort, consolation

trotz (*dat.* or *gen.*) in spite of; despite

trotzdem nevertheless, in spite of that

trüb overcast, dull, troubled

die Tuchstadt (–̈e) town noted for manufacture of cloth

tun (tut, tat, getan) do, make; put

die Tür (–en) door

der Turm (–̈e) tower

die Type (–n) type

typisch typical

U

üben practise, exercise

über over, across; beyond; above

überall everywhere; all over

der Überblick (–e) survey; review; view

übereinstimmen agree

überfahren (-fährt/ -fuhr/-fahren) run over

überfahren (*adj.*) second-hand

die Übergabe (–n) surrender, transfer

übergeben (-gibt/-gab/ -geben) hand over

übergehen, pass over

überhaupt at all, generally, on the whole

überholen overtake

überlassen (-läßt/ -ließ/-lassen) leave, entrust (a task to someone)

überlegen, sich überlegen reflect, consider, ponder, think over

übermorgen the day after tomorrow

übernachten spend the night

die Übernachtung (–en) spending the night

übernehmen (-nimmt/ -nahm/-nommen) take over

überparteilich independent (politically)

überraschen surprise

die Überraschung (–en) surprise

überreden persuade

übersehen ignore, overlook; disregard

übersetzen translate

übersetzt in translation, translated

die Übersetzung (–en) translation

die Übersicht (–en) survey

überstehen (-steht/ -stand/-standen) get over, recover

übertreiben (-treibt/ -trieb/-trieben) exaggerate

überwachen supervise

überweisen (-weist/ -wies/-wiesen) transfer, remit

die Uberweisung (–en) transfer, remittance

überwiegend predominantly

überwinden (-wand, -wunden) overcome

überzeugen convince

überziehen (-zieht/ -zog/-zogen) overdraw (bank account)

üblich usual, customary, in use

übrig left over

es bleibt uns nichts andres übrig, als there is nothing for us to do but . . .

übrigens moreover, by the way, besides

die Übung (–en) practice, exercise; drill

das Ufer (–) bank (of river)

die Uhr (–en) clock, o'clock, time of day

wieviel Uhr ist es? what time is it?

um drei Uhr at three o'clock

um at; for; around

um Gottes willen for heavens' sake

um den Tisch round the table

um . . . zu (+*inf*) in order to

sich umdrehen turn round

umfangreich comprehensive, wide

umfassen comprise, include

die Umgangsformen (*pl.*) good manners, pleasant personality

die Umgangssprache (–n) colloquial language

die Umgebung (–en) surroundings, environs; district

umgehend immediately

der Umsatz (– e) turnover

sich umsehen (-sieht/-sah/-gesehen) look round

der Umstand (– e) circumstance; condition

keine Umstände! no fuss!

umständlich inconvenient, complicated

umsteigen (ie, ie) change (trains, buses)

die Umstellung (–en) change

der Umtausch (–e) exchange

die Umtauschmöglichkeit (–en) possibility of exchange

die Umwelt world around, environment

umziehen (-zieht/-zog/-gezogen) move house

sich umziehen change (clothes)

unabhängig independent

unangenehm unpleasant, disagreeable

unausgesetzt constant, continuous

unbedingt at all costs, absolute, unconditional

unbewohnbar uninhabitable

und and

unentbehrlich indispensable

unerschwinglich unattainable; unreasonably dear

unerwartet unexpected

der Unfall (– e) accident; disaster

die Unfallstation (–en) casualty department

unfreundlich unfriendly; cold; unpleasant

Ungarn Hungary

ungeduldig impatient

ungefähr about, approximately

ungern unwillingly, regretfully

ungesüßt unsweetened

das Unglück ill-luck; unhappiness

unglücklich unhappy; unlucky

ungünstig unfavourable

unhöflich impolite

die Universität (–en) university

die Universitätsstadt (– e) university town

unlösbar insoluble

die Unmenge (–n) large number, great deal

unmöbliert unfurnished

unmöglich impossible

das Unrecht wrong, injustice

unrecht haben be wrong

uns us

unser our

unter under, among, below

man versteht unter . . . one understands by . . .

unterbrechen (-bricht/-brach/-brochen) interrupt; break (journey)

die Unterbrechung (–en) interruption

unterdrücken suppress; restrain; crush

die Untergrundbahn (–en) underground railway

sich unterhalten (-hält/-hielt/-halten) converse, talk

die Unterhaltung (–en) conversation, entertainment

das Unterhemd (–en) vest

die Unterhose (–n) underpants

die Unterkunft (– e) shelter; accommodation, lodging

unterlassen (-läßt/ ließ/-lassen) neglect, leave undone

unterliegen be subject to

der Untermieter (–) sub-tenant

unternehmen (-nimmt/-nahm/ -nommen) under-take; attempt

unternehmungslustig in a mood for activity, feeling energetic

unterschätzen under-rate, under-estimate

sich unterscheiden (-scheidet/ -schied/ -schieden) be different (from), differ (from)

der Unterschied (–e) distinction, difference

unterschreiben (-schreibt/- -schrieb/-schrie-ben) sign

die Unterschrift (–en) signature

unterstellen place under

die Unterstützung support

untersuchen examine

unvergeßlich un-forgettable

unverheiratet un-married

unvernünftig unreasonable; irrational

unverschämt shame-less, impudent

unverzeihlich un-forgivable, un-pardonable

unvorsichtig careless, incautious, unwise

unzufrieden dis-satisfied, discon-tented

der Urlaub holiday, leave

der Urlauber (–) holiday-maker, tourist

der Urlaubsplan (̈e) holiday-plan

der Urlaubsverkehr holi-day traffic

ursprünglich originally

der Urteilsspruch (̈e) sentence, verdict

u.s.w. und so weiter etc., and so on

V

die Vanille vanilla

die Vase (–n) vase

der Vater (̈) father

sich verabreden make an arrangement, an appointment

die Verabredung (–en) appointment, arrangement

sich verabschieden take one's leave, say good-bye

sich verändern change, alter

veranstalten prepare, arrange, organise

verantwortlich re-sponsible

die Verantwortung (–en) responsibility

verarbeiten use, manu-facture, process

(sich) verbessern improve (oneself)

verbieten (-bietet/ -bot/-boten) forbid

verbilligen make cheaper, cheapen

verbinden (-bindet/ -band/-bunden) connect; unite, combine

die Verbindung (–en) connection; alliance; link

das Verbrechen (–) crime

verbreiten spread; circulate

verbrennen (-brennt/ -brannte/-brannt) burn (up)

verbringen (-bringt/ -brachte/-bracht) spend (time)

verdienen earn

der Verdienst earnings

verdunsten evaporate

vereinen unite

vereinigen unite, re-concile, agree, form a coalition

die Vereinigten Staaten United States

die Vereinigung (–en) union

vereiteln thwart, frustrate

die Verfassung (–en) con-stitution

verfügen dispose (of), have at one's disposal

die Verfügung (–en) disposal

zur Verfügung available

zur Verfügung stehen be at one's disposal, service

die Verführerin (–nen) temptress, seduc-tress

die Vergangenheit past

vergehen (-geht/ -ging/-gangen) pass, vanish, dis-appear

vergessen (-ißt/-aß/ -gessen) forget

sich vergiften poison one-self, get food-poisoning

der Vergleich (–e)
comparison;
agreement
im Vergleich zu
by comparison with
vergleichen (ver-
gleicht, verglich,
verglichen) com-
pare
die Vergleichsmöglich-
keit (–en) possi-
bility of comparison
das Vergnügen (–) enjoy-
ment, pleasure
die Vergrößerung (–en)
enlargement;
increase
das Verhältnis (–se) relation, proportion
verhaltnismäßig
relatively
die Verhandlung (–en)
negotiation
sich verheiraten get mar-
ried, marry
verhindern prevent;
delay
sich verirren lose one's way;
err
der Verkauf (¨e) sale;
selling
verkaufen sell
der Verkäufer (–) salesman
die Verkäuferin (–nen)
saleswoman
die Verkaufsabteilung
(–en) sales de-
partment
der Verkaufsdirektor
(–en) sales director
der Verkaufsingenieur
(–e) sales engineer
die Verkaufskonferenz
(–en) sales con-
ference
der Verkaufsleiter (–)
sales manager
die Verkaufssteigerung
(–en) sales increase

die Verkaufstaktik
methods of sales
promotion
der Verkaufstisch (–e)
counter
die Verkaufsziffern (f. pl.)
sales-figures
der Verkehr traffic
die Verkehrsampel (–n)
traffic-light
das Verkehrsmittel (–)
means of transport
der Verkehrsteilnehmer
(–) driver (on road)
der Verkehrsunfall (¨e)
street accident
das Verkehrszeichen (–)
traffic sign
das Verkehrszentrum
(–tren) traffic
centre
verlangen demand,
wish
verlassen (–läßt/–ließ/
–lassen) leave
sich verlassen auf rely on
verletzen injure, hurt
die Verletzung (–en)
injury
verlieren (verliert/
verlor/verloren)
lose
sich verloben get engaged
der/die Verlobte (n)
fiancé(e)
vermeiden (ver-
meidet, vermied,
vermieden) avoid
vermieten let; hire out
der Vermieter (–) landlord
die Vermieterin (–nen)
landlady
vermindern reduce
vermissen miss
vernünftig sensible
verpassen miss, lose
die Verpflegung (–en)
maintenance, board
and lodging

die Verpflichtung (–en)
duty, obligation,
commitment
verreisen go off (on a
journey)
verrenken dislocate,
sprain
verrückt mad, crazy
versäumen neglect,
fail, let slip; miss
verschenken give (as a
present) give away
verschieben (ver-
schiebt, verschob,
verschoben) post-
pone; shift
verschieden different;
varied
verschiedenartig
various, of a varied
nature
Verschiedenes various
matters
die Verschiedenartigkeit
(–en) difference of
kind/nature,
heterogeneity
die Verschiedenheit
(–en) difference;
variety
verschlafen (–schläft/
–schlief/–schlafen)
oversleep
verschmelzen (i, o, o)
merge, blend
verschreiben
(–schreibt/–schrieb
–schrieben) pre-
scribe
das Verschulden (–)
fault, blame
verschwenden waste
verschwinden
(–schwindet/
–schwand/
–schwunden) dis-
appear
die Versicherung (–en)
insurance

das Versorgungsproblem (–e) problem of supplies

versprechen (–spricht/ -sprach/ -sprochen) promise

sich verständigen make oneself understood

die Verständigung (–en) arrangement, agreement, information

verständlich intelligible; clear, comprehensible

das Verständnis (–se) understanding; appreciation

verstecken hide

verstehen (-steht/ -stand/-standen) understand

sich verstehen get on well together, understand each other

der Versuch (–e) attempt

versuchen try

verteilen divide

der Vertrag (̈e) contract, treaty

vertragen (ä, u, a) endure, bear

vertrauen entrust (to a person's care), hand over

sich mit dem Inhalt vertraut zu machen become familiar with the contents

vertreiben (vertreibt, vertrieb, vertrieben) drive away

Zeit vertreiben pass the time

vertreten (itt, a, e) represent

der Vertreter (–) representative; deputy, delegate

verursachen cause, provoke, give rise to

die Verwaltung (–en) management, administration

der/die Verwandte (–n) relative

verwenden use, apply

die Verwendung (–en) use, application

verwöhnen spoil

verzeichnen specify, report, note down

die Verzeihung (–en) forgiveness, pardon

Verzeihung! Sorry!

verzichten (auf) forego, renounce, do without

verzollen pay Customs duty on

der Vetter (–n) cousin (male)

das Vieh cattle

viel (*adj.* or *adv.*) much, (*pl.*) many

vielfach in many cases, frequently

Vielfalt multiplicity, variety (usually **die Vielfältigkeit**)

vielleicht perhaps

vielmals frequently

danke vielmals many thanks

viereckig rectangular

das Viertel (–) district; quarter

vierteljährlich quarterly

die Viertelstunde (–n) quarter of an hour

das Volk (̈er) people, nation

die Volkshochschule (–n) adult education centre

die Volkssage (–n) popular tradition, legend

volkstümlich popular; national

die Volkswagenvertretung Volkswagen local office

die Volkswirtschaft political economy

voll full

vollautomatisch fully automatic

sich vollenden be completed

vollgeschrieben completely written (post-card)

völlig completely, fully

die Vollpension full-board

vollständig complete, whole, entire(ly)

vom = von dem from, of, by (the)

von from; by; of

voneinander from/by one another

vor in front of; before, ago

vor vier Jahren 4 years ago

vor allem above all

vor Kälte with cold

die Voralpenlandschaft lower Alpine country, scenery

vorausgesetzt provided

vorbei past, by; along

vorbeikommen (-kommt/-kam/ -gekommen) come past, pass

vorbereiten prepare

die Vorbereitung (–en) preparation

vorbeugen prevent

der Vorderradantrieb (–e) front-wheel drive

der Vordersitz (–e) front seat; seat in front

vorfahren (-fährt/ -fuhr/-gefahren) drive forward

die Vorfahrt (–en) right of way (in traffic)

vorgelagert situated in front of

vorhaben intend

vorhanden to/at hand; existent; in stock, available

vorher beforehand

vorherrschend prevailing

vorig last

die Vorkehrung (–en) arrangement

vorkommen (-kommt/ -kam/-gekom- men) seem, appear, occur, happen

ich komme den Leuten dumm vor people think me stupid

das Vorkommen deposit (mineral), existence

vorläufig provisional, preliminary

vorlesen (-liest/-las/ -gelesen) read aloud

das Vormerkbuch (¨er) note-book, appointments book

vormerken make a note; book; make an appointment

der Vormerkkalender (–) engagement calendar

der Vormittag (–e) morning, forenoon

vormittags in the morning(s)

vorn(e) in front

der Vorschlag (¨e) suggestion

vorschlagen (-schlägt/ -schlug/geschla- gen) suggest, propose

die Vorschrift (–en) rule

vorsehen plan, plan ahead, guard against

die Vorsicht caution, care

vorsichtig careful, cautious

die Vorspeise (–n) first dish, appetizer

vorstellen introduce; put in front (of)

die Vorstellung (–en) performance

der Vorteil (–e) advantage

vorteilhaft advantageous

der Vortrag (¨e) lecture, talk

einen Vortrag hal- ten give a lecture

vorüber past; finished

vorzeigen show, produce, exhibit

vorziehen (-zieht/ -zog/-gezogen) prefer

vorzüglich preferable, excellent

mit vorzüglicher Hochachtung Yours respectfully Yours faithfully

vulkanisieren vulcanize

W

wachsen (ä, u, a) grow

das Wachstum growth

der Wagen (–) car; vehicle

die Wagenreparatur (–en) vehicle repair

die Wahl (–en) choice; election

wahlberechtigt entitled to vote

wählen choose; elect, dial (telephone)

wahr true, correct

nicht wahr? isn't that so? isn't it? wasn't it? weren't they? etc.

während (*prep.*) during

während (*conj.*) while

wahrscheinlich probably

das Wahrzeichen (–) landmark, sign

der Wald (¨er) wood, forest

die Waldluft (¨e) wood-scented air

das Waldviertel wooded district

der Walzer (–) waltz

die Wand (¨e) wall

der Wanderer (–) traveller; tourist; hiker

wann when (*direct* and *indirect* questions)

war (sein) was

wäre (sein) was, is, would be (*subjunc- tive*)

die Ware (–n) merchandise, goods

waren (sein) were

die Warenprobe (–n) inspection of goods

warm warm

das Warmwasser warm water

die Warnung (–en) warning

warten (auf) wait (for)

der Wartesaal (-säle) waiting-room

das Wartezimmer (–) waiting-room

warum why

was what

was für ein . . . ? what sort of . . . ?
die **Wäsche** underwear, linen, washing
waschen (ä, u, a)
die **Waschmaschine (-n)** washing machine
das **Wasser** water
die **Wasserkraft (¨e)** water-power, hydraulic power
die **Wasserkühlung** water cooling
wechseln change, exchange
die **Wechselstube (-n)** money-changing bureau
wecken wake (someone else)
weder . . . noch neither . . . nor
der **Weg (-e)** route, way, road
weg away; gone
wegen because of; on account of
wegfahren (-fährt/-fuhr/-gefahren) go away, drive away
weggehen (-geht/-ging/-gegangen) go away
wegkommen (-kommt/-kam/-gekommen) come away
wegnehmen (-nimmt/-nahm/-genommen) take away
wegwerfen (-wirft/-warf/-geworfen) throw away
weh (tun) hurt
sich **wehren** resist, oppose
weich soft; delicate
weichkochen soft-boil
weichgekocht soft-boiled
weil because
die **Weile (-n)** while, period of time
der **Wein (-e)** wine
die **Weinbaustadt (¨e)** town in wine-growing area
der **Weinberg (-e)** vineyard
die **Weinbrandkirschen** cherry liqueur chocolates
weinen cry, weep
die **Weinflasche (-n)** wine-bottle
das **Weintrinken** wine drinking
weiß white
weiß (wissen) know
das **Weißhemd (-en)** white shirt
der **Weißwein (-e)** white wine
weit far, distant
weit wide; broad
weit verbreitet widespread
weitaus by far, much
bei **weitem** by far
bei **weitem nicht** by no means
weiterarbeiten go on working
weiterfahren (ä, u, a) drive on
weitergehen (-geht/-ging/-gegangen) continue walking, walk on, continue
weiterhin for the future, from now
weiterkommen (-kommt/-kam/-gekommen) go on, advance, proceed
welcher, welche, welches which
die **Welt** world; also name of a German newspaper
weltbekannt world famous, known the world over; well-known
das **Weltgeschehen (-)** world event
der **Weltkrieg (-e)** world-war
weltlich wordly, secular
der **Weltmeister (-)** (world) champion
die **Weltreise (-n)** world tour
die **Weltstadt (¨e)** metropolis
wem (see **wer**) to whom (*dative*)
wen (see **wer**) whom (*accusative*)
sich **wenden** turn to; apply to
wenig a little, not much
wenigstens at least
wenn if, when, whenever
wer ? who ?
der **Werbeberater (-)** advertising consultant
der **Werbebrief (-e)** letter of advertisement, advertising leaflet
der **Werbeétat** advertising budget
der **Werbefachmann** (*pl.* **Fachleute**) advertising executive, advertising expert
der **Werbefeldzug (¨e)** advertising campaign
der **Werbefilm (-e)** advertising film

das Werbegeschenk (–e)
  free gift, free sample
  (as advertising
  gimmick)
die Werbemaßnahme
  (–n) advertising
  campaign, measure
das Werbemittel (–) means
  of publicity, method
  of advertising
die Werbetechnik tech-
  niques of advertis-
  ing
die Werbung advertising
  werden (wird, wurde,
  geworden) be-
  come; be (with *past
  participle*); will,
  shall (with *infinitive*)
das Werk (–e) factory; *pl.*
  works
die Werkstatt (¨en)
  workshop
die Werkstätte (–n)
  workshop
der Werkstoff (–e) material,
  raw material
der Werktag (–e) working
  day, week-day
das Werkzeug (–e) tool;
  implement
der Wermuth vermouth
  wert worth, valuable,
  precious
der Wert (–e) worth, value
  wertvoll valuable,
  precious
  wesentlich essential;
  real; fundamental
  wessen (wer) of whom,
  whose
  Westberlin West Berlin
  westdeutsch West
  German
  Westdeutschland
  West Germany
der Westen west
  westlich westerly; to the
  west

weswegen why, on
  account of what
das Wetter weather
der Wettkampf (¨e) com-
  petition, contest
der Whisky whisky
  wichtig important
  wie how; as
  wie geht es Ihnen?
  how are you?
  wieder again, back
  again
die Wiedereingliederung
  return (of territory),
  reunification
  wiederfinden (-findet/
  -fand/-gefunden)
  find, find again
  wiederholen repeat;
  bring back (separ-
  able with this
  meaning)
  wiederhören hear
  again
  auf Wiederhören
  good-bye (on tele-
  phone)
  wiederkommen
  (-kommt/-kam/
  -gekommen) come
  back again
  wiedersehen (-sieht/
  -sah/-gesehen) see
  again
  auf Wiedersehen
  good-bye (= till we
  meet again)
sich wiedersehen meet
  again
  wiedertreffen (-trifft/
  -traf/-getroffen)
  meet again
die Wiedervereinigung
  reunification
  wiegen (o, o) weigh
  Wien Vienna
der Wiener (–) Viennese
  (male)
  wienerisch Viennese

das Wienerschnitzel veal
  cutlet (Viennese
  style)
der Wienerwald Vienna
  Woods
die Wiese (–n) meadow;
  green field
  wieso why, how
  wieviel (e) how much,
  how many
  willkommen welcome
der Winter (–) winter
der Winterschlußverkauf
  (¨e) winter-sale
das Wintersportgebiet (–e)
  winter sports centre
der Wintersportler (–)
  lover of winter
  sports
  wir we
  wird (werden) be-
  comes; will (with
  infinitive)
  wirklich real(ly)
die Wirksamkeit
  efficacy, success
die Wirkung (–en) effect
  wirkungsvoll effective
der Wirt (–e) host, landlord
die Wirtschaft (–en)
  economy; public-
  house
  wirtschaftlich
  economical;
  economic
die Wirtschaftsgemein-
  schaft Economic
  Community
  wissen (weiß, wußte,
  gewußt) know
  wissenswert interest-
  ing, worth knowing
  wo where
die Woche (–n) week
das Wochenende (–n)
  week-end
das Wochenendhaus (¨er)
  week-end house,
  cottage, chalet

wöchentlich weekly

wofür for what, for which

woher where from, how (whence)

wohin where to, (whither)

wohl well; probably, I suppose

sich wohlfühlen feel well

der Wohnbezirk (–e) residential district, neighbourhood

der Wohnblock (–s) block of flats

wohnen live

das Wohnhaus (˝er) house, apartment house

die Wohnung (en) flat

der Wohnungsbau house construction, building of homes

der Wohnungsbedarf (–) housing shortage, need for homes

der Wohnungsbesitzer (–) flat-owner

die Wohnungsnot (˝e) housing shortage

das Wohnungsproblem (–e) housing problem

die Wohnungssuche (–n) flat-hunting, search for a flat

der/die Wohnungssuchende person looking for a flat

die Wohnungszählung (–en) flat-count, census of dwellings

das Wohnzimmer (–) living room

die Wolke (–n) cloud

die Wolle wool

wollen want, wish

die Wolljacke (–n) woollen jacket

das Wort (˝er/–e) word

wozu to what purpose, why

die Wunde (–n) wound, sore, bruise, cut

das Wunder (–) miracle, wonder, surprise

wunderbar wonderful, marvellous

sich wundern be surprised, wonder, marvel at

der Wunsch (˝e) wish

wünschen wish

würde (werden – *subjunctive***)** would

die Wurst (˝e) sausage

die Wurstplatte (–n) selection of various kinds of continental sausage

Z

die Zahl (–en) number

zahlen pay

zählen count, reckon

die Zahlung (–en) payment

die Zahnbürste (–n) tooth-brush

die Zahnpasta tooth-paste

das Zehnpfennigstück (–e) 10 Pfennigpiece (coin)

das Zeichen (–) sign, indication

zeichnen sign; mark; draw

die Zeichnung (–en) drawing; design

zeigen show

die Zeile (–n) line; row

die Zeit (–en) time

zur Zeit at the present time

die Zeitschrift (–en) periodical, magazine

die Zeitung (–en) newspaper

das Zeitungsinserat (–e) newspaper advertisement

der/die Zeitungsleser (–) newspaper reader

das Zeitungswesen the Press, organisation of the Press

die Zeitverschwendung waste of time

die Zelle (–n) cell; box (telephone)

die Zensur censorship

zensurieren censor

zentral central

die Zentralheizung (–en) central heating

das Zentrum (Zentren) centre

zerbrechen (-bricht/ -brach/-brochen) shatter, smash, break

zerstören destroy

die Zerstörung (–en) destruction; ruin

der Zettel (–) sheet of paper; note; scrap of paper

zeugen testify, bear witness to, give evidence of

das Zeugnis (–se) testimony, evidence; testimonial, certificate

die Zeugnisabschrift (–en) copy of testimonial

ziehen (zieht, zog, gezogen) move, pull, draw

sich ziehen stretch, extend

das Ziel (–e) goal, destination

ziemlich quite, fairly, rather

die Ziffer (–n) figure, numeral, cipher

die **Zigarre** (**–n**) cigar
die **Zigarette** (**–n**) cigarette
das **Zimmer** (**–**) room
die **Zimmerbestellung**
(**–en**) reservation
of accommodation
das **Zimmermädchen**
(**–**) maid, chamber-
maid
die **Zimmerpflanze** (**–n**)
house plant
die **Zimmerreservierung**
(**–en**) room reser-
vation
der **Zinssatz** (**ᵉe**) rate of
interest
zitieren quote
zittern shiver, shake,
tremble
zögern delay, hesitate
der **Zoll** (**ᵉe**) customs duty
der **Zollbeamte(r)** (**–en**)
customs officer
die **Zollerklärung** (**–en**)
customs declaration
das **Zollformular** (**–e**)
customs form
zollfrei free of duty
die **Zollkontrolle** customs,
customs inspection
die **Zollvorschrift** (**–en**)
customs regulation
die **Zone** (**–n**) zone, (often
used as abbreviation
for "Ostzone")
zu to; at; in; in order
to; too; closed
zu Hause at home
zu Mittag at mid-day
zu Fuß on foot
zum Abendessen
for supper
zu teuer too dear
zubereiten get ready,
prepare (food)
die **Zubereitung** preparation, cooking
zuerst firstly, at first;
first of all

der **Zufahrtsweg** (**–e**) way
of access, entry point
zufrieden satisfied,
pleased, content
der **Zug** (**ᵉe**) train; draught
zugeben (**-gibt/-gab/**
-gegeben) admit,
concede
die **Zugspitze** highest peak
in S. Germany
die **Zuhilfenahme** aid,
recourse
zuhören listen, attend
zukommen (**-kommt/**
-kam/-gekom-
men) come up to,
approach
die **Zukunft** future
zuletzt finally
zum = zu dem
zumachen close, shut
zunächst next; first of
all
die **Zunahme** (**–n**) increase, rise, growth
die **Zündkerze** (**–n**) spark-
ing-plug
zunehmen (**-nimmt/**
-nahm/-genom-
men) increase; rise,
grow
die **Zunge** (**–n**) tongue
zur = zu der
sich **zurechtfinden**
(**-findet/-fand/**
-gefunden) find
one's way about,
manage; (*negative*)
be lost
zurück back; backwards
zurückbekommen
(**-bekommt/be-**
kam/-bekommen)
receive, get back
zurückblicken look
back
zurückfahren (**-fährt/**
-fuhr/-gefahren)
drive back, return

zurückfliegen (**-fliegt/**
-flog/-geflogen)
fly back
zurückgeben (**-gibt/**
-gab/-gegeben)
give back
zurückkommen
(**-kommt/-kam/**
-gekommen)
come back, return
zurücktreten (**-tritt/**
-trat/-getreten)
step back, withdraw
zurückzahlen pay back
sich **zurückziehen** (**-zieht/**
-zog/-gezogen)
withdraw; leave
zusammen together
die **Zusammenarbeit** co-
operation, collabor-
ation, team-work
der **Zusammenbruch**
collapse, break-
down
zusammengehen
(**-geht/-ging/-ge-**
gangen) go to-
gether, with
zusammensetzen put
together; combine,
assemble
das **Zusatzgerät** (**–e**) extra
attachment;
adapter
zusätzlich additional,
extra
der **Zuschlag** (**ᵉe**) extra
charge; additional
payment
der **Zustand** (**ᵉe**) condition,
state, situation
zustellen close; forward
(to), deliver (to)
zustimmen agree to,
consent
die **Zustimmung** (**–en**)
consent
zuteilen assign; distri-
bute, allocate

zuteil werden grant, give, bestow

zuversichtlich confident, sure

zuviel too much

zwar indeed, to be sure, of course

der Zweck (–e) purpose, aim, object

  es hätte keinen Zweck there would be no point

zweckmäßig appropriate, expedient, practical

zweieinhalb two and a half

das Zweibettzimmer (–) double room

zweiteilen divide in two, partition

die Zweigstelle (–n) branch (of industrial company)

das Zweigwerk (–e) branch (factory)

zweihundert two hundred

zweimal twice

der Zweisitzer (–) two-seater

der Zwieback rusk, biscuit

die Zwiebel (–n) onion

die Zwiebelsuppe onion soup

zwingen (a, u) compel, force

zwischen between, among

die Zwischenlandung (–en) stopover, touch-down (on a flight)

die Zwischenzeit interval

  in der Zwischenzeit meanwhile

zwo (zwei) two

zwölf twelve